D0985776

Mardi 25 mars 1997

LES OMBRES DE L'EMPIRE

LA SAGA DE LA GUERRE DES ÉTOILES
AUX PRESSES DE LA CITÉ

Timothy Zahn, *L'Héritier de l'Empire*
Timothy Zahn, *La Bataille des Jedi*
Timothy Zahn, *L'Ultime Commandement*
Kathy Tyers, *Trêve à Bakura*
Dave Wolverton, *Le Mariage de la princesse Leia*
Vonda N. McIntyre, *L'Étoile de cristal*
Barbara Hambly, *Les Enfants du Jedi*

DANS LA COLLECTION OMNIBUS

Star Wars, Tome 1
Star Wars, Tome 2

Steve Perry

La guerre des étoiles

LES OMBRES DE L'EMPIRE

Laurédit inc.

Titre original : *Shadows of the Empire*
Traduit par Jean-Marc Toussaint

Édition originale : BANTAM US.

ISBN 2-258-04099-X

Pour Dianne
et pour Tom « Mississippi » Dupree, qui m'a laissé faire partie de l'équipe et qui m'a donné une chance de jouer.

Remerciements

Je n'aurais pas pu écrire ce livre, dont l'action se déroule dans un univers merveilleux mais si complexe et si riche, tout seul. On m'a aidé, énormément, et je suis redevable à quantité de gens. J'ai pensé qu'il était important que vous sachiez qui ils sont. Toutes mes excuses à ceux que j'aurais oubliés ainsi qu'à ceux dont j'ai gâché les idées. C'est ma faute, pas la leur. Si vous êtes un fan des livres, des bandes dessinées, des jeux ou des films, vous reconnaîtrez probablement certains noms.

Toute ma gratitude à : Tom Dupree ; Howard Roffman, Lucy Wilson, Sue Rostoni et Allan Kausch ; Jon Knoles, Steve Dauterman et Larry Holland ; Bill Slavicsek ; Bill Smith ; Mike Richardson, Ryder Windham, Kilian Plunkett et John Wagner ; Timothy Zahn, Kevin J. Anderson et Rebecca Moesta ; Jean Naggar ; Dianne, Danelle et Dal Perry ; Cady Jo Ivy et Roxanne de Bergerac. J'aimerais aussi remercier tous les fans du forum Star Wars sur America Online. De bonnes idées me sont venues quand j'y ai laissé traîner mes oreilles.

Enfin, je voudrais remercier l'homme qui a rêvé puis réalisé ce jouet formidable, celui qui est à la base de tout : George Lucas.

Merci à vous tous, les gars. Sincèrement.

Voyons les choses en face : si le crime ne payait pas, il n'y aurait que très peu de criminels.

Laughton Lewis Burdock

Prologue

Il ressemble à un mort vivant, pensa Xizor. *On dirait un cadavre momifié décédé depuis plus de mille ans. C'est étonnant qu'il soit toujours en vie mais ça l'est bien moins que le fait qu'il soit l'homme le plus puissant de toute la galaxie. Il n'est même pas si âgé que cela ; c'est un peu comme si quelque chose le rongeait de l'intérieur, inexorablement.*

Xizor se tenait en retrait, à quatre mètres de l'Empereur. Il observa l'homme qui jadis avait été le Sénateur Palpatine s'avancer et se placer dans le champ de l'holocaméra. Il s'imagina pouvoir sentir l'odeur de décomposition qui émanait du corps décrépit de l'Empereur. Sans doute n'était-ce qu'une illusion due à l'air recyclé. L'oxygène devait circuler au travers de douzaines de filtres pour éviter la propagation éventuelle de gaz empoisonné. A force d'être filtré de ses moindres particules de vie, l'air n'était peut-être plus qu'une fragrance mortelle.

L'homme à l'autre bout de l'holotransmission ne visualiserait qu'un gros plan de la tête et des épaules de l'Empereur. Il ne verrait qu'un visage ravagé par les ans disparaissant dans les plis d'une épaisse et sombre capuche. Le correspondant, à des années-lumière de là, ne pourrait pas voir Xizor mais Xizor, lui, serait à même de le voir. C'était une grande preuve de confiance de la part de l'Empereur que d'autoriser Xizor à assister à cette conversation.

L'homme à l'autre bout de l'holotransmission.

Si on pouvait toujours l'appeler ainsi.

Juste devant l'Empereur, l'air tourbillonna dans la pièce, lança des étincelles et une silhouette se matérialisa. Un humanoïde, un genou à terre, drapé d'une cape d'un noir d'encre, portant un casque, la figure dissimulée derrière un masque respiratoire.

Dark Vador.

Il prit la parole :

– Que désirez-vous, mon Maître ?

Si Xizor avait pu décocher un rayon foudroyant à travers le temps et l'espace pour terrasser Vador, il l'aurait fait sans sourciller. Encore un rêve illusoire : Vador était quelqu'un de bien trop puissant. On ne pouvait pas l'attaquer de front.

– Il y a soudain un grand trouble dans la Force, dit l'Empereur.

– Je l'ai senti, répondit Vador.

– Nous avons un nouvel ennemi. Luke Skywalker.

Skywalker ? Ç'avait été le nom de Vador bien des années auparavant. Qui était donc cette personne qui portait le même nom, cette personne suffisamment puissante pour que l'Empereur et sa plus répugnante création estiment nécessaire d'en parler ? Par-dessus tout, pourquoi les agents secrets de Xizor n'avaient-ils rien découvert de l'existence de cet individu ? Le courroux de Xizor fut instantané, mais contrôlé. Aucun signe de surprise ou de colère n'apparaîtrait sur ses traits imperturbables. Un Falleen ne laissait pas ses émotions prendre le dessus comme c'était le cas chez beaucoup d'espèces inférieures. Non, un Falleen ne portait pas de fourrure mais des écailles, un Falleen n'était pas un mammifère mais un reptilien. Chez les Falleens, on ne se précipitait pas tête la première contre l'obstacle, on calculait froidement. C'était mieux ainsi. Et beaucoup plus sûr.

– Oui, mon Maître, approuva Vador.

– Il pourrait nous détruire, dit l'Empereur.

L'attention de Xizor était rivée sur l'Empereur et l'image holographique de Vador, agenouillé dans son vaisseau spatial à des années-lumière de là. Voilà une information bien intéressante, en vérité. Quelque chose que l'Empereur percevait comme un danger pour lui-même? Quelque chose que l'Empereur craignait?

– Il est tout jeune, remarqua Vador, Obi-wan ne peut plus l'aider maintenant.

Obi-wan. Ce nom, Xizor le connaissait. Il avait été parmi les derniers Chevaliers Jedi, un général. Mais il était mort depuis des années, non?

Apparemment, si cet Obi-wan avait aidé quelqu'un qui n'était encore qu'un enfant, l'information que détenait Xizor était inexacte. Ses agents auraient bientôt des comptes à lui rendre...

Xizor se concentra sur l'image distante de Vador, sans pour autant quitter l'Empereur des yeux. En dépit de ces deux présences, bien que conscient du luxe de la chambre la plus isolée et la plus protégée au cœur du palais pyramidal, Xizor fut à même de prendre la décision qui s'imposait : la tête de celui qui avait omis de l'informer allait tomber. La connaissance, c'était le pouvoir. Le manque de connaissance, une faiblesse. C'était une chose qu'il ne pouvait pas se permettre.

L'Empereur continua.

– Mais la Force est avec lui. Le fils de Skywalker ne doit jamais devenir un Jedi.

Le fils de Skywalker?

Le fils de *Vador*? Incroyable!

– Si nous pouvions le convertir, il deviendrait un allié très puissant, suggéra Vador.

Il y eut quelque chose dans la voix de Vador lorsqu'il prononça ces mots. Quelque chose que Xizor ne parvint pas vraiment à cerner. De l'envie? De l'inquiétude?

De l'espoir?

– Oui... oui. Ce serait même un atout très précieux, dit l'Empereur. Cela peut-il être fait?

La pause qui suivit fut on ne peut plus brève.

– Il sera notre allié ou il mourra, mon Maître.

Xizor sentit naître un sourire mais il ne le montra pas plus qu'il n'avait laissé paraître sa colère. Ah! Vador voulait capturer ce Skywalker vivant, voilà ce que sous-entendait son ton tout à l'heure. Oui, il venait de dire que le garçon se joindrait à eux ou serait éliminé. Il lui sembla cependant que l'alternative n'était posée que pour rassurer l'Empereur. Vador n'avait nullement l'intention de tuer Skywalker, son propre fils. C'était une évidence pour quelqu'un d'aussi doué que Xizor à déceler les intentions d'un individu à sa voix. Xizor n'était pas devenu le Prince Sombre, Seigneur tout-puissant du Soleil Noir, la plus grande organisation criminelle de la galaxie, sur sa seule bonne mine! Xizor ne savait pas vraiment en quoi consistait cette Force qui enveloppait l'Empereur et qui les rendait, lui et Vador, si puissants. Mais il savait que cette Force faisait de l'effet et que c'était quelque chose que les Jedi, aujourd'hui disparus, avaient apparemment maîtrisé. Et maintenant, voilà que survenait un nouvel élément qui, lui aussi, puisait son énergie dans la Force. Vador voulait ce Skywalker. Il venait pratiquement de promettre à l'Empereur qu'il le lui livrerait vivant. Vivant et converti.

Comme tout cela était intéressant.

Très intéressant en vérité.

L'Empereur interrompit la communication et se tourna pour lui faire face.

– Eh bien, où en étions-nous, Prince Xizor?

Le Prince Sombre esquissa un sourire. Il allait s'occuper des affaires en cours mais il n'oublierait pas le nom de Skywalker.

1

Chewbacca poussa un grondement rageur. Un soldat de choc s'avança pour le maîtriser mais il le précipita dans le puits. Deux autres gardes s'approchèrent et le Wookie les balaya comme s'ils n'étaient que des pantins, comme un enfant le ferait avec des poupées.

Encore une seconde et l'un des soldats de Vador ouvrirait le feu sur Chewie. Il était grand et fort mais, cette fois, il ne pouvait pas gagner. Ils allaient le saigner...

Yan se mit à hurler après le Wookie pour essayer de le raisonner.

Leia observait, incapable du moindre mouvement, incapable de croire que tout ceci était en train d'arriver.

Yan parlait toujours :

– Chewie, garde tes forces, elles pourront te servir ! La Princesse, tu dois prendre bien soin d'elle. Tu m'entends, hein ?

Ils se trouvaient dans une salle humide et froide dans les profondeurs de la Cité des Nuages de Bespin, là où Lando Calrissian, le prétendu ami de Yan, venait de les livrer à Dark Vador. La scène baignait dans une lumière dorée qui lui donnait un aspect encore plus surnaturel. Chewbacca fit un clin d'œil à Yan. Le droïd C3 PO, dont toutes les pièces n'avaient pas été assemblées, pendait toujours coincé dans un sac arrimé au dos du Wookie. Calrissian le traître se tenait sur ses gardes, à bonne distance, comme une créature sauvage. Il y avait beaucoup d'autres soldats, des techniciens, des chasseurs de primes. La présence maléfique de Vador et la puanteur de la carbonite liquide saturaient l'air. L'odeur de la morgue, l'odeur des cimetières.

Des soldats s'avancèrent et passèrent les menottes à Chewie. Le Wookie hocha la tête, plus calme. Oui, il comprenait Yan. Il n'aimait pas cela mais il comprenait. Il laissa les gardes lui entraver les poignets.

Yan et Leia se regardèrent. *Cela ne peut pas être*, pensa-t-elle, *pas maintenant.*

L'émotion les submergea ; aucun des deux ne put y résister. Ils se rapprochèrent l'un de l'autre comme des aimants et s'enlacèrent. Ils se blottirent l'un contre l'autre, s'embrassèrent, pleins de feu et d'espoir. Pleins de cendres et de désespoir.

Deux soldats de choc tirèrent Yan en arrière et le firent reculer sur la plate-forme élévatrice de la chambre de congélation.

Les mots jaillirent de la bouche de Leia de façon spontanée, incontrôlable, comme la lave qu'une éruption volcanique propulse dans l'air.

– Je t'aime.

Et Yan, le fort, le courageux, Yan hocha la tête.

– Je sais.

Les techniciens Angames, dont la taille excédait à peine la moitié de celle de Yan, s'avancèrent, lui délièrent les mains et dégagèrent la plate-forme.

Yan regarda les techniciens puis, de nouveau, Leia. La plate-forme s'abaissa pour descendre dans les profondeurs du puits. Il riva son regard à celui de Leia et ne détourna pas la tête... Jusqu'à ce que le nuage de vapeur frigorifique s'élève et les cache à la vue l'un de l'autre.

Chewie se mit à hurler ; Leia ne saisit pas ses paroles mais elle comprit sa rage, sa peine, son impuissance.

Yan !

Un gaz âcre et puant envahit la salle et engloutit ses occupants. Un brouillard givrant, une nuée à glacer l'âme, au travers de laquelle Leia aperçut Vador qui surveillait la scène derrière son masque impénétrable. Elle entendit C3 PO bafouiller :

– Que... qu'est-ce qui se passe? Retourne-toi, Chewbacca! Je ne vois rien!

Yan!

Oh, Yan!

Leia se redressa brusquement. Son cœur battait la chamade. Les draps étaient trempés de sueur et entortillés tout autour d'elle, sa chemise de nuit était humide. Elle soupira, passa ses jambes par-dessus le rebord du lit et s'assit face au mur. Au chronomètre, minuit était sonné depuis plus de trois heures. La chambre sentait le renfermé. Dehors, elle le savait, la nuit de Tatooine devait être fraîche et elle pensa un instant entrouvrir l'une des baies pour laisser pénétrer un peu de cette fraîcheur. Mais cela lui demanderait un tel effort... elle abandonna l'idée.

Un mauvais rêve, se dit-elle. *Voilà tout.*

Mais... Non. Elle ne pouvait pas prétendre éternellement que tout cela n'avait été qu'un cauchemar. Ç'avait été bien plus que cela. C'était un souvenir. C'était arrivé. L'homme qu'elle aimait était enchâssé dans un bloc de carbonite qu'un chasseur de primes avait embarqué à bord de son vaisseau comme la plus vulgaire des cargaisons. Il était perdu, quelque part dans l'immensité de la galaxie.

Elle sentit, de façon presque palpable, son émotion prendre le dessus, sentit qu'elle allait éclater en sanglots, mais serra les poings. Elle était Leia Organa, Princesse de la Famille Royale d'Alderaan, élue au Sénat Impérial, travaillant activement au sein de l'Alliance à la restauration de la République. Alderaan avait disparu, détruite par Vador et l'Etoile Noire; le Sénat Impérial avait été dispersé; l'Alliance manquait cruellement d'effectifs et accusait une infériorité d'armement de dix mille contre un mais la Princesse était ce qu'elle était. Elle ne pleurerait pas.

Elle ne pleurerait pas.

Elle se vengerait.

Trois heures après minuit. La moitié de la planète était endormie.

Luke Skywalker, nu-pieds, se tenait sur la petite plate-forme de métal à vingt mètres au-dessus du sable et fixait du regard la corde raide. Il portait une chemise et un pantalon noirs, et un ceinturon de cuir, noir lui aussi. Il ne possédait plus de sabrolaser mais il avait entrepris la fabrication d'une nouvelle arme, en s'appuyant sur les plans qu'il avait découverts dans un vieux livre relié de cuir chez Ben Kenobi. Il s'agissait d'un exercice traditionnel pour un Jedi. C'est ce qu'on lui avait dit. Cela lui avait au moins donné l'occasion de s'occuper en attendant que son bras finisse de s'habituer à sa nouvelle main mécanique. Cela lui avait aussi permis de ne pas trop réfléchir.

Les lumières sous le chapiteau étaient très diffuses et Luke distinguait à peine le câble d'acier tendu devant lui. Les baraques de la foire étaient fermées, le spectacle était terminé, les acrobates, les dewbacks et les clowns dormaient depuis longtemps. Le public était rentré chez lui et Luke était seul, seul face à la corde raide. Tout était calme, il n'y avait pas un bruit, hormis le craquement du tissu synthétique de la tente qui se refroidissait au contact de la nuit d'été de Tatooine. L'infernale chaleur diurne du désert disparaissait rapidement à la tombée du jour et il faisait suffisamment frais à l'extérieur du chapiteau pour qu'une veste soit la bienvenue. L'odeur des dewbacks monta jusqu'au perchoir et se mêla avec celle de sa sueur.

Un garde, dont l'esprit avait accepté sans broncher l'ordre mental de Luke de le laisser pénétrer sous la gigantesque tente, était en faction à l'entrée. Il ignorait la présence du jeune homme. Ce genre de manipulation était un talent Jedi, encore un de ces talents qu'il commençait à peine à maîtriser.

Luke inspira profondément et laissa l'air s'échapper tout doucement de ses poumons. Il n'y avait pas de filet de sécurité et une chute de cette hauteur ne pouvait qu'être fatale. Il n'était pas obligé de faire ça. Personne n'allait le forcer à s'engager sur le fil.

Personne, excepté lui-même.

Il calma sa respiration, ses battements de cœur et, autant que possible, son esprit en utilisant la méthode qu'il avait apprise. Ben d'abord, puis Maître Yoda lui avaient enseigné les arts anciens. Les exercices de Yoda avaient été on ne peut plus rigoureux et fatigants mais, malheureusement, Luke n'avait pas terminé son apprentissage. Il n'avait vraiment pas eu le choix, à l'époque. Yan et Leia étaient en danger de mort et il lui avait fallu les rejoindre. Parce qu'il était parti, ils étaient toujours en vie mais...

Les choses n'avaient pas si bien tourné.

Non. Non, pas du tout.

Et puis il y avait eu l'affrontement avec Vador...

Il sentit ses traits se durcir, les muscles de sa mâchoire tressaillir et il dut combattre la colère qui s'insinuait soudainement en lui comme du poison dans ses veines. Une colère aussi noire que les vêtements qu'il portait. Son poignet le fit souffrir à l'endroit où le sabrolaser de Vador avait tranché. La nouvelle main était aussi bonne que l'ancienne, peut-être meilleure, mais, de temps en temps, lorsqu'il pensait à Vador, il avait mal. La douleur fantôme des membres amputés, lui avaient dit les médecins. Une douleur qui n'était pas réelle.

« Je suis ton père. »

Non ! Ça non plus, cela ne pouvait pas être réel ! Son père était Anakin Skywalker, un Jedi.

Si seulement il pouvait parler à Ben. Ou à Yoda. Eux le lui confirmeraient. Ils lui diraient la vérité. Vador avait essayé de le manipuler, il avait tenté de le déséquilibrer, c'était tout.

Mais si c'était vrai ?

Non. Laisse tomber. Cela ne servait à rien de revenir là-dessus.

Il serait incapable de faire quoi que ce soit de bon tant qu'il ne maîtriserait pas à fond ses talents de Jedi. Il devait faire confiance à la Force et progresser. Peu importe les mensonges que Vador lui avait crachés à la figure. C'était la guerre, il y avait beaucoup à faire et, comme il était un bon pilote, il était censé apporter beaucoup à l'Alliance.

Ce n'était pas facile et il ne semblait pas que cela allait s'améliorer. Il sentit comme un énorme fardeau lui peser sur les épaules, un fardeau bien plus lourd que ce qu'il pouvait imaginer. Quelques années auparavant il avait été garçon de ferme, travaillant avec son oncle Owen, n'allant nulle part. Maintenant, il y avait Yan, l'Empire, l'Alliance, Vador...

Non. Pas maintenant. Tout cela est dans le passé ou dans le futur. Le présent c'est cette corde raide. *Concentre-toi ou tu vas tomber.*

Il appela l'énergie à lui et sentit le flux l'envahir. C'était rayonnant, chaud, plein de vie et il s'en empara pour s'en envelopper comme des différentes pièces d'une armure.

La Force : encore une fois elle était avec lui, pour lui. Oui...

Mais il y avait là quelque chose d'autre. Loin et cependant tout près, il sentit cette attraction dont on lui avait tant parlé. Une froideur dure, puissante, l'exact opposé de ce que ses professeurs lui avaient enseigné. L'antithèse de la lumière. Ce que Vador embrassait.

Le Côté Obscur.

Non ! Il le repoussa. Refusa de le regarder. Il prit de nouveau une profonde inspiration. Il sentit la Force se fondre en lui, un accord parfait. A moins que ce ne soit le contraire. Cela n'avait guère d'importance.

Lorsqu'ils ne furent plus *qu'un*, il avança sur le fil.

Le câble lui sembla soudainement aussi large qu'un trottoir. C'était naturel, c'était la Force. Mais il ne pouvait s'empêcher d'y trouver quelque chose de magique, comme si elle pouvait lui faire faire des miracles. Il avait vu Yoda désembourber son aile-X des marais par la seule puissance de son esprit. Il était donc possible de faire des choses qui ressemblaient à des miracles.

En levant un pied pour faire un autre pas en avant, il se rappela d'autres détails de son séjour sur Dagobah.

Sous le sol humide et spongieux, dans la caverne...

Dark Vador s'avança vers lui.

Vador ! Ici ! Comment est-ce possible ?

Luke sortit son sabrolaser, l'activa et le dressa devant lui. Le blanc bleuté étincelant de sa lame croisa le rayon rougeoyant de la lame de Vador. Ils se mirent en garde. Le bourdonnement des armes et les craquètements des décharges énergétiques se firent plus sonores.

Soudain, Vador se jeta de côté et abattit un coup puissant à la gauche de Luke.

Ce dernier fit brusquement pivoter son arme par-dessus son épaule, plongea sa lame vers le bas et para le coup. Le choc fut si violent que ses bras en vibrèrent et que son sabre lui fut presque arraché des mains.

Il sentait l'odeur de moisissure tout autour de lui, entendait le ronronnement des sabrolasers et voyait très clairement Vador devant lui. Tous ses sens reprenaient vie, plus aiguisés que jamais, plus tranchants qu'un entrepôt entier de vibrolames.

Vador attaqua de nouveau et frappa vers la tête de Luke. En un mouvement tournant au-dessus de sa tête, le jeune homme parvint à parer et à bloquer le coup, in extremis... Il était si fort ! Une fois de plus Vador abattit son arme, une attaque qui aurait dû trancher Luke en deux si ce dernier n'avait pas dégagé son sabre juste à temps pour arrêter le coup !

Vador était trop fort pour lui, Luke le savait. Seule sa colère pouvait l'empêcher d'être tué. Il se souvint de Ben, il se souvint de Vador et comment le Seigneur Noir avait terrassé le vieil homme...

Une rage incommensurable s'empara de Luke. Il fit fouetter sa lame et d'un revers du geste, de toute la force de ses épaules, de ses bras et de ses poignets...

Trancha la tête de Vador.

Le temps sembla chasser comme une lourde ancre de marine. Luke regarda fixement le corps de Vador qui s'écroulait lentement, si lentement... Et la tête coupée tomba sur le sol et se mit à rouler.

Roula et s'arrêta. Pas une goutte de sang...

Et puis il y eut un éclair aveuglant, une décharge soudaine de lumière blanche et de fumée violette. Et la partie faciale du casque de Vador se brisa, se brisa et disparut, révélant, révélant...

Le visage de Luke Skywalker.

Non!

Le souvenir avait déferlé bien plus rapidement que ne s'étaient déroulés les événements. En réalité, il n'avait fait qu'un simple pas en avant. Etonnant ce que l'esprit arrivait à faire. Malgré cela, il faillit perdre l'équilibre et glisser du câble en sentant se rompre son contact avec la Force.

Arrête! se dit-il.

Il respira à fond, essaya de rétablir tant bien que mal son équilibre et appela de nouveau la Force à lui.

Là, il la tenait. Il se redressa et se remit à marcher, ne faisant de nouveau plus qu'un avec la Force, coulant avec elle.

A mi-chemin du câble, il se mit à courir. Il se dit que cela faisait partie du test. Il se dit que la Force était avec lui, qu'il serait digne de son nom, qu'il n'aurait pas peur. Il se dit que tout était possible pour quelqu'un d'aussi entraîné qu'un Chevalier Jedi. C'est ce qu'on lui avait enseigné. Il en était persuadé.

Il ne voulait pas croire qu'il s'était mis à courir parce qu'il sentait le Côté Obscur avancer sur le fil juste derrière lui, silencieusement, tel un chat maléfique, le suivant pas à pas. Le suivant comme le souvenir de son visage sur la tête tranchée de Vador, le suivant et... et le rattrapant.

Xizor s'enfonça dans son fauteuil automoulant. Le siège, qui avait un circuit défectueux que Xizor voulait faire réparer depuis bien longtemps, analysa le mouvement comme une requête. Son module vocal se déclencha :

– Que désirez-vous, Prince Jiiiiiizor? dit-il en écorchant son nom, traînant sur la première syllabe.

– Rien, si ce n'est que tu te taises, répondit le Prince en secouant la tête.

Le module vocal se tut. Les mécanismes dans les entrailles du fauteuil de cuir bourdonnèrent et adaptèrent les coussins à la nouvelle position de Xizor. Ce dernier soupira. Il était plus riche que quiconque, gagnait plus d'argent que la population entière de certaines planètes et il trônait dans un fauteuil automoulant qui n'était même pas capable de prononcer son nom correctement. Il décida qu'il allait le faire remplacer, maintenant, aujourd'hui, immédiatement, dès qu'il en aurait fini avec le travail de la matinée.

Il regarda l'image holographique réduite arrêtée devant lui puis releva la tête vers la femme qui se tenait debout devant son bureau. Elle était aussi belle, si ce n'est aussi typée, que les deux guerrières Epicanthix de l'hologramme. Mais sa beauté était d'un style complètement différent. Elle avait de longs cheveux blonds et soyeux, des yeux bleu pâle extrêmement clairs, un visage exquis. Un mâle humain normalement constitué la trouverait très séduisante. Il n'y avait aucun défaut dans les traits ou dans les formes de Guri, juste une sorte de froideur qui se dégageait d'elle mais qui s'expliquait aisément quand on en connaissait la raison : Guri était un DRH, un Droïd Répliquant Humain et elle était unique. Aux yeux de tous les habitants de la galaxie, elle pouvait très bien passer pour une femme. Elle était programmée pour manger, boire et se comporter comme une femme – avec tout ce que cela impliquait sur un plan plus personnel – sans que l'œil le plus exercé ne voie la différence. Qui plus est, elle était la seule de son genre à avoir été programmée pour être un assassin. Elle pouvait tuer sans que les battements de son cœur s'accélèrent pour autant, sans éprouver une once de remords, sans aucun sursaut de conscience.

Elle avait coûté neuf millions de crédits.

Xizor croisa les mains, fit craquer ses doigts et leva les sourcils à l'adresse de Guri.

– Les sœurs Pike, dit Guri en regardant l'holo, des jumelles génétiques, pas des clones. Celle de droite, c'est Zan, l'autre s'appelle Zu. Zan a les yeux verts, Zu a un œil vert et un œil bleu. C'est la seule différence notable. Elles sont toutes deux expertes en *teräs käsi*, l'art Bunduki également appelé « les mains d'acier ». Elles sont âgées toutes deux de vingt-six années standard, aucune affiliation politique, pas de casier judiciaire dans aucun des systèmes principaux, et, d'après ce que nous avons réussi à déterminer, elles sont totalement amorales. Elles louent leurs services au plus offrant et elles n'ont jamais travaillé pour le Soleil Noir. Elles n'ont également jamais perdu un combat. Ça, fit Guri avec un signe de tête en direction de l'image holographique figée, c'est ce qu'elles font pour se distraire lorsqu'elles ne travaillent pas.

La voix de Guri, chaude, agréable, presque musicale, contrastait avec son physique. Elle activa l'hologramme.

Xizor sourit, révélant une dentition parfaite. L'holo avait montré les deux femmes mettre au tapis huit soldats de choc dans un trou à rats qui devait être un bar de spatioport. Les soldats étaient grands, forts, bien entraînés et armés. Les jumelles étaient à peine essoufflées.

– Elles feront parfaitement l'affaire, dit-il, à vous de jouer.

Guri hocha la tête une seule fois, se retourna et quitta la pièce. Elle était aussi belle de dos que de face.

Neuf millions et elle les valait, jusqu'au moindre décicrédit. Il aurait tant aimé pouvoir disposer d'une douzaine d'autres comme elle. Malheureusement, le créateur de Guri n'était plus de ce monde. Quel dommage.

Enfin. Deux nouvelles recrues dans les assassins agissant sous son commandement. Des assassins n'ayant aucun lien avec le Soleil Noir. N'en ayant jamais eu par le passé et, grâce aux manipulations expertes de Guri, qui n'en auraient jamais dans l'avenir.

Xizor regarda au plafond. Il avait fait installer une représentation de la galaxie sur les panneaux d'éclairage. Lorsque les lumières étaient tamisées – et c'était généralement le cas – il avait ainsi une vue imprenable sur la galaxie qui flottait holographiquement devant ses yeux. La constellation de plus d'un million d'étoiles grosses comme des têtes d'épingle avait été entièrement dessinée à la main. L'artiste avait mis plus de trois mois pour exécuter le travail et cela avait coûté plus cher que la pension d'un Seigneur de Guerre. Le Prince Sombre n'arrivait pas à entamer le trésor dont il disposait même en y mettant de la bonne volonté. L'argent ne cessait de rentrer dans les caisses. Les crédits n'étaient rien ; il en possédait des milliards. Les dépenser, c'était un peu sa manière de marquer les points, sans plus. Rien d'important.

Il regarda de nouveau l'hologramme. Belles et mortelles, ces deux demoiselles, une combinaison qu'il appréciait particulièrement. Lui était de la race des Falleens, une race dont les lointains ancêtres étaient des reptiles et qui avait évolué en ce que l'on considérait comme la plus belle des espèces humanoïdes. Il était âgé de plus de cent ans mais en paraissait trente. Il était grand, le crâne rasé à l'exception d'une longue mèche de cheveux qu'il portait en queue de cheval, son corps était musculeux, sculpté par les appareils de stimulation musculaire. Il émettait également des phéromones naturelles qui le rendaient attirant pour la majorité des humains. La couleur de sa peau, normalement d'un vert mordoré, changeait en fonction de l'élévation du taux de ces phéromones, passant ainsi par toutes les teintes du spectre lumineux. Sa beauté et sa séduction étaient des outils, rien de plus. Il était le Prince Sombre, Seigneur du Soleil Noir, il était l'un des trois hommes les plus puissants de la galaxie. Il pouvait, d'un simple coup de pied, dégommer un fruit posé sur la tête d'un humanoïde plus grand que lui sans avoir besoin de s'échauffer. Il était capable de soulever l'équivalent de deux fois son propre poids au-dessus de sa tête à la seule force de ses bras. Il adhérait parfaitement au précepte d'un esprit sain – quoique très malveillant – dans un corps sain.

Son influence galactique n'était surpassée que par celle de l'Empereur et celle du Seigneur Noir de Sith, Dark Vador.

Il sourit de nouveau en regardant l'image devant lui. Il était le troisième mais il serait bientôt le second, si tout se déroulait selon ses plans. Cela faisait des mois qu'il avait entendu, par hasard, l'Empereur et Vador parler d'une menace qu'ils avaient ressentie. Maintenant, tous les éléments préliminaires étaient en place. Xizor était prêt à agir pour de bon.

– L'heure ? dit-il.

L'ordinateur de la pièce lui répondit et lui donna le renseignement.

Ah. Il ne restait plus qu'une heure avant son rendez-vous. Il n'y avait qu'une courte marche par des enfilades de corridors protégés pour rejoindre le fief de Vador. A peine plus loin que l'endroit où le massif palais de cristal et de pierres grises de l'Empereur s'élevait dans les hauteurs de l'atmosphère. Quelques kilomètres, pas plus ; une petite foulée l'y amènerait en quelques minutes. Inutile de se presser. Il ne voulait pas arriver en avance.

Un carillon annonça la venue d'un visiteur.

– Entrez, dit Xizor.

Ses gardes du corps étaient absents mais il n'en avait pas besoin dans son sanctuaire. Personne ne pouvait pénétrer ses défenses. Seuls quelques-uns de ses subalternes avaient le droit de venir le voir jusqu'ici, tous étaient d'une grande loyauté. Une loyauté dictée par la peur.

L'un de ses sous-lieutenants, Mayth Duvel, entra et s'inclina respectueusement.

– Mon Prince Xizor.

– Oui ?

– Je suis porteur d'une requête venant de l'Organisation Nezriti. Ils souhaiteraient parvenir à une alliance avec le Soleil Noir.

Xizor esquissa un sourire pincé à l'adresse de Duvel.

– Bien sûr qu'ils le souhaiteraient...

Duvel sortit un petit paquet.

– Ils vous offrent un gage de leur estime.

Xizor s'empara du paquet et fit sauter le fermoir d'un coup de pouce. Une pierre précieuse reposait à l'intérieur. Le joyau était taillé en ovale, un rubis Tumanien rouge sang, une pierre très rare, sans un seul défaut et qui devait valoir plusieurs millions de crédits. Le Prince Sombre leva le joyau devant ses yeux, le fit tourner entre ses doigts et hocha la tête. Puis il jeta la pierre sur son bureau. Elle rebondit une fois, roula et finit sa course contre une tasse. Serait-elle tombée sur le sol que Xizor n'aurait même pas pris la peine de se baisser pour la ramasser. Et si un droïd de nettoyage était entré et l'avait aspirée ? Bon, et alors ?

– Dis-leur que nous réfléchirons à la question.

Duvel s'inclina et sortit à reculons.

Lorsqu'il fut parti, Xizor se leva puis s'étira le cou et le dos. La crête reptilienne qui courait le long de sa colonne vertébrale se hérissa légèrement. Elle lui parut presque tranchante lorsqu'il se massa le cou du bout des doigts. D'autres prétendants à l'alliance attendaient pour le voir et, en temps ordinaire, il les aurait reçus et aurait écouté leurs requêtes mais pas aujourd'hui. A présent, il était temps d'aller rendre visite à Vador. En allant chez lui, plutôt qu'en insistant pour que Vador vienne, Xizor donnait l'impression qu'il n'avait pas l'avantage, se posait en demandeur. Peu importe. Cela faisait partie du plan ; il ne devait y avoir aucune tension entre eux. Tout le monde devait croire que Xizor éprouvait le plus grand des respects pour le Seigneur Noir de Sith, au cas où ses projets devaient réussir. Et ils allaient réussir, il n'en doutait pas.

Parce qu'ils réussissaient toujours.

2

Leia était assise dans la cantina la plus miteuse du quartier le plus miteux de Mos Esley.

Il avait vraiment fallu travailler dur pour se prévaloir de ces deux distinctions ! Appeler cet endroit un bouge, c'était presque l'élever au rang d'un quatre étoiles. Les tables étaient en métal expansé, les assiettes en grillage d'aluminium bon marché donc faciles à nettoyer. On devait probablement utiliser un jet à haute pression de puissant détergent pour tout laver et l'eau s'évacuait sans doute par la bonde fangeuse percée au centre du sol détrempé. Si la porte avait été ouverte sur l'aridité de l'environnement extérieur, le sol aurait séché en un rien de temps. La coupe emplie d'une décoction douteuse posée devant elle devait certainement perdre plus de liquide par évaporation que par la bouche du client qui l'avalait. Le système de refroidissement de l'air était à coup sûr défectueux car il faisait terriblement chaud. L'air étouffant du désert devait s'introduire insidieusement à l'intérieur chaque fois qu'une des raclures de caniveau qui en formaient la clientèle pénétrait dans l'établissement. Ça puait comme dans une étable à Bantha en plein été. Seul point positif : la lumière était suffisamment diffuse pour qu'on ne soit pas obligé de voir les clients trop nettement. Il y avait là une bonne douzaine d'espèces différentes et aucune d'entre elles n'était particulièrement ragoûtante.

Lando avait dû le faire exprès. Choisir ce cloaque

comme lieu de rendez-vous, dans la seule intention de la choquer. Enfin. Lorsqu'il arriverait, elle ne laisserait rien paraître. Pendant un temps, elle l'avait détesté, jusqu'à ce qu'elle comprenne que sa trahison n'avait été qu'une ruse afin de les sauver des griffes de Vador. Lando avait presque tout abandonné pour ça et ils lui étaient tous redevables.

Cependant, cet endroit n'était pas le genre de bar qu'elle fréquentait à moins d'avoir une bonne raison. Une très bonne raison. Bien qu'elle ait clamé haut et fort ne jamais avoir besoin de garde du corps, elle ne serait jamais venue ici toute seule. Mais besoin ou pas, elle avait un garde du corps. Chewbacca était assis à côté d'elle et lançait des regards noirs à tous les clients. Si Chewie l'avait, quelque temps plus tôt, laissée en compagnie de Luke après la dernière rencontre avec Vador, c'était uniquement parce qu'il était parti en éclaireur avec Lando sur Tatooine pour essayer de mettre sur pied le sauvetage de Yan. Depuis que Leia les avait rejoints, Chewie restait si près d'elle qu'on aurait presque pu le prendre pour un élément de la garde-robe de la Princesse. C'était agaçant.

Lando lui avait expliqué : « Chewie a une dette envers Yan, il lui doit la vie. C'est un truc qui a énormément de valeur chez les Wookies. Yan lui a dit de vous protéger. Et c'est ce qu'il va faire, jusqu'à ce que Yan lui dise d'arrêter. »

Leia avait essayé d'être ferme. Elle lui avait dit : « J'apprécie vraiment ton geste mais tu ne dois pas te sentir obligé. »

C'était inutile, Lando le lui avait répété. Tant qu'il serait en vie, Chewbacca ne la lâcherait pas d'une semelle, c'était comme ça, un point c'est tout. Elle ne parlait même pas le wookie, à part un ou deux jurons qu'elle avait cru reconnaître. Lando s'était contenté de sourire et lui avait conseillé de commencer à s'habituer.

Elle y était presque arrivée, d'une certaine manière. Chewie était capable de comprendre un certain nombre de langages et bien qu'il ne sache pas les parler, il savait généralement se rendre compréhensible par ses interlocuteurs.

Leia aimait bien Chewie mais il y avait une autre bonne raison de retrouver et libérer Yan. Ce dernier pourrait dire au Wookie d'arrêter de la suivre partout.

Cela dit, même si elle n'était pas prête à l'accepter, avoir un Wookie de plus de deux mètres de haut dans son entourage pouvait être utile. Dans un endroit aussi merveilleux que celui-ci par exemple.

Au cours de l'heure qui venait de s'écouler, elle avait été contrainte de voir certains clients de beaucoup plus près qu'elle ne l'aurait souhaité. En dépit du fait qu'elle était vêtue d'une vieille combinaison de manœuvre couverte de taches d'huile, que ses cheveux étaient noués serrés en un chignon peu seyant et qu'elle évitait de croiser le regard de qui que ce soit, humains et créatures variées s'étaient succédé avec régularité à sa table. Tous avaient essayé de la draguer, sans tenir compte du Wookie dans la force de l'âge et armé jusqu'aux dents assis à côté d'elle.

Les mâles. Peu importe l'espèce à laquelle ils appartenaient, ils recherchaient toujours la compagnie d'une femme. L'espèce de cette femme leur était d'ailleurs totalement indifférente.

A chaque fois, Chewie avait été assez clair sur le fait qu'ils étaient indésirables. Sa taille comme la présence de son arbalète-laser dissuadaient qui que ce soit de discuter la question. Mais cela n'empêchait nullement l'arrivée régulière de nouveaux fâcheux.

Chewie gronda à l'adresse d'un Brith à la tête en forme de bulbe qui venait de se cogner dans la table. L'étranger, d'une race connue pour son pacifisme et ses très bonnes manières, avait visiblement bu quelques verres de trop puisqu'il s'évertuait à croire que lui et Leia pouvaient avoir quelque chose en commun. Le Brith regarda Chewie qui venait de découvrir ses dents, hoqueta puis s'éloigna en titubant.

– Ecoute, j'apprécie ton aide mais je peux très bien me débrouiller toute seule avec ces types, dit Leia.

Chewie tourna la tête vers elle et la dévisagea. Une mimique qu'elle finit par analyser comme faite d'un mélange de scepticisme et d'amusement.

Elle prit ça comme un défi.

– Hé, la prochaine fois que quelqu'un s'approche, regarde-moi faire. Tu peux très bien te débarrasser des gens sans avoir à les menacer, tu sais.

Elle n'eut pas à patienter longtemps. Le gêneur suivant était un Devaronien, un humanoïde cornu qui, quelle surprise, voulait offrir un verre à Leia.

– Non, merci, j'attends du monde.

– Eh bien, pourquoi ne vous tiendrais-je pas compagnie jusqu'à ce qu'ils arrivent ? dit le Devaronien. Peut-être ont-ils été retardés ? Vous pourriez attendre longtemps.

– Merci, mais j'ai déjà de la compagnie.

Elle fit un signe du menton en direction de Chewie.

L'intrus ignora son geste et, puisque le Wookie n'avait ni grogné ni dégainé, reprit la parole.

– Vous savez, je suis un compagnon très plaisant. Beaucoup de femmes le pensent. Beaucoup.

Il la dévisagea avec insistance. Ses dents pointues étaient d'un blanc éclatant entre ses lèvres rouges. Il fit un rapide mouvement de langue. Elle était aussi longue que l'avant-bras de Leia.

Oh non, pensa-t-elle. Sa méthode venait d'en prendre un sale coup.

– Non, allez-vous-en.

– Vous ne savez pas ce que vous perdez, ma petite.

Son regard se fit plus insistant, ses yeux s'écarquillèrent, lui donnant l'air encore plus démoniaque.

Elle jeta un coup d'œil à Chewie, remarqua qu'il avait beaucoup de mal à se retenir de rire, et reposa son regard sur le Devaronien.

– Tant pis pour moi, mais je crois que je survivrai. Maintenant, dégagez.

– Allez, juste un verre. Et je pourrais vous montrer ma collection d'holo-estampes weraniennes. Elles sont très... heu... stimulantes.

Il fit le geste de s'asseoir juste en face d'elle.

Leia sortit le petit blaster qu'elle gardait caché dans l'une des poches de sa combinaison et le tint au-dessus de la table pour que le Devaronien puisse bien le voir. Elle pointa l'arme vers le plafond et, d'un coup de pouce, fit passer la commande du variateur de puissance de « paralysant » à « mortel ».

Et ça aussi, il le vit.

– Ah, eh bien, peut-être une autre fois alors, dit-il très rapidement. Je, heu, je viens juste de me souvenir que, heu, j'ai laissé un convertisseur allumé sur mon vaisseau. Je vous prie de m'excuser.

Il s'en alla précipitamment. C'était étonnant ce qu'un blaster, agité sous le nez d'un prétendant un peu collant, pouvait se montrer efficace dans l'art d'inculquer les bonnes manières.

Chewie éclata de rire. Il dit quelque chose et Leia devina sans peine ce que cela signifiait.

– Qui voudrait s'acoquiner avec un Wookie aussi odieux ? dit-elle.

Mais elle sourit. Chewie venait de marquer un point, sa féminité était bien obligée de l'admettre.

Elle enclencha le cran de sûreté de l'arme, la rangea et se mit à jouer nonchalamment avec l'agitateur dans son verre. D'une manière ou d'une autre, Lando allait payer pour son idée de fixer le rendez-vous dans ce trou immonde.

Quelqu'un ouvrit la porte et un éclair de lumière chaude illumina le bar humide. Se découpant sur le pas de la porte, se tenait un humain qui, l'espace d'un instant, lui rappela Yan.

Yan.

Elle sentit le chagrin affluer à nouveau en elle. Elle secoua la tête comme pour empêcher ses émotions de la submerger. La dernière fois qu'elle avait vu Yan Solo, il était congelé dans un bloc de carbonite. La dernière chose qu'il lui avait dite était une réponse : « Je sais. »

Leia soupira. Elle ne s'était pas vraiment rendu compte avant cet instant qu'elle était amoureuse de lui. Lorsqu'elle avait vu Vador ordonner qu'on fasse descendre la plate-forme dans la chambre de congélation, lorsqu'elle avait compris que Yan pourrait ne pas survivre, elle avait été obligée de le dire. Les mots étaient sortis d'un seul coup, comme s'ils avaient été prononcés par une autre femme. Tout cela avait été tellement... irréel.

Mais elle ne pouvait pas le nier. Ni alors ni maintenant. Elle l'aimait vraiment, tout pirate et vaurien qu'il était. Plus rien ne pouvait se dresser contre cet amour.

Ce sentiment l'effraya davantage que n'importe lequel de ses souvenirs. Elle avait encore plus peur que lorsqu'elle était prisonnière de Vador à bord de l'Etoile Noire. Encore plus peur que lorsqu'il lui avait semblé que la moitié de l'Armée et de la Marine Impériale était à leurs trousses.

– Je vous offre un verre, beauté ? dit quelqu'un juste derrière elle.

Leia se retourna. C'était Lando. Elle était furieuse après lui mais ne pouvait s'empêcher d'être contente de le voir.

– Comment êtes-vous entré ?

– La porte de derrière, dit Lando.

Il sourit. C'était un homme très séduisant, grand, la peau sombre, une fine moustache au-dessus d'une rangée de dents parfaitement blanches. Et il en était conscient.

Derrière lui se tenaient les deux droïds R2-D2 et C3 PO. Le dôme de D2 pivota au moment où le petit droïd pénétra dans le bar. C3 PO, le droïd le plus pessimiste que Leia ait jamais rencontré, réussit l'exploit consistant à avoir l'air nerveux bien qu'il soit incapable de la moindre expression faciale.

D2 siffla.

– Oui, je vois ça, dit C3 PO. (Il y eut une courte pause.) Maître Lando, peut-être serait-il préférable que nous attendions à l'extérieur. Je ne pense pas qu'on apprécie beaucoup les droïds dans ce genre d'établissement. Nous sommes les seuls de notre espèce ici.

Lando sourit.

– Relax. Personne ne viendra vous chercher des crosses. Je connais le patron. En plus, je ne veux pas que vous restiez seuls dehors. Je sais que cela peut vous paraître difficile à croire mais cette ville est un véritable repaire de voleurs. (Il ouvrit très grand les yeux, mimant la surprise, et fit de larges gestes des mains comme pour inclure le bar et le spatioport à l'extérieur.) Tu ne voudrais tout de même pas te retrouver à pelleter du sable dans je ne sais quelle ferme perdue, pas vrai ?

– Oh, pauvre de moi, non.

Leia sourit, incapable de faire autrement. Elle se retrouvait à la tête d'une petite bande hors du commun. Deux droïds rigolos, Lando Calrissian le joueur professionnel, Chewbacca le Wookie, Luke le...

Au fait, où en était Luke ? En assez bonne voie de devenir un Jedi, déjà. Et également quelqu'un de fichtrement important, à voir l'application que mettait Dark Vador à essayer de le capturer. Leia avait aussi entendu d'autres rumeurs donnant à penser que Vador ne tenait pas vraiment à récupérer Luke vivant. La Princesse était certes amoureuse de Yan mais elle ressentait également quelque chose pour Luke.

Une autre complication dont elle n'avait vraiment pas besoin. Pourquoi la vie n'était-elle pas plus simple ?

Et Yan...

– Je crois que *Slave I* a été repéré, dit Lando calmement.

C'était le vaisseau de Boba Fett. Le chasseur de primes qui avait emporté Yan de la Cité des Nuages.

– Quoi ? Quand ?

– Sur une lune appelée Gall, une géante gazeuse de l'un des systèmes de la Bordure qui se trouve en orbite autour de Zhar. L'information est de troisième main mais le réseau d'informateurs est supposé être assez fiable.

– J'ai l'impression d'avoir déjà entendu ça, dit-elle.

Lando haussa les épaules.

– On peut très bien rester assis à attendre ou on peut aller y jeter un coup d'œil. Le chasseur de primes aurait dû livrer Yan à Jabba il y a des mois de cela. Il faut bien qu'il soit quelque part. J'ai un contact dans ce système, un vieux camarade de jeu qui fait un peu de, heu, transport de marchandises de façon artisanale. Son nom est Dash Rendar. Il est en train de vérifier ça pour nous.

Leia sourit à nouveau. « Transport de marchandises de façon artisanale », un doux euphémisme pour dire « contrebande. »

– Vous lui faites confiance ?

– Eh bien, tant que mon porte-monnaie peut payer sa facture, ouais.

– Parfait. Quand serons-nous fixés ?

– D'ici quelques jours.

Leia regarda autour d'elle.

– N'importe quoi sera toujours mieux que d'attendre ici.

Lando afficha à nouveau un éclatant sourire.

– Mos Esley est connu comme « le dessous de bras de la galaxie », dit-il. Je suppose que nous pourrions être coincés à de pires endroits de l'anatomie !

Chewie dit quelque chose.

Lando secoua la tête.

– Je ne vois pas bien ce qu'il y ferait. Il y a des chantiers sur la lune, peut-être qu'il avait besoin de faire des réparations. En tout cas, ça doit être du sérieux parce que Jabba ne le paiera pas tant qu'il ne sera pas arrivé ici, sur Tatooine.

Chewie dit autre chose.

– Ouais, j'en ai bien peur. (Lando regarda Leia.) Gall est une Enclave Impériale. Quelques superdestroyers y sont basés, plus tous les chasseurs Tie qui les escortent. Si le vaisseau de Fett est bien là-bas, ce ne sera pas facile de l'atteindre.

– Je me demande si quelque chose a déjà été facile depuis que je vous ai rencontré, dit-elle. Laissez-moi vous poser une question. De tous les endroits les plus glauques de ce spatioport, pourquoi donc avez-vous choisi celui-ci ?

– Eh bien, je connais *vraiment* le patron. On a fait un pari autrefois et il a perdu, du coup je peux venir boire et manger gratuitement dans son établissement chaque fois que je suis en ville.

– Vous m'en direz tant. Ça doit être drôlement excitant. Vous avez déjà essayé de manger quelque chose ici ?

– Non, je n'ai jamais eu faim à ce point-là.

Elle secoua la tête. Sa vie avait un certain piquant depuis qu'elle avait rencontré ces types. Mais comme le disait si justement Lando en parlant de Boba Fett : il fallait bien être quelque part.

En attendant de trouver Yan, ce « quelque part » était à peu près aussi valable que n'importe quel autre endroit.

Leia prit la parole.

– Il vaudrait peut-être mieux aller prévenir Luke.

Xizor laissa ses quatre gardes du corps dans l'antichambre et se dirigea vers la salle d'audience personnelle de Dark Vador. Les gardes étaient entraînés à une demi-douzaine de formes de combat à mains nues, chacun était équipé d'un blaster et tous étaient de fins tireurs. Si Vador voulait réellement l'attaquer, le nombre de gardes aurait peu d'importance, qu'il y en ait quatre ou quarante. Cette mystérieuse Force permettait à Vador de parer n'importe quel tir de laser du sabre ou de la main. D'un seul geste, il pouvait tuer. Geler vos poumons, paralyser votre cœur. Juste comme ça. C'était une leçon que beaucoup avaient apprise à leurs dépens : on ne pouvait pas affronter Dark Vador aussi facilement, il ne fallait pas le défier directement.

Heureusement, Xizor bénéficiait des faveurs de l'Empereur. Tant que ce serait le cas, Vador n'oserait pas lui faire le moindre mal.

La pièce était austère. Une longue table de bois sombre et poli, plusieurs chaises ordinaires taillées dans le même bois et un émetteur-récepteur holographique. L'odeur légèrement piquante de quelque chose d'épicé flottait dans l'air. Il n'y avait rien sur les murs, aucun tableau, nul signe extérieur qui témoignait de la fortune à la tête de laquelle se trouvait Vador. Il était presque aussi riche que Xizor et, tout comme le Prince Sombre, n'accordait en fin de compte que très peu d'intérêt aux biens matériels.

Xizor tira l'une des chaises et s'assit, s'autorisant ainsi le luxe de sembler parfaitement décontracté, bien renversé en arrière contre le dossier, les jambes étendues devant lui. Quelque part dans le château de Vador, des techniciens de surveillance devaient observer et enregistrer scrupuleusement chacun de ses gestes. Xizor était conscient que les espions de Vador le suivaient partout, que ce soit sur cette planète ou dans l'espace. Ici, dans ce château, au fin fond de ce nid de serpents, il ne faisait aucun doute que chacune de ses actions serait observée et analysée. Si Vador le désirait, il pourrait très certainement connaître la quantité exacte d'air que Xizor respirait, le volume, le poids, la composition de cet air et le pourcentage de dioxyde de carbone dans le résidu.

Xizor s'autorisa un sourire pincé. Cela allait donner

matière à réfléchir aux techniciens : *Oh oh, le voilà qui se met à sourire... à votre avis, qu'est-ce que cela peut bien signifier?*

Bien entendu, lui aussi avait Vador sous constante surveillance chaque fois qu'il mettait un pied à l'extérieur de son château. Sur Coruscant – oui, d'accord, on l'avait rebaptisé le Centre Impérial mais Xizor n'avait que faire de ce nouveau nom –, toute personne d'une certaine importance possédait son propre réseau d'espionnage pour surveiller toutes les autres personnes de certaine importance. C'était nécessaire. Et le réseau d'espions du Soleil Noir était sans égal, même comparé au réseau de l'Empire. Enfin. Seuls les Bothans étaient peut-être un tout petit peu meilleurs...

Le mur à l'extrémité de la pièce coulissa silencieusement. Vador se tenait juste derrière, immobile, très impressionnant avec sa cape, son casque et son uniforme noir. Sa respiration filtrait avec bruit au travers de son masque blindé.

Xizor se leva et s'inclina de façon toute militaire.

– Seigneur Vador.

– Prince Xizor, dit Vador en retour.

Pas de salut – Vador ne s'agenouillait que devant l'Empereur – mais Xizor ne s'offusqua pas de cette légère entorse à l'étiquette. Toute la scène était enregistrée. L'enregistrement finirait même peut-être par atteindre l'Empereur. En fait, Xizor serait très surpris s'il ne l'atteignait pas; le vieil homme n'était pas du genre à laisser échapper quoi que ce soit. Xizor allait donc se comporter comme la meilleure des âmes, comme un modèle de politesse, un exemple en matière de bonnes manières.

– Vous avez demandé à me voir, Seigneur Vador. En quoi puis-je vous rendre service?

Vador pénétra dans la pièce et la porte se referma en glissant derrière lui. Il ne fit aucun geste pour s'asseoir. Ce n'était pas surprenant. Xizor demeura debout.

– Mon Maître me charge de vous passer commande afin qu'une flotte de vos vaisseaux cargos aille livrer du matériel à nos bases situées sur la Bordure.

– Mais bien sûr, dit Xizor. Toute mon entreprise est à

votre disposition; je suis toujours ravi d'aider l'Empire quand cela m'est possible.

L'entreprise d'expédition légale de Xizor était d'envergure et parmi les plus importantes de la galaxie. La majorité de l'argent provenant des activités illicites du Soleil Noir avait été injectée dans Xizor Transports Systèmes et les seuls revenus de XTS faisaient de son propriétaire un homme très riche et très puissant.

Vador était également conscient de la présence des holocaméras braquées sur eux. Aussi remarqua-t-il pour leur bénéfice :

– Par le passé, votre compagnie a parfois été un peu lente à répondre aux requêtes de l'Empire.

– Vous me voyez bien confus de vous avouer que vous avez parfaitement raison, Seigneur Vador. Des individus qui travaillaient pour moi à l'époque ont fait preuve d'un certain laxisme. Ces individus ne sont plus employés par ma compagnie.

Point, contrepoint. Vador s'était fendu, prudemment, en utilisant une lame très fine et Xizor avait paré. Chacune de leurs conversations se déroulait ainsi, un dialogue sans fard en surface mais qui en disait bien plus long dans ses profondeurs. C'était une sorte de fugue au cours de laquelle chaque joueur essayait de marquer le plus de points, comme deux frères qui tentent de se surpasser l'un l'autre sous le regard critique de leur père.

Xizor était bien loin cependant de considérer Vador comme un frère. L'homme n'était qu'un obstacle qu'il fallait franchir et – bien qu'il n'en soit pas conscient – un ennemi mortel.

Dix ans auparavant, Vador avait dirigé un programme parallèle de recherches afin de développer une arme biologique. Il avait fait installer un laboratoire expérimental sur Falleen, la planète natale de Xizor. Un accident avait eu lieu dans ce laboratoire prétendument clos et sûr. Une bactérie mutante, capable de détruire les tissus vivants, s'en était échappée. Afin de sauver la population de la planète d'une propagation galopante de l'infection toujours fatale pour laquelle aucun antidote n'était connu, toute la ville autour du laboratoire avait été « stérilisée ».

Stérilisée, c'est-à-dire brûlée, incendiée, carbonisée et réduite en cendres. Les maisons, les immeubles, les rues, les jardins...

Et les habitants.

Sous le feu croisé des lasers tirés depuis orbite, deux cent mille Falleens avaient trouvé la mort, dans la stérilisation de cette métropole maudite. L'Empire s'était estimé heureux de n'avoir perdu que ce petit nombre de personnes. La bactérie aurait très bien pu faire des millions de victimes. Pire, elle aurait pu s'échapper et aller infecter d'autres planètes. On avait évité la catastrophe et les pertes avaient été relativement mineures. Selon l'Empire.

Et selon Dark Vador.

Parmi les victimes se trouvaient la mère, le père, le frère, les deux sœurs et les trois oncles de Xizor. Ce dernier était absent à l'époque du drame, occupé loin de la planète à cimenter son contrôle du Soleil Noir. Si tel n'avait pas été le cas, il aurait, lui aussi, compté au nombre des disparus.

Il n'avait jamais parlé de cette tragédie. Par l'intermédiaire des bureaux du Soleil Noir, il était parvenu à faire effacer toute trace de sa famille des archives impériales. Les employés qui s'étaient chargés de ce maquillage avaient été éliminés. Personne ne savait que Xizor le Prince Sombre avait des raisons personnelles de détester Vador. Il était simplement naturel de les voir tous deux rivaliser pour obtenir les faveurs de l'Empereur. Cela était impossible à cacher. D'un autre côté, personne, à part Xizor, n'avait la moindre petite idée de ce qui se tramait réellement.

Il fallait de la patience, Xizor en avait à revendre. Cela ne serait jamais une question de « si » mais plutôt une question de « quand » il pourrait rembourser Vador en nature.

Maintenant, enfin, la vengeance prenait forme. Bientôt elle serait sienne. Il transpercerait deux anguilles d'un seul coup de harpon : Vador, l'obstacle sur la route du pouvoir, et Vador, l'assassin de sa famille, seraient tous deux... nettoyés.

Xizor sentit un sourire naître sur ses lèvres mais se retint de le laisser voir à Vador comme au regard perçant des holocaméras dissimulées un peu partout. Tuer le Seigneur

Noir était du domaine du possible mais bien trop gentil pour lui. Sans parler du fait que c'était extrêmement dangereux. Non. Le déshonneur, la disgrâce étaient des choses bien plus douloureuses quand on était à ce stade de la hiérarchie. Il briserait Vador, il ferait en sorte qu'il soit jeté aux ordures par son maître bien-aimé.

Oui. Voilà qui serait justice.

– Nous allons avoir besoin de trois cents vaisseaux, dit Vador en coupant net Xizor dans ses pensées. La moitié en vaisseaux citernes, l'autre en vaisseaux cargos. Contrats impériaux standard de livraison. Il y a un très grand... projet de construction dont vous avez peut-être déjà entendu parler. Pouvez-vous nous fournir ces vaisseaux?

– Oui, mon Seigneur. Il vous suffit de me dire où et quand vous en avez besoin et je me charge du reste. Les termes des contrats impériaux sont tout à fait acceptables.

Vador demeura silencieux quelques instants. Seul le sifflement mécanique de sa respiration était audible.

Il ne s'attendait pas à ça, songea Xizor. *Il pensait que j'allais marchander, discuter le prix. Excellent.*

– Parfait, je vais demander à l'amiral chargé de l'approvisionnement de la Flotte de vous contacter pour vous communiquer les détails.

– Je suis honoré de pouvoir vous servir, dit Xizor.

Encore une fois, il s'inclina de façon militaire mais un peu plus lentement et un peu plus bas que précédemment.

N'importe qui voyant cette scène en conclurait que Xizor faisait montre d'une courtoisie parfaite et d'un empressement zélé à satisfaire l'Empereur.

Sans prononcer une parole de plus, Vador tourna les talons. Le mur coulissa de nouveau et l'homme quitta la pièce silencieusement.

Et n'importe qui voyant cette scène en conclurait que Vador avait été à la limite de l'impolitesse.

De nouveau, Xizor s'autorisa un petit sourire.

Tout se déroulait selon son plan.

3

Luke ne quittait pas des yeux le petit fourneau, comme si le fait de le regarder allait accélérer le processus. A l'intérieur, tous les éléments constituant la gemme-lentille d'un sabrolaser étaient en train de cuire à une température incroyable et à une pression formidable. Une chaleur assez élevée pour faire fondre le plus dense des cristaux et liquéfier l'acier le plus résistant. Et cependant, à un mètre de la machine, rien ne pouvait laisser soupçonner qu'une telle fournaise régnait à l'intérieur. Seule une diode rouge indiquait que l'appareil était en marche. Ça et peut-être également l'odeur d'ozone, rappelant celle d'un tir de blaster, qui flottait dans l'air.

Le fourneau fonctionnait depuis des heures et la diode jaune ne s'était pas encore mise à clignoter. Au moment adéquat, elle indiquerait que le processus avait abordé sa phase finale.

Luke inspecta du regard cet endroit qui avait été la demeure de Ben Kenobi. C'était une petite maison située en retrait de la Mer de Dune Occidentale. Elle était faite – comme beaucoup de structures dans cette région – en synthépierre, un matériau à base de roche broyée, de résines et de solvants. Ce mélange était ensuite moulé ou pulvérisé sur des cadres et on le laissait durcir. Les bâtiments ainsi construits étaient solides et capables de résister aux tempêtes de sable. La maison de Ben ressemblait presque à une formation rocheuse naturelle, polie et érodée par des siècles de rudes conditions climatiques, celles qu'on rencontre dans la plupart des déserts : trop chaudes de jour, trop froides de nuit.

Ben. Terrassé par Dark Vador à bord de l'Etoile Noire. Le souvenir se partageait de façon égale entre la peine et la colère.

Son professeur n'avait pas laissé grand-chose derrière lui. C'était étonnant de la part de l'homme qu'avait été Obi-wan Kenobi, Chevalier Jedi et Général pendant la Guerre des Clones. Ce vieux coffre de bois sculpté aux ornements complexes et ce qu'il renfermait étaient probablement ses objets les plus précieux. Entre autres choses, Luke y avait trouvé un vieux livre à la reliure de cuir. Un livre qui contenait toutes sortes de choses nécessaires à un apprenti Jedi, comme les plans pour construire un sabrolaser. Le fermoir du livre, équipé d'un système de reconnaissance d'empreinte digitale, avait identifié sans problème le pouce droit de Luke et s'était déverrouillé. En ouvrant le volume, Luke avait immédiatement remarqué le sachet relié à la couverture intérieure. Si quelqu'un avait essayé de forcer le verrou, le livre aurait instantanément pris feu et se serait autodétruit.

Allez savoir comment, Ben pressentait que Luke finirait par trouver ce livre. Allez savoir comment, il avait tout préparé pour que lui et lui seul puisse l'ouvrir sans encombre.

Etonnant.

Si on se référait à ce que disait le livre, les meilleurs sabrolasers utilisaient des gemmes naturelles mais celles qu'on trouvait sur Tatooine n'étaient malheureusement pas du type dont Luke avait besoin. Il avait réussi à collecter la plupart des composants électroniques et des pièces mécaniques à Mos Esley – cellules énergétiques, boîtiers de commandes et une parabole réfléchissante à haute densité – mais il lui fallait réaliser lui-même la gemme-lentille capable de canaliser le rayon laser. Dans l'idéal, les meilleurs sabrolasers possédaient trois de ces lentilles. De différentes densités et de différentes configurations de facettes, elles permettaient d'avoir une lame parfaitement contrôlable et ajustable. Pour sa première tentative de réalisation de l'arme Jedi, Luke avait préféré la faire aussi simple que possible. Malgré tout, cela avait été bien plus difficile que ce qui était décrit dans le livre. Luke était quasiment sûr que son superconducteur était correctement aligné, que l'amplitude de longueur était réglée sur la bonne position et que les circuits des boîtiers de commandes étaient correctement branchés. Il ne serait cependant sûr de rien tant que la gemme ne serait pas finie et il n'était fait mention nulle part dans le livre du temps que cela prenait. Si tout allait bien, le fourneau s'arrêterait automatiquement dès que tout serait prêt.

Si tout se passait comme convenu, il pourrait ensuite tailler la gemme, la polir, l'installer et régler les photoharmoniques. Enfin, il pourrait appuyer sur l'interrupteur et devenir l'heureux possesseur d'un sabrolaser en parfait état de marche. Il avait suivi les instructions à la lettre. Il était assez habile de ses mains et savait manier les outils : normalement, tout devait bien se passer. Il subsistait cependant la petite inquiétude que, lorsqu'il appuierait sur le bouton, l'arme ne s'activerait pas. Ce qui serait très embarrassant. Pire, cela pourrait marcher mais d'une façon complètement imprévue. Cela serait bien pire que très embarrassant : Luke Skywalker, l'homme qui était en passe de devenir un puissant Jedi, l'homme qui avait affronté Vador en duel et qui avait survécu pour raconter son expérience, désintégré par l'explosion d'un sabrolaser défectueux... Jusqu'ici, il avait fait preuve de précaution pour réaliser l'objet, vérifiant à trois reprises au minimum chacune des étapes, ce qui lui avait valu presque un mois de travail. Le livre prétendait qu'un Maître Jedi pressé par le temps pouvait se construire un nouveau sabrolaser en l'espace de quelques jours !

Luke soupira. Peut-être qu'après en avoir fait six ou huit, il serait capable de tenir ce délai mais, visiblement, il avait encore des progrès à faire, beaucoup de progrès.

Soudain, il ressentit quelque chose.

C'était comme une combinaison de sens, c'était comme entendre, sentir, goûter et voir à la fois mais aussi comme rien de tout cela. C'était quelque chose... d'imminent.

Est-ce que cela pouvait venir de la Force ? Ben avait été capable d'éprouver certains événements à des années-lumière de distance. Yoda avait également évoqué des choses semblables mais Luke n'avait aucune certitude sur ce qu'il ressentait. Ses propres expériences, à bord de son aile-X et lors de son entraînement, étaient somme toute relativement limitées.

Il aurait tellement aimé que Ben soit là, à côté de lui, pour lui dire ce qui se passait.

Quoi que ce soit, il avait l'impression que cela devenait de plus en plus fort. Pendant un moment, il eut comme un éclair, le sentiment de reconnaître quelque chose. Leia ?

Il avait été capable de l'appeler lorsqu'il avait failli tomber des infrastructures de la Cité des Nuages lors de sa précédente rencontre avec Vador. D'une certaine façon, elle avait entendu son appel à l'aide.

Etait-ce Leia ?

Il boucla l'étui de son blaster, ajusta le ceinturon sur sa hanche afin de pouvoir dégainer facilement si le besoin s'en faisait sentir puis il sortit. Généralement, les Taskens – les Hommes des Sables – restaient à bonne distance de la maison de Ben. Ils étaient très superstitieux, lui avait dit le vieil homme et, grâce à son contrôle de la Force, Ben leur avait fait quelques tours suffisamment impressionnants pour qu'ils croient sa maison hantée. Mais Ben n'était plus là et tout ce qu'il avait bien pu faire ne durerait peut-être pas éternellement. Luke ne possédait pas la maîtrise de Ben. Les pillards ne seraient probablement pas aussi impressionnés par son aptitude à soulever quelques malheureux cailloux grâce à la Force. Cela dit, il était toujours capable de viser et, même si ce n'était pas des plus élégant, il pouvait toujours tirer et faire voler les rochers en éclats. C'était souvent suffisant pour arrêter quelqu'un et lui donner le loisir de réfléchir avant de se remettre en marche.

Une fois le sabrolaser terminé et opérationnel, il espérait pouvoir laisser le blaster de côté. Un vrai Jedi n'avait pas besoin d'autre arme pour se protéger, lui avait dit Ben.

Il soupira. Pour atteindre ce niveau, il allait aussi lui falloir faire beaucoup de progrès.

Un vent chaud souleva le sable du désert, un nuage irritant, qui desséchait la peau. Dans le lointain, il vit s'élever une fine colonne de poussière. Quelqu'un traversait les étendues désolées depuis Mos Esley pour venir jusqu'ici, probablement en landspeeder. Etant donné que personne ne savait qu'il était ici, il devait s'agir de Leia, Chewie ou Lando. Si l'Empire l'avait repéré, ils lui tomberaient dessus en une pluie mortelle de vaisseaux et de soldats de choc. Dans ce cas, il aurait une chance folle s'il parvenait à rejoindre son aile-X camouflée avant qu'ils ne transforment cet endroit en ruine fumante. Tout comme ils l'avaient fait pour la ferme de l'Oncle Owen et de la Tante Beru...

Luke sentit les muscles de sa mâchoire se raidir à l'évocation de ce souvenir.

L'Empire aurait à répondre de beaucoup de choses.

Les passages protégés du cœur de la Cité Impériale n'étaient accessibles qu'aux porteurs d'accréditations spéciales. L'entrée était, en temps normal, strictement surveillée. Ces couloirs étaient larges, bien éclairés et décorés de plantes magnifiques tels des figuiers chantants ou des rosiers de jade. Des vols de chauves-souris-faucons traversaient souvent les passages pour fondre sur les limaces de roche qui infestaient les murs de granit. Ces couloirs étaient faits pour que les personnalités, riches et célèbres, puissent s'y promener sans être importunées par la populace.

Alors que Xizor, entouré de ses quatre gardes du corps, avançait dans l'un de ces couloirs protégés, un intrus fit soudain irruption en face d'eux et se mit à vider le chargeur de son blaster en direction du Prince Sombre.

L'un des deux gardes du corps placés en tête encaissa un rayon en pleine poitrine. La décharge perça son gilet blindé et le fit tomber à la renverse. Xizor jeta un coup d'œil à la blessure fumante, le garde grogna et roula sur le dos.

Le deuxième garde – talent ou coup de chance – tira à son tour. Il fit mouche du premier coup et fit voler le blaster des mains de l'assassin. Toute menace était écartée.

L'assaillant poussa un hurlement et chargea, à mains nues, Xizor et ses gardes.

Intrigué, Xizor observa l'homme se rapprocher. L'assassin était corpulent, plus grand que n'importe lequel de ses gardes et bien plus costaud que Xizor lui-même. Il avait la stature de l'un de ces haltérophiles capables de soulever des poids même en gravité élevée. En revanche, quelle folie de vouloir ainsi s'attaquer à trois hommes armés!

Comme c'était intéressant.

– Ne tirez pas, dit Xizor.

L'homme qui courait vers eux était maintenant à vingt ou trente mètres et se rapprochait rapidement.

Le Prince Sombre s'accorda l'un de ses petits sourires pincés.

– Laissez-le, dit-il. Il est à moi.

Les trois gardes du corps rengainèrent leurs blasters et s'écartèrent du passage. Ils savaient mieux que quiconque qu'on ne discutait pas les ordres de Xizor. Ceux qui ne respectaient pas cette règle finissaient comme le premier garde, toujours fumant, étendu sur le sol de marbre poli.

L'assassin continua sa course en hurlant des paroles incohérentes.

Xizor attendit. Lorsque l'homme fut presque à son niveau, le Prince Sombre pivota sur la pointe des pieds et, dans le mouvement, abattit avec violence le plat de la main sur la nuque de son attaquant. La poussée supplémentaire du coup suffit à déséquilibrer l'individu vociférant, qui trébucha et tomba. Il parvint néanmoins à transformer sa chute en un roulé-boulé sur l'épaule. Il se releva et se retourna pour faire face à Xizor. Il semblait un peu plus méfiant maintenant. Il s'avança lentement, les poings serrés devant lui.

– Quel est votre problème, citoyen? demanda Xizor.

– Espèce de salopard d'assassin! Limace merdeuse!

L'homme se rapprocha et décocha un puissant coup de poing en direction de la tête de Xizor. Si le coup avait porté, des os se seraient brisés. Mais Xizor se baissa à temps et fit un pas de côté. Il frappa l'homme à l'estomac de la pointe de sa botte droite. L'individu en eut le souffle coupé.

Il tituba et fit quelques pas en arrière pour reprendre sa respiration.

– Nous sommes-nous déjà rencontrés ? Je possède une excellente mémoire des visages et je ne me souviens pas du vôtre.

Xizor remarqua une peluche sur l'épaule de sa tunique. Il l'épousseta d'un revers de la main.

– Tu as tué mon père. As-tu oublié Colby Hoff?

L'homme chargea de nouveau en agitant ses poings dans tous les sens.

Xizor fit un pas de côté et, presque nonchalamment, abattit un coup de poing d'une puissance terrible sur la tête de l'homme afin de l'assommer.

– Il doit s'agir d'une méprise, Hoff. Pour autant que je me souvienne, votre père s'est suicidé. Il s'est collé un blaster dans la bouche et s'est fait sauter la cervelle, n'est-ce pas ? Un bien vilain spectacle.

Hoff se redressa et, mû par la rage, se jeta à nouveau sur Xizor.

Ce dernier fit un saut sur sa droite et envoya le talon de sa botte gauche dans le genou gauche de Hoff. Il entendit la rotule émettre un craquement quand le coup porta.

Hoff tomba, sa jambe gauche n'était désormais plus capable de le supporter.

– Tu as causé sa ruine ! dit-il en luttant pour se redresser sur son genou valide.

– Nous étions des concurrents en affaires, dit Xizor d'un ton neutre. Il a voulu jouer sur le fait qu'il était plus malin que moi. Une erreur stupide. Quand on ne peut pas se permettre de perdre, on ne se lance pas dans le jeu.

– Je vais te tuer !

– Je ne pense pas, dit Xizor. (Il se glissa derrière l'homme blessé, à une vitesse surprenante pour quelqu'un de sa corpulence, et saisit la tête de Hoff à deux mains.) Vous voyez, faire face à Xizor c'est perdre d'avance. Au yeux de n'importe quelle personne raisonnable, m'attaquer directement peut être considéré comme un suicide.

Cela dit, Xizor exerça une vive torsion au cou de l'homme.

Le craquement des vertèbres résonna avec force dans le couloir.

– Nettoyez-moi tout ça, dit-il à ses gardes. Et veuillez informer les autorités concernées du sort de ce pauvre jeune homme.

Il regarda le corps. Il ne ressentit aucun remords. C'était comme écraser un cafard. Cela n'avait aucune importance.

Dans ses appartements les plus privés, l'Empereur assistait à une projection holographique grandeur nature : le Prince Xizor brisant le cou de quelqu'un qui venait de l'attaquer dans les couloirs protégés.

L'Empereur sourit et fit pivoter sa chaise flottante à répulseurs pour faire face à Dark Vador.

– Eh bien, dit l'Empereur, il semble que le Prince Xizor suive toujours assidûment son entraînement aux arts martiaux, n'est-ce pas ?

Caché derrière son masque blindé, Vador fronça les sourcils.

– C'est un homme dangereux, mon Maître. On ne peut pas lui faire confiance.

L'Empereur lui adressa l'un de ses répugnants sourires qui découvrait largement ses dents.

– Ne vous préoccupez pas de Xizor, Seigneur Vador. J'en fais mon affaire.

– A vos ordres.

Vador s'inclina.

– On peut cependant s'étonner de la manière avec laquelle ce jeune homme, cette tête brûlée, a réussi à s'introduire dans les corridors protégés, remarqua l'Empereur.

Mais il n'y avait pas trace d'étonnement dans la voix de l'Empereur. Pas du tout.

Le visage de Vador se figea. *Il savait.* Ce n'était pas possible car le garde qui avait laissé l'assassin en puissance pénétrer dans le passage n'était plus de ce monde. Personne d'autre que cet homme ne connaissait l'identité de celui qui lui avait intimé l'ordre de laisser entrer le jeune homme. Mais, d'une manière ou d'une autre, l'Empereur savait.

La maîtrise du Côté Obscur de l'Empereur était réellement sans égale.

– Je vais essayer de tirer cela au clair, mon Maître, dit Vador.

L'Empereur agita une main couverte de taches de vieillesse pour interrompre Vador.

– Ne vous donnez pas cette peine. Les dégâts sont minimes. Le Prince Xizor n'était pas vraiment en danger, n'est-ce pas ? Il semble parfaitement capable de se débrouiller tout seul. Cependant je détesterais qu'il lui arrive quoi que ce soit tant que je sais qu'il peut nous être d'une quelconque utilité.

Vador s'inclina à nouveau. Comme d'habitude, l'Empereur avait eu le dessus. D'une manière très subtile, certes, mais qu'il était difficile d'ignorer. Il n'y aurait dorénavant plus de tentatives destinées à tester les aptitudes de Xizor à se défendre contre les attaques mortelles.

Pour l'instant, en tout cas.

En attendant, Vador allait mettre en place une surveillance constante du Prince Sombre. Le Falleen était bien trop calculateur et ce qui se tramait dans son esprit tortueux ne servirait l'Empire que si cela servait Xizor.

Xizor était, après tout, un criminel. La perversion lui tenait lieu de morale, son éthique fluctuait suivant les situations et sa loyauté était inexistante. Rien ne pouvait l'empêcher d'arriver à ses fins. Vador était intimement persuadé que les projets de Xizor ne faisaient aucunement état d'une galaxie dans laquelle il y aurait de la place pour un Vador ou un Empereur.

Faire face à Xizor, c'est perdre d'avance ?

On va voir ça.

4

Alors que la landspeeder approchait de sa destination, Leia vit Luke, debout à l'extérieur de la maison, qui les observait. Bizarre qu'il ait pu ainsi être au courant de leur arrivée.

Bien entendu, d'où il était – au beau milieu de nulle part avec rien d'autre que du sable, des rochers et des broussailles –, il lui avait été possible de les voir venir de loin. La Force n'était probablement pas responsable, c'était une simple question d'observation.

Chewie ralentit et arrêta la landspeeder. De la poussière refoulée par les répulseurs flotta quelques instants autour de la machine avant d'être balayée par le vent incessant. Le climat pouvait vous drainer de tout liquide et vous dessécher complètement si vous restiez trop longtemps à l'extérieur sans protection. Les dunes à la dérive découvraient souvent des tas d'ossements d'un blanc étincelant. Les os de ceux qui avaient cru pouvoir se lancer impunément à la conquête du désert.

Luke sourit et Leia sentit de nouveau cette espèce de confusion. Elle aimait Yan mais Luke était là, devant elle, et elle éprouvait d'une certaine façon des affinités avec lui. Etait-ce possible pour une femme d'aimer deux hommes à la fois ? Elle lui rendit son sourire. Avec Luke, ce n'était pas comme avec Yan mais il se passait quelque chose de ce côté-là aussi.

– Salut, Luke, dit Lando.

Chewie ajouta quelque chose qui devait probablement être un bonjour.

– Maître Luke, comme c'est agréable de vous revoir, dit C3 PO.

Sa couleur d'un brillant doré était altérée par une fine couche de poussière. Curieusement, on avait l'impression que le droïd de protocole attirait plus la saleté que les autres membres du groupe même si Leia elle-même se sentit un peu crasseuse après le long chemin qu'ils venaient de parcourir.

D2, lui aussi, sifflota un air de salut.

Tous aimaient Luke. Il y avait quelque chose chez lui qui semblait si naturel et si attractif. C'était peut-être dû à la Force qui l'habitait et l'enveloppait. C'était peut-être aussi parce qu'il émanait de lui une grande gentillesse.

– On t'aurait bien passé un coup de fil, fit Lando, mais on ne tenait pas à prendre le risque que notre communication soit interceptée. Chewie a aperçu en ville quelques-uns de ces nouveaux droïds impériaux qui sont capables de déchiffrer les codes. Il pense qu'ils contrôlent également tous les appels locaux. Inutile de prendre des risques insensés.

Luke hocha la tête.

– Bien pensé. Allez, entrez donc.

L'odeur à peine perceptible de quelque chose en train de cuire flottait dans cet endroit qui avait été la demeure toute simple d'Obi-wan. Cela rappela à Leia le temps où, jeune fille, elle s'asseyait près d'un feu de bois lorsqu'elle partait camper. Elle remarqua le petit fourneau à haute pression posé sur la table. Luke était-il en train de fabriquer une sorte de joyau?

Ils annoncèrent à Luke le but de leur visite.

Immédiatement, il se mit à bouillir d'excitation, prêt à bondir dans son aile-X et partir sur-le-champ.

– Attends une seconde, dit Lando. D'abord, nous devons être sûrs que Fett est bien là-bas. Ensuite, il y a ce petit problème de Marine Impériale à régler.

Luke haussa les épaules.

– Hé, je peux voler en les contournant les doigts dans le nez.

Lando et Leia échangèrent un regard. Peu importent ses autres talents; lorsqu'il était question de pilotage, s'il y avait bien quelque chose dont Luke ne manquait pas c'était de confiance en soi.

Chewie prit la parole.

C3 PO se lança dans la traduction.

– Ah, Chewbacca se demande si l'Alliance Rebelle ne serait pas prête à lui donner un coup de main étant donné les services que Maître Yan a pu leur rendre.

Luke sourit comme un enfant devant un nouveau jouet.

– Bien sûr qu'elle serait prête. Wedge détient maintenant le commandement de l'Escadron Rogue et il m'a toujours dit que, si jamais on avait besoin d'eux, il n'y avait qu'à les appeler et qu'ils rappliqueraient illico.

– Et tu crois qu'ils laisseraient tomber ce qu'ils sont en train de faire, juste comme ça? demanda Lando.

Leia hocha la tête.

– Je ne vois pas où est le problème, dit-elle. La chaîne de commandement de l'Alliance est un peu plus souple que celle de l'Empire. Nous devons être plus flexibles compte tenu de nos effectifs réduits. Les membres du groupe Rogue n'ont pas de mission permanente et je suis persuadée que je peux convaincre l'Alliance que le sauvetage du capitaine Solo est très important. Son intervention a été décisive lors de la destruction de l'Etoile Noire. De plus, nous avons besoin de tous les bons pilotes.

Leia jeta un coup d'œil rapide aux autres pour voir si son raisonnement bancal parvenait à masquer ses sentiments profonds.

Luke, impatient de s'envoler, ne sembla pas voir plus loin que ce qu'elle venait de dire. Le petit sourire de Lando pouvait signifier n'importe quoi. Chewie et les droïds ne laissaient rien paraître.

– Génial, dit Luke. Allons-y!

– Pas si vite, dit Lando. D'abord, il serait peut-être bon d'attendre la confirmation que Fett est vraiment sur Gall avant de nous mettre en route. C'est un long voyage et ce serait dommage d'y aller pour rien.

Leia remarqua que Luke ne souhaitait en aucune façon

attendre... Visiblement, la patience n'était pas la plus grande de ses vertus. Mais Luke se plia à la sagesse des propos de Lando.

– O.K. Mais en attendant, contactons Wedge pour que son escadron se tienne prêt.

– Je vais appeler le commandement, dit Leia.

Elle espéra que l'informateur de Lando – quel était son nom déjà ? Dash quelque chose ? – leur fournirait l'information rapidement. Elle espéra que la rumeur se vérifierait. Personne d'autre ne souhaitait le retour de Yan davantage que la Princesse.

Installé à l'extrémité de la longue table de sa salle d'audience, Xizor observait les visages nerveux de ses lieutenants. Guri se tenait derrière lui en position de défense et de semi-repos, les mains hors de vue, croisées derrière les reins.

Ils avaient une bonne raison d'être nerveux, les lieutenants. En atteignant ce rang dans la hiérarchie du Soleil Noir, ils prenaient le titre honorifique de « Vigo », un mot du tionais ancien qui signifiait « neveu ». Cela entretenait l'illusion que les dirigeants installés aux plus hauts postes de l'organisation faisaient partie de la même famille. Ils apparaissaient ainsi beaucoup plus forts aux gens de l'extérieur.

Malheureusement, cette apparence ne reflétait que très rarement la réalité.

L'un d'entre eux, assis autour de la table, était un espion.

Xizor ignorait pour qui l'espion travaillait – ce pouvait être l'Empire, l'Alliance Rebelle ou même une organisation criminelle rivale – et il ne s'en souciait guère. Tout le monde espionnait tout le monde dans ce business, c'était un fait acquis, mais cela ne signifiait pas qu'il fallait passer l'éponge une fois la chose découverte.

Au commencement de cette rencontre, il avait neuf lieutenants à cette table ; chacun d'entre eux était responsable de plusieurs systèmes stellaires.

A la fin de cette rencontre, il n'aurait plus que huit lieutenants.

Mais avant toute chose, les affaires courantes du Soleil Noir devaient être réglées en bonne et due forme.

– J'attends vos rapports, dit Xizor, Vigo Lonay?

Lonay était un Twi'lek, rusé, malin et lâche. Ses deux appendices crâniens étaient enroulés autour de son cou et pendaient sur son épaule. Il portait, à l'occasion de cette séance, des couleurs et des bijoux bien moins criards que d'habitude.

– Mon Prince, le marché de l'épice est en hausse de vingt et un pour cent dans notre secteur. Les vaisseaux casinos ont augmenté leur chiffre d'affaires de huit pour cent et les ventes d'armes vont s'accroissant. On estime sur ce point une progression de trente et un pour cent. Malheureusement, les revenus liés aux ventes d'esclaves ont baissé de cinquante-trois pour cent. Beaucoup de planètes sont tombées sous la coupe de l'Alliance Rebelle et de nouvelles lois locales y ont aboli l'esclavage. A moins que l'Empire ne se décide à intervenir, j'ai le regret de dire que les revenus de cette activité en provenance de ces régions risquent de rester au plus bas.

Xizor hocha la tête. Lonay était bien trop lâche pour risquer la mort en trahissant son « oncle ». Tous les représentants de son espèce étaient ainsi.

– Vigo Sprax? dit le Prince Sombre.

Sprax était un Nalroni dont la fourrure foncée grisonnait par endroits. Il s'appliquait régulièrement des teintures pour paraître plus jeune. Il commença à énoncer des statistiques. Xizor le dévisagea mais l'écouta sans faire réellement attention. Il connaissait déjà tout ce qu'on était en train de lui annoncer officiellement.

Sprax était bien trop intelligent pour essayer de doubler Xizor.

Le Nalroni termina son rapport.

– Vigo Vekker?

Vekker, un Quarren, eut un petit sourire nerveux et se lança dans sa récitation.

L'individu à tête de pieuvre n'avait aucune ambition. Il était satisfait de son travail et de sa situation.

Un par un, Xizor amena ses Vigos à s'exprimer. Et un

par un, ils le firent : Durga le Hutt, Kreet'ah le Kian'thar, Clezo le Rodien, Wundi le Etti, Perit le Mon Calamari et Green, le seul humain présent à la table.

Il était difficile de croire que l'un de ces Vigos ait pu commettre un acte aussi stupide. Après tout, on ne s'élevait à cet échelon dans la hiérarchie qu'après des années de bons et loyaux services. Certains d'entre eux étaient sortis du rang pour passer du grade de contrebandier à celui de voleur pour enfin atteindre le statut d'homme d'affaires. D'autres étaient tout simplement entraînés depuis leur naissance et avaient hérité du poste de leur père ou de leur mère biologique, ce qui était le cas pour Kreet'ah. La plupart d'entre eux étaient déjà Vigo bien avant que Xizor ne le devienne lui-même et qu'il ne prenne la tête du Soleil Noir.

Et pourtant, l'acte avait été commis. La vie était pleine de traîtrises.

Il les laissa s'impatienter sur leur siège et se faire du mauvais sang pendant quelques instants. Puis, il fit un signe de tête à Guri. Son garde du corps, son employée la plus digne de confiance, se mit à avancer derrière les fauteuils des Vigos.

Tous étaient à la tête de réseaux d'espions et tous ne connaissaient de la situation que ce que Xizor avait bien voulu laisser filtrer. Il y avait un traître parmi eux. Il ignorait son identité.

Cette seconde information, il ne l'avait divulguée que pour les laisser dans l'expectative. Xizor savait très bien de qui il s'agissait. Cette affaire était sur le point d'être... classée.

– Un dernier point à régler sur mon agenda, mes chers Vigos. L'un d'entre vous a jugé bon d'utiliser sa position pour nous trahir. Apparemment peu satisfait des millions de crédits qu'il a pu amasser grâce à mes largesses – sans parler de ces bonus, récompenses, dividendes et prélèvements inavoués que vous vous accordez tous –, ce... cette personne a déshonoré le titre de Vigo.

Guri passa tout doucement derrière les lieutenants. Xizor les regarda avec attention. Ceux qui le pouvaient se mirent à transpirer ou à rougir, les autres semblaient avoir du mal à dissimuler certains signes de frayeur.

Elle passa derrière Durga, Kreet'ah, Clezo, atteignit l'extrémité de la table et la contourna.

Xizor reprit la parole, lentement, sur un ton monocorde, sa voix ne trahissant rien.

– Il y a certains sous-lieutenants dans vos effectifs qui désintégreraient avec joie des planètes entières pour se voir offrir les opportunités dont vous avez tous bien profité. Etre Vigo du Soleil Noir, c'est avoir un pouvoir qui n'est détenu que par une poignée d'individus dans toute la galaxie.

Guri passa derrière Lonay, derrière Sprax puis Vekker. Elle marqua une pause derrière Durga le Hutt.

La tension s'épaissit dans la pièce au point d'en devenir presque palpable.

Xizor songea qu'il venait de jouer finement. Durga n'était pas né de la dernière pluie et ne se risquerait certainement pas à trahir ou espionner. Non. Le Hutt avait l'ambition de dix personnes réunies et si d'aventure il lui venait l'idée de tenter quoi que ce soit, il opterait plutôt pour le coup d'Etat et le renversement du pouvoir en place. Laisser Guri attendre quelques instants derrière sa chaise, c'était lui faire savoir que Xizor gardait un œil sur lui. Un avertissement censé lui donner matière à réfléchir avant d'attaquer son ascension vers la puissance, d'essayer de se hisser de son confortable petit promontoire vers le piton le plus escarpé de la montagne...

Guri se remit en marche. L'impression de soulagement qui émana de Durga fut, tout comme la tension, quelque chose de si matériel qu'on aurait presque pu s'en emparer et l'utiliser pour caler une porte !

Le droïd que l'on pouvait prendre pour une femme flâna derrière Wundi le Etti et Perit le Mon Calamari.

Elle s'arrêta derrière Green l'Humain.

Xizor sourit.

Green essaya de se lever mais Guri était incroyablement rapide. Elle lança son bras autour de la gorge de l'homme et bloqua la prise au moyen de son autre bras en une clé d'étranglement.

Green se débattit brièvement mais il aurait été plus facile de lutter contre une pince en duracier. Le sang qui irriguait son cerveau cessa de circuler et l'homme perdit connaissance.

Guri resserra son étreinte et la maintint, la maintint, la maintint...

Un long moment passa. Aucun des autres Vigos n'avait fait le moindre geste.

Lorsque Green eut quitté le monde des vivants, Guri lâcha prise et il tomba en avant. Sa tête alla cogner avec bruit sur la table.

– Je suis prêt à prendre acte des candidatures pour ce poste de Vigo, dit Xizor.

Personne n'ouvrit la bouche pendant un moment. Xizor garda une figure impassible. Dommage pour Green, c'était l'un des Vigos les plus brillants. Malheureusement, les humains étaient enclins à la trahison et il était difficile de leur faire confiance.

Il regarda de nouveau ses lieutenants et attendit que l'un d'eux dise quelque chose. Il venait de leur donner une leçon qu'ils n'étaient pas près d'oublier.

Se dresser contre Xizor, c'est perdre d'avance.

N'oubliez jamais cela.

Après le départ des Vigos et l'évacuation du cadavre, Guri revint auprès de Xizor.

– Je pense que tout s'est bien passé, dit-il.

Guri hocha la tête et ne dit rien.

– Avez-vous rassemblé toutes les informations sur ce Skywalker ?

– Oui, mon Prince.

Il regarda droit devant lui. Son organisation était immense, les gens qui travaillaient pour lui se comptaient par dizaines de milliers mais il devait s'occuper d'un certain nombre d'affaires personnellement. Particulièrement des affaires aussi... délicates que celle-ci.

– Toutes les données ont été vérifiées et contre-vérifiées ?

– Comme vous l'avez ordonné.

– Très bien. Qu'on fasse connaître aux chasseurs de primes le montant de la récompense pour la tête de Skywalker. Les mains du Soleil Noir doivent demeurer propres, les agents ne doivent pas être impliqués. Je ne tolérerai aucune erreur.

– Il n'y en aura pas, mon Prince.

– Oh, et je voudrais parler à Jabba le Hutt.

– On vous passera la communication dès que vous serez revenu de votre déjeuner, mon Prince.

– Non, non. Faites-le venir ici par le vaisseau le plus rapide. Je souhaite m'entretenir avec lui personnellement.

– A vos ordres.

Guri resta debout près de lui sans rien dire pendant qu'il réfléchissait à son plan.

Vador voulait Skywalker, il le voulait en vie pour en faire don à l'Empereur. Le souvenir qui lui restait de cette conversation, à laquelle il avait eu le privilège d'assister quelques mois auparavant, était que l'Empereur désirait ardemment capturer le jeune homme vivant pour pouvoir le contrôler.

Le Soleil Noir avait le bras long et toutes les informations qu'il était possible de trouver sur la proie de Vador se trouvaient enregistrées sur l'ordinateur personnel de Xizor. Le Seigneur Noir de Sith avait juré ses grands dieux qu'il livrerait le jeune garçon, non seulement vivant, mais prêt à être converti aux désirs de l'Empereur.

Si Vador venait à ne pas tenir cette promesse, s'il était possible de laisser penser qu'il n'avait jamais réellement eu l'intention de faire cadeau de cet apprenti Jedi à l'Empereur, alors on pourrait faire croire que, pour éviter toute confrontation, il avait préféré se débarrasser du garçon...

Pas mal. L'Empereur apportait beaucoup de crédit aux capacités de Vador, il avait confiance en lui plus qu'en quiconque. Mais l'Empereur exigeait une loyauté et une obéissance absolues de la part de ses sujets. Si on arrivait à le persuader que Vador avait été déloyal, qu'il avait désobéi ou, tout simplement, qu'il avait failli à sa mission, les choses risqueraient de tourner assez mal pour lui.

L'Empereur était capricieux. On le savait colérique au point de faire raser une ville entière parce qu'un élu local avait osé lui tenir tête. Un jour, il avait même fait bannir une famille influente des Systèmes du Noyau. L'un des fils avait tout bêtement heurté avec son vaisseau l'un des immeubles préférés de l'Empereur, causant pas mal de dégâts et tuant par la même occasion son pilote.

Si l'Empereur venait à découvrir que son bras droit, sa propre création, pouvait représenter une menace, Dark Vador, tout Seigneur Noir de Sith qu'il était, ne serait guère à l'abri d'une colère impériale !

Oui, c'était un bon plan. Un peu compliqué, certes, mais tous les problèmes possibles avaient été envisagés, examinés et résolus.

Tout bien réfléchi, Xizor se rendait compte qu'il venait enfin de trouver l'arme parfaite pour se débarrasser définitivement de Dark Vador :

La mort de Luke Skywalker.

5

Dark Vador était assis, nu, dans son caisson médical à oxygène. Les lumières étaient éteintes et l'homme s'était débarrassé de l'armure qu'il était obligé de porter pour pouvoir survivre à l'extérieur. La Force était puissante – Vador pensait que le Côté Obscur l'était encore plus – mais il n'avait jamais été capable de l'utiliser pour soigner les brûlures affreuses de son corps. Le simple fait qu'il soit en vie était déjà une sorte de miracle mais, d'une certaine façon, il n'avait pas réussi à maîtriser les énergies nécessaires à une totale régénération. Vador croyait dur comme fer que c'était possible ; qu'avec suffisamment de méditation et d'entraînement, il pourrait un jour se reconstruire et redevenir l'homme qu'il avait été jadis.

Physiquement, en tout cas.

Il ne redeviendrait jamais ce qu'il avait été sur le plan mental : faible, stupide, idéaliste. Le comportement d'Anakin à l'époque ressemblait à celui de Luke Skywalker aujourd'hui. Sans... le potentiel.

Oui, la Force était très présente en Luke, peut-être plus présente qu'elle ne l'avait été en Anakin. Mais le garçon avait besoin de rejoindre le Côté Obscur, d'apprendre où résidait la vraie puissance, d'accomplir sa destinée. Si cela n'arrivait pas, l'Empereur détruirait Luke.

Et ça, Vador ne le voulait pas.

Au cours de leur lutte, Vador avait aussi essayé de terrasser le jeune homme mais uniquement dans le but de le tester. S'il avait pu tuer Luke facilement, ce dernier n'aurait pas valu qu'on le recrute. Luke avait tenu le coup sous les assauts répétés. Malgré les aptitudes supérieures de Vador, malgré son expérience, Luke avait survécu à la rencontre et s'en était tiré avec rien de plus qu'une main amputée qui pouvait aisément être remplacée.

Le duel avait déclenché des sentiments chez Vador, chose qui ne lui arrivait guère ces derniers temps. Il y avait eu l'excitation d'affronter un adversaire digne de ce nom et une certaine fierté de découvrir que cet adversaire qui lui résistait si farouchement était son propre fils.

Vador sourit à l'obscurité qui l'entourait. Obi-wan n'avait pas dit à Luke qu'Anakin Skywalker était devenu Dark Vador. La colère de Luke contre l'homme qui avait tué son professeur était très vive, elle aurait pu permettre une conversion vers le Côté Obscur. Si Vador n'avait pas interrompu le flot de cette colère avec de la peur et de la confusion en disant au jeune homme qu'il était son père, Luke aurait pu gagner. Un Jedi ne se battait pas poussé par la colère, un Jedi devait contenir et contrôler ses émotions et laisser la Force couler en lui. Le Côté Obscur, lui, se repaissait d'émotions fortes. Lorsqu'il était rassasié, il vous récompensait au décuple.

Luke avait eu l'occasion de goûter au Côté Obscur. C'était maintenant à Vador de retrouver le jeune homme et de le lui faire tâter à nouveau. Le Côté Obscur vous rendait plus dépendant que la plus puissante des drogues. Quand Luke basculerait, il serait plus puissant que Vador, plus puissant que l'Empereur. Ensemble, ils pourraient dominer la galaxie.

Assez. L'heure avait sonné pour un nouveau test.

Vador passa la main sur les commandes à détecteurs de mouvements de son caisson. La chambre sphérique s'ouvrit et la portière se souleva dans le sifflement de ses vérins hydrauliques et de l'air pressurisé qui s'échappait. Il resta assis, exposé à l'environnement, sans la protection du champ curatif à haute teneur en oxygène de son caisson.

Il se concentra sur l'injustice de sa condition, sur son aversion pour Obi-wan, sur ce qui avait fait de lui ce qu'il était aujourd'hui. Toute cette colère et cette haine permirent au Côté Obscur de la Force de couler en lui.

Pendant un court instant, sa chair tuméfiée se transforma. Ses poumons atrophiés, ses alvéoles décomposées et ses voies respiratoires en partie obstruées redevinrent opérationnels.

Pendant un court instant, il réussit à respirer comme le faisaient tous les autres êtres vivants.

Ce soulagement, ce triomphe, cette joie d'y être arrivé repoussèrent brusquement le Côté Obscur comme une source lumineuse disperserait les ténèbres. Le Côté Obscur se nourrissait de colère, le bonheur était pour lui comme un poison. Lorsqu'il eut complètement abandonné le corps de Vador, ce dernier n'arriva plus à respirer.

Vador effleura les commandes et le dôme se referma, le confinant de nouveau dans le caisson.

Il y était parvenu très brièvement. A plusieurs reprises déjà. Le truc était d'arriver à tenir. Il ne devait pas s'autoriser la moindre sensation de soulagement, il devait au contraire s'accrocher griffes et ongles à sa rage même s'il sentait que la guérison était en cours.

C'était difficile. Il ne s'était pas débarrassé de tout ce qui restait en lui d'Anakin Skywalker, cet homme pâle et frêle qu'il avait été. Tant qu'il n'éliminerait pas ces derniers vestiges, il ne pourrait pas s'abandonner totalement au Côté Obscur. C'était là sa plus grande faiblesse, son défaut le plus terrible. Un simple point lumineux au milieu des ténèbres qu'il avait été incapable d'éradiquer pendant toutes ces années, en dépit de toutes ses tentatives.

Vador soupira. Il lui faudrait fournir encore plus d'efforts. Il ne pouvait pas laisser paraître la moindre faiblesse aux yeux de ses ennemis et – plus spécialement – de ses amis.

Luke replaça la gemme dans la pince et inspira profondément. Il venait de terminer les premières facettes et la taille devenait maintenant un peu plus complexe. Une pression trop forte sur le ciseau, et le joyau éclaterait. Auquel cas, il lui faudrait en faire cuire un nouveau et tout reprendre à zéro.

Chewie était assis près de lui et l'observait, visiblement très intéressé par le processus. Leia faisait une sieste dans la chambre. Lando les avait laissés chez Ben et avait pris la landspeeder pour se rendre en ville. Son retour était imminent...

Chewie releva la tête comme s'il venait d'entendre quelque chose. Il parla.

C3 PO, qui était en train de jouer avec D2 à une sorte de joute de traduction, se retourna.

– Chewbacca dit que Maître Lando vient de rentrer.

Luke hocha la tête et se concentra sur sa tâche. Il tapa le ciseau de son petit maillet en bois...

Un éclat plat vola. Très bien! Parfait...

Lando entra en souriant.

– Qu'est-ce qui te rend si joyeux? s'enquit Luke.

– Je viens de recevoir un message codé de Dash Rendar. C'est bien le vaisseau de Boba Fett qui est sur Gall.

En théorie, seul l'Empire avait accès au très coûteux et très privatif HoloNet. En pratique, quiconque ayant des connaissances élémentaires en électronique pouvait se connecter à ce réseau, utiliser quelques relais et passer ainsi très facilement des messages. Et pour couronner le tout, c'était l'Empire qui réglait la note.

Luke fit un bond.

– Quand est-ce qu'on part?

– Le *Faucon Millenium* est prêt à décoller. Combien de temps te faut-il pour mettre en route ton aile-X?

– Elle sera opérationnelle dès que D2 et moi serons à bord!

– A bord de quoi? demanda Leia du pas de la porte de la chambre, frottant ses yeux encore ensommeillés.

– Il semble que nous l'ayons trouvé, dit Lando.

– On se retrouve en orbite, fit Luke avec un sourire. L'attente était terminée.

– Je vais envoyer un message codé à l'Escadron Rogue, dit Leia.

Luke hocha la tête.
Ils partaient enfin chercher Yan.

Jabba attendait dans l'antichambre réservée aux visiteurs. Le Prince Sombre entra et regarda le nouvel arrivant. Les Hutts étaient décidément des créatures bien laides et bien répugnantes mais ils n'en avaient pas moins leur utilité.

– « Salutations, Prince Xizor », dit Jabba en huttais.

– Parlez en basique, intima Xizor.

– Comme il vous plaira.

– Comment vont vos affaires, Jabba ? Est-ce que tout va bien dans votre secteur ?

– Ça pourrait aller mieux. Les revenus sont en hausse, d'une manière générale. Bien sûr, le coût des pots-de-vin impériaux a, lui aussi, augmenté. Tout comme les frais d'expédition et les salaires. Mais enfin, on fait ce qu'on peut.

– J'ai cru comprendre que vous aviez traité dernièrement avec de hauts officiels de l'Empire.

Jabba eut l'air troublé. Si tant est que les Hutts puissent avoir l'air troublé.

– Je veux parler du Seigneur Vador.

– Ah. Heu, non, pas directement, Votre Altesse. J'ai récemment engagé plusieurs chasseurs de primes pour aller collecter, heu... une vieille dette. Il s'avère que l'un d'entre eux – Boba Fett et je crois savoir que vous avez déjà utilisé ses services une ou deux fois, pas vrai ? – a réussi à localiser, heu... le mauvais payeur et qu'il était entre les mains de l'Empire. Le Seigneur Vador avait justement la situation sous son commandement. Une coïncidence, d'après ce qu'on m'a dit.

– Je crois savoir que vous voulez parler du Capitaine Solo.

Ce n'était pas une question. Mais un moyen de rappeler à Jabba que Xizor avait à sa disposition bien plus qu'une simple poignée d'espions. C'était un jeu périlleux et il fallait tout mesurer avec précision. Xizor avait besoin d'informations mais, ne pouvant révéler de quoi il s'agissait, il se devait de biaiser et contourner le sujet. Il fallait aussi bien faire comprendre au Hutt qui tirait les ficelles. Lui montrer qu'il connaissait les petits points de détail permettant à Xizor d'assurer sa supériorité.

Il vit que Jabba comprenait.

– Un contrebandier de bas étage, enchaîna le Hutt. Il m'a été plusieurs fois utile par le passé mais il a rejoint l'Alliance et il me doit de l'argent.

– Un rafraîchissement, Jabba ?

– Merci bien, quelque chose de croustillant, peut-être ?

Xizor fit un signe de la main et un droïd de service apparut immédiatement. Il portait un plateau chargé de ces petites créatures insectoïdes et d'une coupe de cet ignoble liquide que les Hutts appréciaient tant.

– Ah, merci, Votre Altesse.

Il attrapa l'une des bestioles grouillantes et l'engloutit.

Xizor se pencha en avant pour donner à ses propos un caractère confidentiel.

– J'ai eu moi aussi à traiter dernièrement avec le Seigneur Vador. Votre présence ici est des plus importantes, Jabba. La moindre information, aussi anodine, aussi minime soit-elle, concernant le Seigneur Noir de Sith me serait actuellement des plus utiles. Ce marché passé avec Boba Fett est-il finalement conclu ?

– Pas tout à fait, mon Prince. J'attends qu'il me livre le Capitaine Solo.

Xizor répondit comme s'il venait subitement de se souvenir d'un fait sans importance.

– Hum, ce Capitaine Solo... ne faisait-il pas partie des Forces Rebelles qui ont attaqué l'Etoile Noire ?

– Oui, Votre Altesse. Lui et ses amis ont joué des rôles clés dans sa destruction. Le Wookie Chewbacca, la Princesse Leia Organa et un jeune inconnu du nom de Skywalker. Tous ont participé à cette débâcle.

– Skywalker ?

Jabba éclata de rire. Un grondement sourd qui monta des profondeurs de son énorme corps.

– Oui. Il se prend pour un Chevalier Jedi, d'après ce qu'on m'a raconté, dit-il lorsqu'il arrêta de rire. Jusqu'à tout récemment, il était sur Tatooine.

– Et où est-il maintenant ?

– Qui sait ? Il a quitté la planète à bord de son aile-X il y a très peu de temps.

Xizor se laissa aller contre le dossier de son siège.

– Hum. Cela ne signifie peut-être rien mais il se pourrait que ces informations me soient utiles un jour. Si l'une de ces personnes venait à reposer le pied sur Tatooine, j'apprécierais grandement d'être tenu informé.

– Certainement, Prince Xizor.

Xizor hocha la tête. Il en avait terminé mais prolongea la conversation avec le Hutt, prétextant que l'opinion de Jabba lui était particulièrement chère et qu'il avait besoin de l'entendre. Il laissa la discussion se poursuivre pendant une dizaine de minutes, posant quelques questions à propos des mouvements de troupes Impériales et des déploiements de flottes pour laisser croire à Jabba que c'était là la raison pour laquelle il avait été convoqué. Lorsqu'il estima que le jeu avait assez duré, Xizor se mit à sourire.

– Cher vieil ami, ces informations sont très confidentielles. Bien entendu, tout cela doit rester entre vous et moi. Votre coopération sera... appréciée à sa juste valeur.

Le Hutt rendit son sourire à Xizor. De temps en temps, un mot bien amené avait plus de résultats qu'un bon coup de bâton. Jabba n'était pas un imbécile et il savait ce qui arrivait à qui essayait de doubler le Prince Sombre. Mais il valait mieux laisser croire au Hutt qu'il faisait partie de ses intimes au point de partager avec lui des informations vitales, de le mettre au courant d'intrigues compliquées et qu'il était un auditeur digne de confiance. Cela ne ferait aucun mal à la réputation de Jabba, auprès de ses subordonnés et de ses ennemis, de laisser entendre qu'il avait obtenu les faveurs du dirigeant du Soleil Noir. La peur avait du bon. Un cocktail de peur et de cupidité était encore meilleur.

Xizor salua et quitta la pièce.

Ses espions lui avaient appris que Dark Vador avait donné Solo – un contrebandier de troisième zone ayant à l'occasion rendu quelques services à l'Alliance comme pilote – au célèbre chasseur de primes Boba Fett. Tôt ou tard, Fett se pointerait sur Tatooine pour livrer sa cargaison et ramasser ses crédits. Mais les espions de Xizor lui avaient indiqué que le vaisseau de Boba Fett, *Slave I*, ne se trouvait pas dans les environs de Tatooine. Jusqu'ici, ils n'avaient pas été capables de localiser le chasseur de primes.

Enfin, bon. La galaxie était vaste et ce genre de recherche pouvait prendre du temps.

Xizor était prêt à parier que Skywalker savait que la tête de son ami était mise à prix et que, s'il était revenu sur Tatooine, c'était uniquement dans le but d'attendre que Boba Fett se montre. Qu'il ait ensuite quitté la planète pouvait dénoter un certain nombre de choses. Peut-être s'était-il lassé d'attendre, mais de cela Xizor doutait. Peut-être avait-il eu tout à coup une affaire pressante à régler qui n'avait rien à voir avec Solo. Ou peut-être avait-il, par l'Alliance, découvert où se trouvait son ami. C'était tout à fait possible, étant donné que l'Alliance avait énormément de contacts et que nombre de ces contacts appartenaient aux réseaux d'espions Bothans.

Bon. Si c'était le cas, on ne pouvait rien y faire. Mais il pouvait au moins agir pour augmenter les chances de ses propres agents de retrouver Skywalker.

Il regagna son sanctuaire et appela Guri. Elle arriva en silence.

– Transmettez l'information que ceux qui essayent de gagner la récompense pour la capture de Skywalker feraient bien de partir à la recherche du chasseur de primes Boba Fett. Tôt ou tard, Skywalker le fera lui aussi et des dispositions appropriées pourront être prises à ce moment-là.

Guri hocha la tête sans une parole.

Xizor sourit.

Leia était assise dans la cabine principale du *Faucon Millenium* et elle regardait Chewie et C3 PO engagés en pleine partie sur le plateau de jeu holographique. Lando était dans la cambuse en train de préparer pour le dîner quelque chose qui sentait très mauvais. Luke, assis à côté de Leia, était occupé à nettoyer les optiques des photorécepteurs électroniques de D2. L'aile-X de Luke était amarrée à la coque du *Faucon*. Il aurait été possible de faire le voyage à bord du chasseur mais cela faisait un sacré bout de chemin sans dormir, manger ou avoir la possibilité de se rafraîchir.

Le *Faucon* volait en pilotage automatique et traversait l'hyperespace en bourdonnant. Il fonçait bien plus vite que son aspect extérieur ne le laissait imaginer. La première fois que Leia avait vu le cargo corellien, elle avait failli éclater de rire. Le vaisseau lui avait semblé tout droit sorti de la casse. Mais malgré quelques petits défauts, on sentait bien qu'il avait été modifié pour voler plus vite, qu'il était plus lourdement armé que ce que les ingénieurs corelliens avaient initialement prévu. Lando avait été un temps le propriétaire de ce vaisseau. Il l'avait laissé à Yan à la suite d'une partie de sabbac qu'il avait perdue.

– Yan...

Non, ne pense pas à lui maintenant.

Chewie dit quelque chose qui sembla très violent et fort impoli.

– Eh bien, j'en suis désolé, dit C3 PO. Le coup était régulier. Ce n'est pas de ma faute si tu ne l'as pas vu venir.

Chewie grogna quelque chose d'autre.

– Non. Je ne reviendrai pas sur cette position. Et ne me menace pas. Si tu m'arraches un bras, je ne joue plus avec toi, voilà.

Chewie marmonna puis se laissa aller en arrière dans son fauteuil en regardant le plateau de jeu.

Leia sourit. De vrais gosses, ce Wookie et ce droïd de protocole.

Elle se tourna et observa Luke qui nettoyait la poussière de microméteorites qui couvrait le corps de D2. Il voulait sauver Yan au moins autant qu'elle. C'était d'ailleurs intéressant, si l'on pensait à la compétition qui régnait entre eux pour gagner ses faveurs. Un homme plus faible que Luke aurait tiré profit de l'absence de son rival mais jusqu'à présent le jeune homme n'avait fait aucune tentative de la sorte. C'était tout Luke, ça : il voulait gagner mais il voulait gagner sans tricher.

Lando entra dans la salle en portant un plateau sur lequel se trouvaient plusieurs bols et assiettes fumants.

– Le dîner est servi, dit Lando en souriant. Ragoût de Giju.

Tous les regards convergèrent vers lui. Et tous retournèrent à ce qu'ils étaient en train de faire.

– Surtout, ne vous précipitez pas, remarqua Lando.

Son sourire disparut.

Pour Leia, la substance dans les assiettes se situait à mi-chemin entre de la botte en plastique fondu et de l'engrais saupoudré de vase séchée. L'idée qu'elle se faisait de la puanteur d'un tel mélange correspondait assez bien à l'odeur pestilentielle qui se dégageait des plats.

– Mais enfin, je viens de passer plus d'une heure dans la cambuse pour préparer ça. Allez, servez-vous largement.

Chewie dit quelque chose qui ne sembla pas très flatteur.

– Hé, mon pote, si t'aimes pas ça, t'as qu'à cuisiner la prochaine fois.

Luke releva la tête de derrière D2 et fit une grimace de dégoût.

– Du ragoût de Giju? dit-il. On dirait de la botte en plastique fondu mélangée avec de l'engrais, le tout couvert de vase. C'est ce que ça sent, en tout cas...

Leia pouffa.

– D'accord, d'accord, dit Lando. (Il posa ses assiettes au beau milieu du plateau de jeu holographique. Les petits personnages parurent tout à coup embourbés jusqu'à la taille ou la poitrine dans de la mélasse fumante.) Si vous n'en mangez pas, ça en fera plus pour moi.

Lando attrapa l'un des bols et y plongea une cuillère. Il engloutit une pleine bouchée.

– Vous voyez? dit-il en mâchant son ragoût. Ça a très bon goût, c'est...

Il s'arrêta net. L'expression sur son visage passa de l'irritation à la surprise puis glissa vers l'horreur avant de se transformer en pur dégoût.

Il se força à avaler, respira un grand coup et secoua la tête.

– Oh, bon sang, j'ai peut-être mis un peu trop d'épice de

Boonta. Je vais voir s'il ne reste pas une ou deux boîtes de haricots.

Luke et Leia éclatèrent de rire au même instant. Ils se regardèrent.

Elle aurait pu se trouver dans des endroits pires qu'au milieu de ses amis.

Des endroits pires, en vérité.

6

Le *Faucon Millenium* sortit de l'hyperespace dans les environs de Zhar, la géante gazeuse. Luke emprunta une combinaison pressurisée et regagna son aile-X pour finir le voyage. Lando et Leia auraient préféré qu'il reste avec eux mais Luke leur avait rétorqué que s'ils devaient faire de mauvaises rencontres, deux vaisseaux armés valaient mieux qu'un. En cela, il n'avait pas tort.

Luke se sentit mieux une fois à bord de son chasseur en compagnie de D2. Certes, Lando était un bon pilote mais le jeune homme avait bien plus confiance en ses propres capacités. Il n'était pas nécessairement plus doué pour voler – bien que persuadé du contraire – mais là, au moins, il n'était pas obligé de rester assis les bras croisés. Il était cependant un peu à l'étroit dans le cockpit du fait de sa combinaison.

Il vola aussi près que possible du *Faucon* lorsqu'ils pénétrèrent dans le Système. Qu'est-ce que Boba Fett pouvait bien faire aussi loin de la Bordure? On était largement en dehors des axes fréquentés.

Luke vit les spots sur son écran radar au moment où il reçut l'appel par son communicateur.

– Hé! Luke! Bienvenue au fin fond de la galaxie!

– Hé! Wedge! Comment ça va, mon pote?

– Comme ci, comme ça. A chaque jour son petit profit... avant le passage du percepteur, bien sûr.

Luke sourit. Wedge Antilles faisait partie de ces pilotes

de l'Alliance qui avaient survécu à l'attaque de l'Etoile Noire. Il savait voler et il était bien plus courageux que ce que la raison pouvait dicter. Ce cher vieux Wedge.

Et ils apparurent. Une douzaine de vaisseaux semblables à celui de Luke.

– Ça fait plaisir de te revoir, Luke. J'espère que tu nous mijotes quelque chose de bon parce que, pour nous, les affaires ont été plutôt calmes ces derniers temps.

– Si tu tiens à parler de choses qui mijotent, je te conseille de t'entretenir avec Lando...

– Je t'ai entendu, dit Lando dans son communicateur.

Luke adressa un sourire vers le *Faucon* qui volait sur sa gauche.

– Je plaisantais, Lando.

– Hé, Calrissian, ça fait une paye ! T'es pas en prison, toi ?

– Pas encore, Antilles. Pas encore.

– Suis-nous, Luke, dit Wedge. On a installé un campement sur une petite lune appelée Kile, elle est dans la zone d'ombre de Gall. Tu vas voir, on y est bien, on a de l'air, de l'eau, de la gravité. Tout le confort moderne.

– Montre-nous le chemin, dit Luke. On est juste derrière toi.

– C'est ça que vous appelez être bien installés ? s'exclama Leia en regardant autour d'elle l'intérieur du bâtiment préfabriqué que l'Escadron Rogue avait élu comme base.

Ce n'était rien de plus que quatre murs et un toit, et l'édifice aux poutrelles de plastique apparentes ressemblait à un entrepôt. Il y faisait froid et il y régnait une odeur de silex chaud.

– Je n'aimerais pas du tout voir un endroit où vous seriez mal installés, conclut-elle.

Wedge sourit.

– Oh, vous connaissez les Rogues. Tout ce qu'il nous faut, c'est un vaisseau et un morceau de caillou pour le poser.

– Effectivement, pour un morceau de caillou, c'est un beau morceau de caillou.

Wedge les conduisit vers l'un des coins du bâtiment où

une table et une unité de projection holographique avaient été installées. Un homme était affalé dans l'un des sièges de plastique injecté. Il semblait dormir.

Il ne ressemblait pas vraiment à Yan. Il avait les cheveux roux et la peau pâle mais il y avait quelque chose dans sa façon de se tenir...

Il était peut-être endormi, mais il ouvrit les yeux avec vivacité et il eut l'air d'un seul coup parfaitement éveillé.

Il était grand, mince, ses yeux étaient verts. Il portait la défroque de ceux qui travaillaient sur des cargos, une combinaison grise et un blaster dont l'étui pendait relativement bas sur la hanche. Il devait avoir à peu près le même âge que Yan, supposa Leia, et il avait le même air insolent et nonchalant. Il sauta sur ses pieds et fit une profonde révérence très théâtrale.

– Princesse Leia. Comme c'est aimable à vous, Votre Altesse, de venir nous rendre visite dans notre humble château.

Il fit un geste de la main pour indiquer la grande pièce dans laquelle ils se trouvaient et sourit.

Leia secoua la tête. Yan avait-il un frère caché ? Est-ce que tous ces types prenaient des leçons particulières de plaisanterie chez le même professeur ?

Lando prit la parole.

– Je vous présente Dash Rendar, voleur, tricheur aux cartes, contrebandier et pas mauvais pilote.

Le sourire de Dash s'élargit.

– Qu'est-ce que tu veux dire par « pas mauvais pilote », Calrissian ? Je peux te faire des acrobaties les doigts dans le nez avec un vaisseau à qui il manquerait une aile et qui aurait un réacteur bouché.

– Et modeste, avec ça, dit Leia.

Dash s'inclina.

– Je constate que la Princesse possède un sens de l'observation aiguisé qui s'ajoute à sa stupéfiante beauté.

Nous voilà bien, pensa Leia. Et c'est ce type qui va nous conduire à Boba Fett ?

– Arrête tes salades, Dash, dit Lando. Et parlons plutôt affaires.

– C'est bien la première chose intelligente que je t'entends dire depuis des années, Lando, dit Dash.

Lando fit les présentations.

– Bon, tu sais qui est la Princesse Leia. Tu connais Chewie. Voici Luke Skywalker.

Luke fit un pas en avant et les deux hommes s'adressèrent un bref signe de tête en guise de salut.

– On ne s'est pas déjà rencontrés ? Votre tête me dit quelque chose.

– On s'est peut-être vus sur Hoth, dit Dash. Je venais juste de livrer une cargaison de nourriture lorsque les écrans déflecteurs ont été levés. Je me suis retrouvé à piloter un speeder des neiges pendant la bataille en attendant que vienne mon tour de décamper.

Luke hocha la tête.

– Très juste. Je m'en souviens maintenant. Vous avez détruit l'un des quadripodes impériaux. C'était pas mal joué.

Dash afficha de nouveau son sourire éclatant.

– Pas mal joué? Mais attends, p'tit gars, j'ai failli m'endormir, moi, pendant cette bataille. J'aurais très bien pu rester et te dégommer les autres quadripodes pendant tout le restant de la journée si je n'avais pas eu une cargaison bien juteuse à aller chercher ailleurs.

Leia secoua la tête. Qu'est-ce qui pouvait bien leur traverser l'esprit, aux hommes? C'était un miracle qu'ils tiennent encore debout tellement les claques dans le dos qu'ils s'administraient pour se congratuler étaient fortes. Avait-elle réellement besoin de supporter une autre de ces grandes gueules?

Eh bien, oui. S'il pouvait les conduire là où Yan était retenu prisonnier, elle pourrait le supporter.

Wedge enchaîna.

– On a fait un petit boulot de reconnaissance, quelques petites incursions rapides. Je vais vous montrer comment ça se présente.

Il appuya sur les contrôles du projecteur holographique.

Luke s'approcha pour regarder. Wedge leur montra alors des cartes holographiques et des images de la lune où le vaisseau de Boba Fett était censé être. Est-ce qu'on pouvait faire confiance à ce Dash Rendar ? C'est sûr qu'il avait le chic pour se mettre en valeur et puis il s'était pas mal débrouillé lors du combat sur Hoth. Luke, pour l'instant, ne savait trop que penser de lui.

Et pourtant, Lando semblait persuadé qu'on pouvait se fier au jugement de Dash tant qu'on avait les moyens de le payer.

Luke ne put s'empêcher de sourire à cette pensée. Yan ne lui avait pas fait meilleure impression la première fois qu'ils s'étaient rencontrés. Il n'était rien de plus qu'un contrebandier mercenaire pressé de raconter à qui voulait bien l'entendre combien il était bon pilote. Ce n'est que bien plus tard que Luke avait compris que ce n'était qu'un masque, une façade derrière laquelle Yan se retranchait pour que personne ne puisse percer à jour ses sentiments. Peut-être que ce Dash Rendar ressentait, lui aussi, le besoin de cacher sa vraie nature.

Wedge continua.

– ... lune a de terribles conditions atmosphériques, grosses tempêtes cycloniques qui peuvent très mal tourner, principalement dans l'hémisphère sud. C'est le genre d'endroit où on n'a pas trop envie de voler.

Dash éclata de rire.

– Peut-être que *toi*, t'as pas envie, Antilles. Moi, je bouffe de l'ouragan à tous mes petits déjeuners.

Il n'a peut-être pas besoin de cacher sa vraie nature, pensa Luke. *Il est peut-être tout simplement fou furieux.*

Wedge continua le briefing. L'Enclave Impériale servait de base à deux superdestroyers – la présence d'autres vaisseaux n'était qu'une rumeur – mais c'était déjà beaucoup. Luke savait qu'un destroyer standard transportait une unité de chasseurs Tie, qu'une unité était constituée de six escadrilles, ce qui signifiait soixante-douze Tie par destroyer. Cent quarante-quatre chasseurs contre douze pour l'Escadron Rogue.

Treize, en fait, en comptant le vaisseau de Luke. Cela mettait les probabilités à douze moins des broutilles contre un. Ce n'était pas si mal quand on repensait à certaines batailles dans lesquelles ils s'étaient engagés.

Il sourit. Considérer que se battre à douze contre un n'était pas si mal donnait une bonne idée du déséquilibre existant dans cette guerre entre l'Empire et l'Alliance.

Tout en écoutant, Luke commença à échafauder un plan. Le plus simple serait le meilleur, songea-t-il.

Wedge mit un point final à son exposé.

– Voilà, c'est tout ce que nous savons. Qu'est-ce que t'en penses, Luke ?

– C'est d'une simplicité déconcertante, répondit ce dernier. Je sais exactement comment nous allons procéder.

Leia et Lando se tournèrent vers lui et le regardèrent comme s'il venait de se transformer en une énorme araignée. Luke sourit à nouveau.

Dans son sanctuaire, Xizor regardait en souriant les informations holographiques qui venaient de s'afficher devant lui. Bien, bien. Ce jeune homme malavisé qui avait cru malin d'essayer de le tuer – c'était quoi, son nom, déjà ? Hoff ? – avait eu accès au corridor protégé par un poste de contrôle impérial situé à peine à quelques centaines de mètres du lieu de l'accident. Curieuse coïncidence, le garde qui était en faction à ce poste ce jour-là avait mystérieusement disparu. Le subterfuge utilisé par le jeune homme pour pénétrer dans la zone resterait donc inconnu étant donné qu'il était mort et que le soldat s'était évanoui dans la nature.

Xizor était cependant prêt à parier la moitié de sa fortune contre un décicrédit que la sentinelle manquante ne referait jamais surface. Quelqu'un avait poussé le garde à laisser entrer l'assassin et, qui que ce soit, ce quelqu'un ne voulait certainement pas que son identité soit découverte. Ça aussi, Xizor était prêt à le parier.

Il réfléchit à la question. Ses ennemis étaient légion. Il en avait une myriade, et beaucoup d'entre eux souhaitaient le voir mort. Un simple garde pouvait être aisément soudoyé puis éliminé. Une centaine de ses adversaires, ici sur Coruscant, étaient en position de faire une chose pareille.

Qui était celui qui le détestait le plus ? Une question vraiment difficile, ils étaient si nombreux.

Qui était à même de planifier une tentative d'assassinat? Là, c'était une autre histoire. Le Soleil Noir était pratiquement invulnérable. S'ils savaient qu'ils pourraient s'en tirer sans histoires, beaucoup de ses ennemis auraient plaisir à voir tomber la tête du dirigeant de l'organisation. Très peu d'entre eux étaient cependant sûrs de pouvoir commettre un tel acte sans se faire repérer. Il fallait donc restreindre le champ des recherches aux personnes puissantes, à celles qui pourraient, si leur identité était connue, survivre non seulement à la vengeance du Soleil Noir mais également à la colère de l'Empereur.

Voilà qui restreignait encore davantage le champ d'investigation.

Xizor se laissa aller contre le dossier de son siège et croisa les doigts. C'était un petit jeu auquel il aimait s'adonner, prétendant qu'il faisait appel à la raison et à la logique pour parvenir à un résultat qu'il avait déjà découvert d'instinct. Il connaissait celui qui était à l'origine de l'attaque, tout autant qu'il sentait qu'il n'était pas prévu que l'opération soit obligatoirement couronnée de succès. Ce n'était rien de plus qu'une poignée de clous jetée en travers de sa route, une chose sur laquelle il était censé marcher et qui était censée l'agacer. Rien de plus.

Cette légère irritation devait venir de quelqu'un qui ne craignait ni le Soleil Noir ni les réprimandes de l'Empereur. Il ne pouvait y avoir qu'un seul homme répondant à ces deux critères.

Xizor éprouva alors la tentation d'engager une douzaine d'assassins, de ne pas leur révéler l'identité de leur cible et de les lâcher sur Vador. Les tueurs échoueraient, bien entendu, ils seraient écrabouillés comme des insectes par le Seigneur Noir de Sith. Ce dernier ferait cela sans fournir plus d'efforts que Xizor lorsqu'il avait arrêté son agresseur dans le couloir protégé. Vador pouvait tuer d'un seul geste de la main, même s'il appréciait de pouvoir utiliser son sabrolaser de temps en temps.

Mais... non. Cela pourrait compromettre le plan de Xizor qui essayait de se faire passer pour un ami de Vador. Ou, tout au moins, de ne pas être considéré comme l'un de ses ennemis. Xizor avait été capable, sans la moindre preuve, de deviner qui se cachait derrière la pathétique tentative d'attentat en ne se fiant qu'à ce qu'il ressentait. Vador, de son côté, pouvait parfaitement découvrir qui était suffisamment courageux pour lancer une meute de tueurs à ses trousses.

Il comprendrait certainement très rapidement qu'il s'agissait d'un geste de représailles.

Non. Même s'il était tentant d'inquiéter Vador en l'attaquant, ce n'était pas prudent étant donné la suite du plan.

Mais il était bon de savoir que Vador le détestait suffisamment pour vouloir le voir mort.

Leia éclata de rire.

– C'est ça, votre plan?

Luke prit un air indigné.

– Eh bien quoi, qu'est-ce qu'il a mon plan?

Son souffle monta comme de la vapeur dans la pièce froide.

– Vous et l'Escadron Rogue attaquez l'Enclave Impériale, vous tenez en respect un peu plus d'une centaine de Tie et deux superdestroyers pendant que Dash guide le *Faucon Millenium* jusqu'à l'endroit où est posé le vaisseau de Boba Fett? Et nous on atterrit, on sauve Yan et on repart en vitesse. En fait, je n'ai aucun problème avec ce plan. Comment ai-je pu penser un seul instant que quelque chose n'allait pas dans ce plan? Il est parfait, ce plan.

Elle secoua la tête.

– O.K., alors c'est très simple... commença Luke.

– C'est très simple d'esprit! le coupa Leia.

Il serra la mâchoire. Oh, oh. Elle venait de faire insulte à sa virilité. Elle connaissait ce regard.

– Vous avez une meilleure idée? dit Luke d'un ton sec.

Leia soupira. C'était bien le problème. Elle n'avait pas de meilleure idée. Le plan de Luke était direct. Il était assez dément pour qu'ils se fassent tous carboniser par les turbolasers impériaux mais il pouvait également être assez fou pour fonctionner. Leia songea que, à la place du commandant de l'Enclave, elle ne s'attendrait absolument pas à une attaque aussi folle.

– Eh bien... commença-t-elle.

– C'est ce que je pensais, dit Luke, une petite note de triomphe dans la voix.

– Je ne voudrais pas avoir l'air rabat-joie, dit Dash. Mais s'il faut qu'on se glisse discrètement par l'arrière, il va falloir se livrer à quelques petites acrobaties. Voler à la cime des arbres pour éviter les radars. Il se pourrait même qu'on ait à descendre en rase-mottes dans les gorges de la Grande Tranchée. (Il regarda Lando.) Si ce tas de ferraille corellien que tu conduis ne tombe pas en morceaux, est-ce que tu crois pouvoir t'en tirer?

– Si toi tu y es déjà arrivé, je peux le faire, assura Lando.

– Ouais, c'est ça. Enfin moi je pilotais l'*Outrider* quand j'y suis arrivé.

– Tu sais, le *Faucon Millenium* a subi un certain nombre de modifications depuis l'époque où j'en étais le propriétaire, remarqua Lando.

Chewie dit quelque chose.

– Ah oui? dit Dash. Et où auriez-vous pu trouver des moteurs subluminiques aussi rapides?

Chewie répondit d'un geste vague de la main gauche.

Dash sourit.

– Ouais, je vois. J'aurais dû me douter que Solo était assez dingue pour tenter un truc pareil. (Il fit un signe de tête à Luke et à Wedge.) D'accord, si vous pouvez vous occuper des chasseurs Tie et des destroyers, je peux emmener Lando jusqu'à l'endroit où se trouve le vaisseau de Boba Fett.

Chewie dit autre chose. Leia en saisit à peu près le sens. Il proposait de les accompagner.

– Ne te sens pas obligé, vieux, dit Lando.

Chewie parla encore.

– Merci, c'est sympa.

– Je viens aussi, dit Leia.

– Je ne crois pas que cela soit une si bonne idée...

Leia l'interrompit.

– Vous ne pensez tout de même pas que le commandant

impérial va envoyer tous ses Tie pour régler leur compte à une douzaine d'ailes-X, n'est-ce pas ? Il est évident qu'il a aussi des hommes en place sur la planète. S'ils commencent à tirer sur le *Faucon*, il faut bien que quelqu'un riposte. Si Chewie se trouve dans la tourelle dorsale, qui va s'occuper de défendre le dessous de l'appareil ?

Lando et Luke échangèrent un regard. Luke haussa les épaules.

– Elle a raison. En plus, elle sait très bien tirer.

– Merci, fit Leia.

– Bon, tout est réglé, conclut Wedge. Les gars sont ravis de voler sous ton commandement pour cette mission, Luke.

– Merci, Wedge.

Dash prit la parole.

– Tu veux voir quelque chose, p'tit ?

Luke se tourna vers lui.

– Là, derrière cette porte.

Luke s'avança vers le panneau. Curieuse, Leia le suivit.

Dash ouvrit la porte sur un autre très grand hangar.

– Waouh, dit Luke.

Leia jeta un coup d'œil par l'embrasure.

Perché sur ses trains, un vaisseau reposait sur le mauvais sol de plastique. Ses lignes étaient fluides, de lourds canons étaient installés sur le dessous et le dessus de la coque. Celle-ci brillait comme animée d'un éclat sombre, comme du chrome. Le vaisseau devait avoir la taille du *Faucon Millenium* et possédait, lui aussi, un module de pilotage décalé de la structure principale. La ressemblance devait s'arrêter là. C'était un appareil haut de gamme, une merveille de technicité. Leia avait vu suffisamment de vaisseaux au cours de son existence pour être capable de remarquer que celui-ci avait quelque chose de spécial.

Un droïd attendait juste à côté. Un squelette de métal, sans habillage ni cuirasse, qui portait en bandoulière une sacoche pleine d'outils.

– L'*Outrider*, dit Dash. Et mon fidèle droïd, un LE-BO2D9. S'il daigne vous répondre, vous pouvez l'appeler « Lebo ». Attention, il se prend pour un comique.

– Comment as-tu fait pour te payer un vaisseau pareil ? demanda Luke.

– Disons... qu'il est tombé du cargo. Il te plaît?

Luke hocha la tête. Leia remarqua qu'il piaffait d'impatience d'inspecter l'appareil, de monter à bord et de voir l'effet que cela faisait de s'asseoir aux commandes.

De vrais mômes en face d'un joujou hors de prix, pensa-t-elle. Elle espérait que ce mercenaire était capable de piloter aussi bien qu'il le prétendait. Cette expédition n'allait pas être une partie de plaisir.

Leia regarda l'*Outrider*. Une fois de plus, elle allait mettre sa vie en péril et ce n'était pas une chose à laquelle on s'habituait, même en situation de crise. Le fait de vouloir risquer sa vie pour sauver celle de Yan rendait la situation encore plus difficile. L'idée même d'accepter cette... vulnérabilité, de vouloir quelque chose – ou plutôt quelqu'un – à ce point était presque terrifiante. Elle pouvait aisément justifier le fait qu'elle risquait sa vie pour la cause de l'Alliance. Ça, c'était important. Mais la risquer pour l'amour d'un homme...

Elle n'avait jamais songé que cela pourrait arriver. Son total dévouement à l'Alliance pour tenter de mettre l'Empire à bas ne lui avait jamais laissé le temps d'avoir une vie privée. Oh, bien sûr, elle avait des amis et certains d'entre eux étaient vraiment des intimes mais elle avait toujours pensé que sa vie serait consacrée à combattre l'Empereur et ses méfaits. Elle n'avait jamais imaginé qu'elle pourrait tomber amoureuse, qu'elle pourrait s'installer, construire une maison, fonder une famille. Cela n'arriverait probablement jamais, étant donné tout ce qui se dressait en travers de son chemin, mais il y avait au moins une possibilité. En supposant qu'ils arrivent à retrouver et à sauver Yan. En supposant qu'ils réussissent à s'échapper et à rester en vie.

En supposant que Yan ait des sentiments pour elle. Il n'avait pas prononcé les mots. Elle croyait qu'il ressentait la même chose mais il ne l'avait pas dit.

Cela faisait un bon paquet de suppositions.

Enfin. On verrait bien. Chaque chose en son temps.

Chaque chose en son temps.

7

Dark Vador leva son sabrolaser prestement devant lui, les mains fermement serrées sur la poignée, et observa le droïd assassin qui le contournait par la gauche. Ce droïd était un nouveau modèle qui faisait partie de la douzaine d'unités identiques construites selon des spécifications personnellement dictées par le Seigneur Noir. Tout comme Vador, le droïd tenait un sabrolaser. Il était grand, très mince et ressemblait assez à un DMU, un droïd multi-usages, modèle que l'on rencontrait un peu partout dans les bases impériales. Celui-ci comportait un certain nombre de modifications. L'unité était bien plus rapide qu'un homme normal, plus forte aussi, et programmée pour reproduire douze styles de combats et les techniques d'une centaine de maîtres d'armes. Contre une personne ordinaire, le droïd était imbattable voire mortel.

L'unité fit un pas en avant et abattit sa lame vers la tête de Vador. Celui-ci bloqua le coup. Le droïd attaqua de nouveau en faisant tournoyer sa lame bourdonnante pour atteindre Vador au côté. Rapide mais, encore une fois, paré.

La troisième attaque arriva par l'autre côté et le droïd fit tourner le sabre d'un mouvement ample.

Vador para et riposta en remontant sa lame violemment vers la tête du droïd.

La machine dévia le coup et glissa d'un pas en arrière, hors de portée, l'épée au-dessus de la tête, la pointe dirigée vers le bas.

La légère douleur dans l'épaule de Vador, là où Luke avait frappé et entamé l'armure, avait presque disparu. Il ne ressentait pour ainsi dire aucune gêne au cours de ce nouvel entraînement.

Vador attaqua de nouveau. Il feinta comme s'il voulait faire fouetter son sabre vers le cou du droïd, tordit les poignets, fit pivoter l'arme pour exécuter une deuxième feinte, toujours de côté, puis enchaîna sur une troisième feinte en un coup direct vers la partie ventrale du droïd.

Ce dernier fit un pas en arrière et para le troisième coup.

Vador effectua un saut en ciseaux sur sa gauche, inclina sa lame par-dessus son épaule et l'abattit selon un angle de quarante-cinq degrés vers la base du cou en acier du droïd.

La parade arriva un quart de seconde trop tard. En dépit de sa très grande puissance, le droïd n'eut pas la force d'amortir le coup de Vador. Les lames se croisèrent et crissèrent en faisant jaillir des gerbes d'étincelles. Le sabre de Vador repoussa l'arme du droïd. Ce dernier fit un mouvement tournant pour essayer de désarmer son adversaire.

Trop tard. Le sabrolaser frappa juste entre le cou et l'épaule de la machine, passa au travers de l'exosquelette et le trancha jusqu'à mi-poitrine. Des décharges fusèrent dans les circuits du droïd. Des étincelles jaillirent et de la fumée âcre s'éleva de son corps. Les contrôleurs de sa main lâchèrent prise et il laissa échapper son sabre. Puis il tomba à genoux. Vador inclina son arme par-dessus son épaule droite puis exécuta un mouvement de balayage horizontal.

Le sabre trancha le cou du droïd. La tête se détacha, tomba et alla rebondir sur le sol. Le corps décapité de la machine partit à la renverse.

Vador se pencha au-dessus du droïd qui gisait à terre. Il lui faudrait bientôt en commander une autre douzaine. Celui-ci était le huitième et il ne lui en restait que quatre de la première série. La prochaine génération avait besoin d'être améliorée. Ceux-ci devenaient bien trop faciles à battre.

Son épaule allait vraiment mieux.

Il désactiva son sabrolaser et tourna le dos au droïd.

Un assistant attendait sur le pas de la porte, l'air très impressionné et très nerveux.

– Nettoyez-moi tout cela, dit Vador.

Il partit à grands pas sans se retourner.

A l'intérieur de son chasseur X, Luke prit une profonde inspiration.

– Tu es prêt, D2?

Le droïd sifflota une réponse affirmative.

– Ici Leader Rogue, dit Luke. Bloquez les volets en position d'attaque, accélérez à sub-six et confirmez.

– Rogue Un, paré, dit Wedge par l'intercom.

– Rogue Deux, affirmatif. Bloqué et en position.

– Rogue Trois, je suis paré.

Le reste de l'Escadron accusa réception des ordres de Luke. Ils étaient prêts, aussi prêts qu'il était possible de l'être. Le destroyer posté dans la zone de jour de la planète semblait parfaitement inerte au loin devant eux. A l'heure qu'il était, ses senseurs à longue portée avaient dû repérer l'arrivée des ailes-X et le commandant devait déjà être en train d'ordonner à ses unités de combat de décoller. Les derniers modèles de chasseurs Tie étaient un tout petit peu plus rapides en subluminique que les ailes-X de série. Les intercepteurs Tie, eux, étaient encore plus rapides mais il leur fallait du temps pour atteindre leur vitesse maximale. L'Escadron Rogue allait avoir un peu de champ libre pour attaquer le destroyer avant d'être complètement submergé par le nombre de Tie. Leurs chances de faire beaucoup de dégâts sur le destroyer avec leurs lasers ou leurs torpilles à protons étaient minimes. Les blindages et les écrans déflecteurs du vaisseau impérial étaient bien trop puissants. Mais, en étant chanceux, un coup bien placé pouvait causer suffisamment de casse pour que les Impériaux réfléchissent à deux fois. Il leur était impossible de savoir si l'Alliance avait doté ses chasseurs, apparemment insignifiants, de nouveaux armements. Ce sentiment de doute les ferait légèrement transpirer.

Les Tie étaient plus rapides mais moins maniables. Les ailes-X avaient l'avantage d'être équipées d'écrans déflecteurs. Les Tie en étaient dépourvus, hormis certains modèles d'intercepteurs spéciaux, comme celui que possédait Vador.

– Les voilà, dit Rogue Six.

Il s'agissait de Wes Janson, un vieux de la vieille.

Un bon nombre de chasseurs Tie déferlèrent des bases d'envol du destroyer.

– Je les vois, Wes, dit Luke. A vous tous, restez sur vos gardes ! *Il leur en a fallu du temps,* pensa Luke. *Ils ont dû penser que c'était juste un exercice. C'est vrai qu'ils ne doivent pas souvent voir grand monde par ici.* Peut-être étaient-ils même devenus gros et paresseux. Enfin. On pouvait toujours espérer.

– Doublez la puissance de vos écrans avant, dit Luke. Vitesse d'attaque, tirez à vue.

– Youpiiiiiii ! hurla l'un des membres de l'Escadron dans son communicateur.

Luke ne put s'empêcher de sourire. Il aurait vraiment dû signaler à l'intéressé – on aurait dit la voix de Rogue Cinq – d'éviter ce genre de communication non officielle mais il comprenait exactement ce que ressentait le pilote.

Il n'y avait rien de comparable dans l'univers à ce que l'on éprouvait lorsqu'on se préparait à engager le combat.

– Faites gaffe à vous, dit Luke.

Puis il plongea pour couper l'axe du cap que tenait le destroyer. Ses canons crachèrent leurs puissants rayons énergétiques, l'heure n'était plus au bavardage.

La bataille venait de commencer.

A bord du *Faucon Millenium*, Leia se glissa derrière Lando et Chewie dans le cockpit. C3 PO resta juste derrière eux, accroché tant bien que mal aux montants de la porte.

– Je vous en supplie, soyez prudent, Maître Lando. Je trouve que nous volons bien près de la cime de ces arbres !

– Ah oui ? Vraiment ? dit Lando. J'avais pas remarqué !

– Je vous en prie, il est inutile d'être sarcastique.

Juste devant eux, à quelques centaines de mètres, Dash pilotait l'*Outrider*. L'air déplacé par sa course balayait toute la végétation en contrebas en une vague verte de feuillages ondulants. Le vaisseau chromé devait voler à cinq mètres à peine au-dessus des arbres les plus hauts.

– Un tout petit peu plus près et on aura de belles traces vertes sur les flancs de l'appareil, remarqua Leia.

– Ne m'en parlez pas, l'approuva Lando. Lorsqu'il m'a dit qu'on allait être obligé de voler bas, je ne pensais pas que ce serait si bas. Chewie, quelle est notre altitude ?

Chewie regarda les indications sur le tableau de bord. Il dit quelque chose sur son ton fort significatif à mi-chemin entre le grognement et la plainte.

– Oh, mon Dieu ! s'exclama C3 PO.

– Je me demande si j'ai envie de savoir... dit Leia.

– Je ne vous le conseille pas.

La voix de Dash tonna soudain par l'un des canaux codés du système de com.

– Qu'est-ce qu'il y a, Calrissian ? J' vous sens un peu nerveux, là derrière.

Lando regarda Chewie.

– Qui ? Nous ? Non. Je croyais me souvenir que tu nous avais dit qu'on allait devoir voler bas, Dash. On est pratiquement dans la stratosphère, là où on est actuellement.

Il coupa la communication et sourit à Chewie.

– Je lui ai bien cloué le bec, non ?

Pour toute réponse, l'*Outrider* descendit de quatre mètres. Si un passager embarqué à bord du vaisseau de contrebandier avait pu passer la main à travers le plancher, il aurait été capable de caresser la cime des arbres du bout des doigts.

Il est fou, pensa Leia.

– Il est fou, dit-elle à voix haute.

– Ouais, peut-être, mais c'est un sacré pilote, on ne peut pas lui retirer ça. Bascule-moi un peu de puissance dans les propulseurs, Chewie.

– Mais... Maître Lando, qu'êtes-vous donc en train de faire ?

– Je ne peux pas lui laisser croire qu'il nous a fait peur, pas vrai ?

– Mais bien sûr que vous le pouvez ! répondit C3 PO. Il nous a vraiment fait peur !

– Vous êtes encore plus fou que lui, ajouta Leia.

Le *Faucon Millenium* perdit à son tour quatre mètres d'altitude.

Chewie grogna quelque chose.
– Oh, Seigneur ! dit C3 PO.
– Qu'est-ce qu'il y a ? demanda Leia.
C3 PO agita frénétiquement les bras.
– Il dit que si nous descendons encore d'un centimètre, nous perdons les canons lasers !
Leia secoua la tête.
– Mais pour qui il se prend, ce type ? Qu'est-ce qu'il essaye de prouver ?
Lando était concentré sur le pilotage, ce qui était une bonne chose, il ne la regarda donc pas lorsqu'il lui adressa la parole.
– Vous n'avez jamais entendu parlé des Rendar ?
– J'aurais dû ?
Chewie hurla.
– Je l'ai vu, je l'ai vu ! s'exclama Lando.
Le vaisseau fit un bond d'un mètre pour éviter un très grand arbre qui se dressait en travers du passage.
L'arbre dépassé, Lando continua.
– Dash est entré à l'Académie Impériale environ un an après Yan. Il venait d'une riche famille dont les membres occupaient des postes importants. Le frère aîné de Dash était pilote de cargo et, petit à petit, il gravissait les échelons de la hiérarchie dans l'entreprise familiale de transport. Un jour, il y a eu un accident. Un contrôle a lâché – ce n'était pas de la faute du pilote – et le cargo s'est écrasé au moment où il décollait du spatioport de Coruscant. L'équipage est mort. Le vaisseau a été détruit.
Leia hocha la tête.
– C'est terrible. Et alors ?
Chewie commença à parler mais Lando l'interrompit sur-le-champ.
– Je le vois. Tu veux que je te passe les commandes, peut-être ?
Chewie grogna. Leia n'avait pas besoin de connaître le langage wookie pour saisir ce qu'il venait de dire.
– Bon alors, tais-toi et laisse-moi faire.
Le *Faucon* exécuta un autre bond dans le sillage de l'*Outrider*, reprenant sa périlleuse danse à la cime des arbres.

– Et alors, l'immeuble sur lequel s'était écrasé le vaisseau était le musée privé de l'Empereur. Il y conservait beaucoup de choses de valeur. La plupart ont été détruites dans l'incendie qui a suivi l'accident. Il va sans dire que l'Empereur n'a pas été des plus heureux. Il fit saisir les biens de la famille Rendar et les fit bannir de Coruscant. Dash y compris. Il fut mis à la porte de l'Académie de Carida et chassé de la planète.

Leia serra les dents. Ce genre de choses était l'une des raisons pour lesquelles l'Alliance combattait l'Empire. Qui donc pouvait prétendre détenir autant de pouvoir pour se permettre des actes aussi arbitraires ? Et elle avait vu pire, bien pire. L'Etoile Noire avait détruit sa planète natale, tuant des millions de gens, dans le seul but de tester sa puissance de feu. Simplement pour voir si cela marchait. L'Empire n'avait pas bronché. Pas plus que si on avait écrasé une mouche sur un mur.

– Je constate donc qu'il ne porte pas l'Empire dans son cœur, dit Leia. Pourquoi ne travaille-t-il pas pour l'Alliance ?

Lando haussa les épaules.

– Il ne veut rien devoir à personne. Il ne veut pas qu'on lui soit redevable de quoi que ce soit. Il travaille pour celui qui paye le plus. Il a un véritable don, qui relève presque de la magie, pour piloter tout ce qui vole. D'un coup de blaster, il peut dégommer une noisette sur une table sans en abîmer le vernis. C'est un gars qu'il est bon d'avoir dans son camp quand les choses commencent à chauffer. Tant qu'on peut le payer, bien entendu.

Leia hocha la tête. L'Empire avait gâché la vie de tellement de personnes de valeur. Dash Rendar était à ajouter à la liste des malheureuses victimes.

Quatre chasseurs Tie déboulèrent en crachant leurs rayons mortels.

Luke cria à Wedge :

– Rogue Un, attention ! Sur bâbord, virant au trois-zéro-cinq !

L'aile-X de Wedge pivota immédiatement sur sa gauche et plongea.

– Merci, Luke !

Luke enclencha les gaz, exécuta un virage à plat et se dirigea vers le quatuor d'adversaires.

Utilise la Force, Luke.

Luke sourit. La première fois qu'il avait entendu cette phrase, lors de l'attaque sur l'Etoile Noire, il n'en avait pas compris le sens. Maintenant, il savait ce qu'elle signifiait.

– Systèmes d'acquisition de cible désactivés, écrans arrière désactivés, balance plus de puissance aux canons.

D2 n'eut pas l'air très heureux et le fit savoir.

– Désolé, mon p'tit ami, mais c'est bien mieux ainsi.

Luke se concentra et appela la Force à lui. Elle était là, partout, et ce n'était pas plus dur de la contrôler ici, dans les profondeurs de l'espace, que dans les marais de Dagobah. Il se laissa envahir.

Les chasseurs Tie semblèrent soudain se déplacer plus lentement. Les mains de Luke volèrent au-dessus des contrôles et il manœuvra le manche avec des mouvements vifs et précis. Il vira sur tribord, enclencha les lasers, pressant le bouton de tir de façon répétée.

Des traits de feu jaillirent et frappèrent un puis deux des quatre chasseurs Tie. L'explosion envoya des débris pulvérisés aux alentours. Luke partit en looping pour les éviter. Des éclats de Tie, une véritable grêle de métal et de plastique, vinrent rebondir sur la verrière en transparacier de l'aile-X.

– Bien tiré, Leader Rogue, dit Rogue Cinq.

– Merci, Dixie.

– Il y en a d'autres qui arrivent, six échos au un-sept-cinq, dit Rogue Quatre.

– Gaffe derrière toi, Luke ! dit l'un des pilotes. Tu es talonné.

Mais Luke avait déjà senti l'approche du Tie et venait d'engager son appareil dans une brusque plongée. Il exécuta un looping vers le bas et se retrouva juste derrière son poursuivant.

Luke pressa le bouton de tir une seule fois. Le Tie ne fut bientôt plus qu'une volée de fragments hors de prix.

– Rogue Deux, tu en as une paire qui arrive par deux-deux-quatre, dégage !

– Ah, bien reçu, Wes. Je te dois une fière chandelle.

– Tu me rembourseras plus tard.

Les ailes-X et les chasseurs Tie allaient et venaient à grande vitesse dans le noir profond de l'espace en projetant d'incandescentes flèches de lumière.

– Je suis touché ! s'exclama Rogue Deux. Ils ont eu mon unité D2 et j'ai un trou dans ma verrière. J'ai... j'ai de quoi réparer... O.K. la fuite est maîtrisée.

– Quittez la formation et retournez à la base, Rogue Deux, ordonna Luke.

– Hé, je peux toujours tirer en passant sur manuel.

– Négatif, Will, ils sont trop nombreux. Va faire un tour.

D2 siffla rapidement.

– Non, cela ne me concerne pas, dit Luke. Moi, j'ai un avantage.

– Bien reçu, Leader Rogue. Rogue Deux retourne à la base. Bonne chance, les gars ! Je fais chauffer de l'eau pour le thé en vous attendant.

Deux autres Tie foncèrent sur Luke. Ce dernier tira instinctivement sur le manche et échappa à ses attaquants en montant en chandelle à près de quatre-vingt-dix degrés. Puis il fit faire un renversement à son appareil avant de replonger sur les Tie en les bombardant de laser.

L'un des chasseurs impériaux explosa. Le moteur de l'autre Tie s'embrasa et l'appareil privé de propulsion quitta la zone de combat en dérivant.

– Voilà une autre vague qui arrive, dit Wedge. Douze spots au trois-zéro-trois, approchant vite.

Les probabilités n'allaient pas en s'améliorant, le danger augmentait de seconde en seconde et l'Escadron Rogue comptait déjà un vaisseau de moins. Les choses se présentaient relativement mal.

Et pourtant, Luke passait un excellent moment. Il

n'était peut-être pas encore un bon Jedi mais il était un excellent pilote.

Il espéra que Lando, Leia et Chewie allaient bien.

L'accélération se fit pesante sur son corps lorsqu'il engagea son chasseur dans un rapide virage sur l'aile.

La bataille faisait rage.

8

La fin de l'après-midi laissait paisiblement la place à la soirée lorsque Xizor quitta la maison de sa maîtresse. C'était une demeure aux allures de palais qu'il lui avait offerte en guise de cadeau de rupture. Elle ne savait pas encore, cependant, que leurs amours étaient terminées. Xizor ne gardait jamais une femme plus de quelques mois. Du fait de son maquillage hormonal, de sa capacité à produire des phéromones incroyablement puissantes, il n'avait jamais eu aucun mal à séduire de nouvelles femmes. Mais parce que cela lui était si facile, il s'en lassait très rapidement, même si elles étaient très belles ou très intelligentes. Il n'avait jamais rencontré de compagne qu'il pouvait considérer comme son égale et, si un jour cela devait arriver, serait-il capable de faire confiance à quelqu'un d'aussi doué ? Une énigme bien intéressante en vérité.

Qui plus est, lorsqu'il avait consommé même le plus délicieux des mets, Xizor préférait toujours goûter à autre chose au repas suivant...

Une pluie chaude ruisselait d'un nuage de condensation qui flottait très bas au-dessus de cette section de la cité. De tels microclimats étaient courants à cette saison. A très peu de distance de là, il y avait fort à parier que le ciel était clair et parfaitement dégagé. L'obscurité s'épaississait et même ici – au cœur des lumières de la ville, par les trouées entre les nuages – on pouvait admirer les dégradés de couleurs de l'aurore ainsi que les nombreux signaux lumineux rouges et bleus des vaisseaux, témoignant du trafic orbital incessant.

Les deux gardes du corps en faction à la sortie accompagnèrent Xizor jusqu'à son luxueux véhicule blindé où l'attendaient deux autres gardes et un droïd chauffeur. Xizor monta dans la voiture et se laissa aller sur les coussins du siège en cuir de synthèse. Sa maîtresse n'allait pas tarder à recevoir un appel de Guri, qui lui offrirait une très généreuse compensation financière et lui souhaiterait bonne chance pour l'avenir. Elle serait également prévenue qu'il ne lui faudrait plus jamais essayer de revoir Xizor. Si d'aventure elle tentait de le faire, les conséquences en seraient... funestes.

Jusqu'à présent, seule l'une de ses compagnes avait essayé de le voir après la séparation. Cette femme malheureuse, lui avait-on raconté, faisait maintenant corps avec un très grand complexe commercial de l'Enclave Sud. Cela grâce aux bons soins d'un gigantesque droïd de construction qui l'avait, hélas, fait tomber dans une cuve à béton.

La vie était pleine de dangers. Même ici.

– Nous dînerons au Menarai, dit Xizor au droïd.

La voiture décolla et se glissa en douceur dans la circulation, précédée et suivie par les gardes du corps à bord de leurs propres speeders. Les trois véhicules gagnèrent leur altitude de croisière et mirent le cap vers Monument Park, le seul lieu de la planète à avoir été préservé de l'urbanisation et sur lequel s'élevait une montagne. Un restaurant, exclusivement réservé aux personnes riches et influentes, était installé dans une tour dominant le site. Par des panneaux de transparacier, on pouvait admirer les flancs de la montagne et apercevoir, de temps à autre, les fanatiques religieux qui montaient la garde sur le site pour empêcher les touristes d'emporter des cailloux en guise de souvenirs. Les réservations pour dîner au Menarai se faisaient des mois en avance et on y était reçu à condition de faire partie d'une liste de noms approuvés par la direction. C'était le restaurant le plus privé de la planète.

Le plus privé, certes, mais même lorsqu'il y avait foule,

même lorsque cela devait irriter un riche client de voir qu'une table restait vide alors qu'il avait dû attendre des mois avant de pouvoir venir dîner au Menarai, on gardait toujours une place de libre pour le Prince Xizor. Si jamais l'envie le prenait de débarquer à l'improviste, on pouvait ainsi le conduire jusqu'à sa table privée sans le faire attendre. Pour la plupart des convives, Xizor n'était rien de plus qu'un autre riche magnat de l'expédition, pas plus important qu'un bon millier d'individus fortunés de la Cité Impériale. Ils se demandaient certainement pour quelle raison on le traitait avec tant de déférence et bien plus d'égards qu'on n'en avait envers eux puisque la majorité des clients avaient sans aucun doute bien plus de crédits sur leurs comptes que Xizor, en sa qualité de transporteur.

Mais personne ne possédait plus d'argent que le Soleil Noir.

De plus, Xizor était l'un des propriétaires de l'établissement bien que cela ne soit pas connu de tout le monde. Des informations avaient filtré du conseil d'administration : si le Prince Xizor était obligé d'attendre pour être conduit à sa table, le directeur coupable d'une telle négligence se verrait contraint de chercher un nouvel emploi avant même de pouvoir présenter des excuses. Si on lui laissait une telle chance.

Xizor sourit alors que son véhicule quittait les axes centraux de circulation pour mettre le cap sur la montagne. Il ne faisait pas souvent étalage de son pouvoir mais la bonne chère faisait partie de ses menus plaisirs et il n'y avait pas de meilleure cuisine que celle servie au Menarai.

La pluie avait cessé et les ombres de la nuit commençaient à s'allonger et à s'intensifier. Coruscant allait bientôt s'embraser. C'était une vision étonnante que d'assister à l'illumination de la planète depuis un vaisseau spatial en approche. Dans toute la galaxie, parmi tous les mondes civilisés, seule Coruscant présentait une surface aussi couverte de constructions et de bâtiments. Vivre ici était une véritable expérience. On était au centre de tout. Coruscant était la clé de voûte de l'Empire. Il aurait été difficile au dirigeant du Soleil Noir d'habiter ailleurs.

Enfin. Qu'allait-il donc commander pour son dîner? Les anguilles pochées étaient délicieuses. On les maintenait en vie jusqu'au moment où on les plongeait dans une casserole d'eau poivrée bouillante. Elles étaient pêchées du matin dans la mer d'Hocekureem, à des années-lumière de là. Il y avait aussi le yam farci et le steak de plicto était excellent. Tout comme l'escargot géant d'Ithor, servi dans son beurre de noix. Et que dire des crevettes de terre de Kashyyyk?

Tant de choix, tant de mets délectables. Eh bien. Plutôt que de commander en avance, peut-être allait-il attendre d'être installé au restaurant pour faire son choix. Certes, il devrait attendre qu'on lui prépare son repas mais, après tout, la patience était aussi l'une de ses vertus.

Oui. C'est ce qu'il allait faire. Il serait plus... spontané.

Cela serait plus rafraîchissant.

– On ne se relâche pas, les gars, une autre vague nous fonce dessus, dit Luke dans son communicateur.

– Bien compris, Rogue Leader, lui répondirent-ils en chœur.

– Oh oh, j'aperçois quelques intercepteurs Tie dans cette formation, dit Wedge.

– Je m'en charge, Wedge, répondit Luke.

Il tira sur le manche et engagea l'aile-X dans un virage très serré sur bâbord. Les intercepteurs étaient plus rapides et ces nouveaux modèles étaient équipés d'armes plus lourdes. Il espéra que la Force allait rester avec lui. La situation devenait plus compliquée d'instant en instant. Il ne pouvait pas se permettre d'échouer; le sauvetage de Yan dépendait entièrement de sa capacité à faire progresser les choses. L'Escadron Rogue en dépendait aussi. Tout comme sa propre vie.

Il espéra que Leia et Lando arrivaient à se débrouiller de leur côté.

Lando survola les formations rocheuses rougeâtres très découpées qui ressemblaient à des crocs géants. Le *Faucon* se précipita dans une gorge qui ne laissait à l'appareil que très peu de latitude de mouvement en profondeur et sur les côtés. Le ciel, au-dessus d'eux, était comme une rivière, bleu et tranquille.

C3 PO prit la parole.

– J'ai l'impression que l'un de mes circuits est en train de surchauffer. Je crois sincèrement que je devrais aller m'asseoir et me déconnecter.

Mais le droïd ne bougea pas. Tout comme les autres, il semblait hypnotisé par les parois du canyon qui défilaient à toute vitesse.

Dash leur avait signalé qu'un détecteur impérial à longue portée avait été installé en bordure du grand plateau rocheux dans lequel l'eau et le temps avaient creusé ces profondes crevasses. La seule façon de ne pas se faire repérer consistait à voler très bas en dessous du champ des rayons détecteurs.

Leia se rappela alors le vol désespéré de Yan à travers les astéroïdes après leur fuite de Hoth. Elle se souvint aussi de la cachette où ils s'étaient tapis pour éviter d'être capturés par Vador. Un endroit qui s'était révélé bien différent de ce qu'ils avaient cru trouver de prime abord.

Devant eux volait l'*Outrider*. Leia l'observa basculer et tournoyer sur son axe comme une vis.

– Bon sang, marmonna Lando. On a à peine la place de manœuvrer, on risque d'être écrabouillés comme des moustiques sur un pare-brise et voilà que Dash fait des tonneaux et de la voltige. Ce type est vraiment fou.

Chewie grogna quelque chose.

– Tu ne crois pas si bien dire, lui répondit Lando.

C3 PO traduisit pour Leia.

– Chewbacca dit que Maître Dash doit avoir du sang d'oiseau dans les veines.

Leia ne put s'empêcher de hocher la tête. Lando avait raison. Quoi qu'on en dise, Dash Renda était fichtrement bon pilote.

Luke intima aux Rogues l'ordre de voler en spirale, de dévier de quelques degrés dans une direction puis dans l'autre, afin d'éviter le tir de la grosse artillerie du destroyer. Jusqu'à présent, ils ne se débrouillaient pas trop mal.

– Fais gaffe, Dixie ! hurla Wedge.

Luke comprit le danger. Un chasseur Tie venait de se glisser juste en dessous de l'appareil de Dix et, remontant en chandelle, faisait feu sur le flanc exposé de l'aile-X. Dix pivota brusquement sur sa droite et engagea un virage très serré sur tribord...

Trop tard. Les rayons mortels agrippèrent l'aile-X comme des griffes et la déchirèrent.

L'appareil de Dix explosa en une boule de feu qui consomma l'oxygène de l'habitacle. Puis il disparut, ne laissant rien d'autre que quelques débris carbonisés et ionisés.

Luke sentit son estomac se tordre. *Oh non.* Ils venaient de perdre Dix.

Soudain, cela n'avait plus rien d'un jeu. Des gens mouraient. Des gens de valeur. Et il ne serait pas près de l'oublier, pas avant très longtemps. C'était amusant tant que personne n'était blessé mais malheureusement cela ne durait jamais. La guerre était une chose moche. Et maintenant, les choses tournaient franchement mal.

Elles allaient encore empirer. Le destroyer qui était posté dans la face cachée de la planète venait de rejoindre le site du combat et déversait ses escadrons de chasseurs.

Plus le temps de penser, plus le temps de se faire du souci. Luke s'abandonna à la Force.

– La promenade touche à sa fin, dit Dash. On a passé la station de détection du plateau. Prêt à repasser à la surface ?

– Dommage, je commençais à m'amuser. Enfin, si on est obligés...

Ils approchaient du côté de la planète plongé dans la nuit. L'obscurité ne les couvrirait guère face aux détecteurs impériaux mais elle permettrait au moins d'éviter les regards trop curieux.

– Nous sommes à quatre minutes du chantier, cracha Dash dans le communicateur. Avec un peu de chance, les guignols qui s'occupent du radar ne nous remarqueront que quand nous serons juste au-dessus d'eux. Le temps qu'ils fassent décoller leurs chasseurs, et nous serons loin.

– Compris, répondit Lando.

Leia sentit ses entrailles se nouer. Jusqu'ici, le vol avait été très dangereux et il y avait de fortes chances que le danger s'accroisse.

Lando secoua la tête.

– C'était pas mon idée, O.K. ? dit-il. Je veux que l'on retienne bien que c'était pas mon idée.

Les ombres se dessinaient sur les rochers. Elles s'allongeaient si vite que les passagers du *Faucon* pouvaient les voir avancer avec eux alors qu'ils volaient vers la nuit.

– Allez, on monte, dit Dash.

Juste en face d'eux, à quelques centaines de mètres – et approchant à grande vitesse – le canyon se terminait en une muraille de roche noire.

Chewie poussa un rugissement.

Lando ne prit pas la peine de répondre et engagea le *Faucon* dans une chandelle qui n'améliora en rien l'état de l'estomac de Leia.

Ils évitèrent la collision de quelques centimètres.

– Oh, faites attention, observa Dash alors que le *Faucon* s'élevait dans la nuit. Vous ai-je signalé que le canyon allait bientôt se terminer en cul-de-sac ?

– Attends un peu, Rendar. La prochaine fois que je te vois, je te balance mon poing dans la figure !

– Ah ouais ? Toi ? Mais avec l'aide de quelle armée ?

Chewie gronda.

Leia comprit sans difficulté ce que cela signifiait.

Dans le haut-parleur, Dash Rendar éclata de rire.

La voix de Wedge semblait calme mais on sentait qu'elle dissimulait beaucoup d'émotion.

– Luke, on ne va pas pouvoir tenir la cadence à ce train-là. Si le second destroyer se place dans un axe vertical en dessous de nous, on sera à portée de la grosse artillerie et pris dans le tir croisé des deux vaisseaux impériaux.

– J'entends bien, dit Luke. D2, est-ce que tu crois qu'ils ont eu le temps d'atteindre le chantier?

D2 trilla. Luke regarda son écran pour lire la traduction des piaillements électroniques du droïd. Ils avaient peut-être eu le temps mais à peine.

– Donnons-leur encore une minute, ordonna Luke. Ensuite on repasse du côté jour de la planète et on dégage d'ici.

– Pigé, Luke. Vous avez tous entendu le chef. Balançons-leur quelques pierres histoire de les faire gigoter.

Tout autour de Luke, les chasseurs Tie et les intercepteurs fusèrent comme des frelons qu'on aurait dérangés. Les Rogues avaient éliminé quelques ennemis, peut-être un nombre important. Ils avaient perdu un des leurs et un autre avait subi pas mal de dégâts. Ce n'était pas si mal mais, étant donné les forces en présence, cela ne durerait pas éternellement. Luke ne pouvait plus qu'espérer qu'il avait laissé suffisamment de temps à ses amis.

Un chasseur Tie apparut juste en face de Luke, venant à sa rencontre.

Il pressa la commande de tir et les deux appareils foncèrent droit l'un vers l'autre. Aucun des deux pilotes ne cilla.

Le Tie explosa et le vaisseau de Luke traversa la boule de feu.

D2 poussa un cri qui ressemblait à un youpiiiii!

– Tu vas bien, D2?

Le droïd sifflota. Oui, il allait bien. Cependant il s'était déjà senti mieux.

Luke sourit. La fête était en train de dégénérer. Il était temps de plier bagage et de décamper.

– Le voilà, droit devant, dit Dash.

Les lumières du chantier de construction de vaisseaux

brillaient de mille feux dans l'obscurité, un repère visible de très loin.

– Nous passerons au-dessus de la cible dans... trente secondes.

Leia se pencha et scruta les environs...

– Le voilà ! C'est le vaisseau de Fett !

– Allez, c'était sympa, fit Dash. A un de ces jours, bonnes gens !

Devant eux, l'*Outrider* reprit de l'altitude et fonça vers l'espace.

– Mais, où est-ce que tu vas, s'écria Lando.

– Hé, vous ne m'avez pas payé pour tirer, seulement pour vous guider, alors je me casse.

– Dash, salaud !

– Laissez tomber, dit Leia. On n'a plus besoin de lui.

Chewie montra quelque chose sur l'écran du détecteur et grogna.

– Oh, Seigneur ! soupira C3 PO.

– J'aimerais bien que tu arrêtes de dire ça tout le temps, s'emporta Leia. Quoi, encore ?

Lando répondit avant que C3 PO ne prenne la parole.

– On a de la visite. Une bonne demi-douzaine de chasseurs Tie sur nos talons.

– C'est tout ? Pour un pilote de votre envergure, cela ne devrait pas poser trop de problèmes, n'est-ce pas ?

Lando secoua la tête.

– Ouais, c'est vrai. Dites voir, histoire de vous distraire un peu, pourquoi n'iriez-vous pas avec Chewie vérifier si les canons sont toujours en état de marche, hein ?

Le Wookie se leva. Leia était déjà en route.

– Je prends la tourelle dorsale.

Chewie grogna et elle prit cela pour une réponse affirmative.

A présent, les choses allaient devenir un peu plus intéressantes.

9

– Luke ?

La voix de Wedge résonna dans le communicateur.

– D'accord, Wedge. Escadron Rogue, ici Leader Rogue. Abandonnez l'attaque, passez en vitesse lumière. Je répète, abandonnez et passez en hyper !

Le saut dans l'hyperespace était une ruse. Ils ne s'éloigneraient guère et réintégreraient l'espace normal quelques secondes plus tard. Mais mieux valait laisser les Impériaux croire qu'ils allaient beaucoup plus loin. Il fallait espérer que personne n'irait regarder derrière la petite lune juste en face d'eux qui tournait dans l'ombre de la géante gazeuse. Il fallait l'espérer.

L'Escadron Rogue se dégagea du champ de bataille en un large virage à plat.

Les chasseurs Tie, à qui l'on avait certainement donné l'ordre de se montrer défensifs sans pour autant se lancer à la poursuite de leurs agresseurs, les laissèrent partir. Presque tous.

Pendant que les Rogues fuyaient le combat, Luke sentit une vague le balayer. Quelque chose qu'il ne parvint pas à identifier. Comme une sensation de danger qu'on ne pouvait ignorer, comme un avertissement...

Luke !

Obi-wan !

Il poussa brusquement le manche de côté entre ses genoux sans se poser plus de questions.

Le rayon d'un canon laser éclata juste à proximité de l'appareil.

S'il n'avait pas eu ce réflexe il aurait été réduit en poussière.

Mais il n'y avait aucun Tie derrière lui! Seulement Rogue Six. En regardant plus attentivement, il s'aperçut que l'aile-X de Wes changeait de cap pour le suivre. Qu'est-ce que... ?

– Wes! Mais qu'est-ce que tu fous?

Wes se mit alors à crier de courtes explications paniquées.

– Luke, il y a quelque chose qui ne va plus avec mon unité D2! Elle a pris le contrôle de mon vaisseau! Mon manche est mort!

Ouais, pensa Luke, *et il va m'arriver la même chose si je ne fais rien!*

Pour compliquer encore la situation, l'un des chasseurs Tie qui avait décidé de se lancer à leur poursuite arriva à portée de tir. L'appareil ennemi laissa échapper une volée d'énergie qui manqua Luke de très peu.

Luke tira le manche le plus possible contre son estomac et appuya à fond sur la manette des gaz. L'aile-X réagit immédiatement; l'accélération l'écrasa dans son siège, son visage s'étira et s'aplatit comme si une main géante appuyait fortement sur sa peau et ses muscles.

– Que tout le monde dégage! réussit-il à dire à travers ses lèvres déformées par la vitesse.

Qu'est-ce qui pouvait bien se passer? Il venait pratiquement de se faire descendre, et par l'un de ses hommes! Sur le coup, il préféra ne pas y penser sans pour autant pouvoir s'empêcher d'y penser!

Il aurait pu mourir. S'il n'avait pas été aidé par la Force, il aurait pu mourir. Il n'aurait jamais pu concrétiser ce à quoi il aspirait...

Derrière lui, l'aile-X de Wes se mit à exécuter les mêmes manœuvres que Luke pour lui coller au train.

Le chasseur Tie continua à tirer.

Merde!

Les choses allaient mal, très mal. Qu'est-ce qu'il pouvait

bien faire ? Il n'était pas possible d'engager le combat, pas avec l'un des siens ! Et s'il se contentait de fuir, tôt ou tard, l'aile-X incontrôlable finirait par le descendre.

Chaque chose en son temps. D'abord le chasseur Tie.

Luke fit faire un looping à son appareil pour essayer de se dégager de Wes et pour tenter par la même occasion de coincer le vaisseau impérial dans son collimateur.

La manœuvre ne fut pas vraiment couronnée de succès : le Tie fit une embardée de côté et Wes continua son tir.

Luke sentit son corps se couvrir de sueur, détrempant sa combinaison. Il n'était pas préparé pour une chose pareille, l'idée même ne lui avait jamais traversé l'esprit.

Si Wes pouvait se tirer de là, cela arrangerait les choses. Le problème, c'est qu'il ne pouvait pas s'éjecter. Comme les autres, il ne portait qu'une légère combinaison de vol absolument pas prévue pour protéger du vide de l'espace profond.

Une autre décharge de laser fut tirée de l'aile-X.

Manqué ! De peu !

Le chasseur Tie fit de nouveau route vers eux. Le pilote ne se rendait certainement pas compte de ce qui était en train de se passer mais il ne manquerait pas de tirer profit de la situation.

Luke sentit la peur lui tirailler le ventre. Une sensation glacée qui refroidit chacune des gouttes de sa transpiration. Qu'allait-il faire ? Il lui fallait trouver une solution et il lui fallait la trouver vite !

Une idée germa dans son cerveau. Le coup était risqué mais le choix d'options devenait de plus en plus limité.

C'est parti...

Arrivé au sommet de son ascension, Luke coupa ses moteurs et poussa sur le manche. La force de l'inertie permit à l'appareil d'avancer mais la vitesse relative, comparée à celle du vaisseau fou de Wes, donna l'impression qu'il s'arrêtait. Rogue Six le dépassa en trombe avant que l'unité D2 défectueuse ne comprenne ce qui se passait et adapte sa vitesse en conséquence.

Le chasseur Tie venait d'exécuter une boucle et arrivait maintenant en face de Wes.

Luke appuya de nouveau à fond sur la commande des moteurs et bascula violemment le manche vers sa gauche. Il allait tirer parti de tout ce que le petit appareil avait à offrir et il allait pousser la machine – et lui-même – à fond.

Le Tie fut pris dans les tirs de Wes et se désintégra.

Une bonne chose de réglée.

Luke éprouva un certain soulagement mais tout n'était pas terminé.

Il fit faire un bond à son aile-X. Wes imita son mouvement et fit feu.

Luke se rendit compte qu'il n'avait jamais autant demandé à une aile-X.

D2 se mit à émettre un son strident, Luke coupa la communication. Il devait faire confiance à la Force maintenant. Un talent normal de pilote ne lui permettrait pas de se tirer d'un si mauvais pas.

Il fit un mouvement de côté.

Un autre rayon irradia le vide.

Luke mit au point mort et amorça une plongée.

Le vaisseau de Wes se mit à le pilonner, déchargeant ses rayons mortels sur les boucliers arrière.

Ça allait secouer !

Allez, approche...

Il savait que la Force était puissante mais il n'était pas très sûr de pouvoir la contrôler correctement. Une seule petite erreur et un homme de prix trouverait la mort.

Une seule petite erreur *et tous deux* pourraient trouver la mort.

Il se concentra, vira brusquement sur tribord puis sur bâbord en poussant ses moteurs à fond. Il monta en chandelle et entama un looping qui lui permit de contourner Wes et de se retrouver derrière lui. L'accélération fut si forte que Luke faillit en perdre connaissance...

Aide-moi, Obi-wan.

Luke fit feu...

Les rayons allèrent frapper précisément l'emplacement du moteur principal de l'aile-X de Wes, découpèrent le blindage et perforèrent les propulseurs.

Les réacteurs de Rogue Six s'éteignirent.

Luke était assez proche pour apercevoir l'unité D2 du vaisseau de Wes en train d'essayer d'effectuer des réparations. Le droïd n'arriverait certainement pas à venir à bout de ces dégâts-là.

Rogue Six aurait des difficultés à voler mais il pouvait toujours tirer.

Et il tira, suivant Luke à la trace de ses puissants rayons. Comme un fauve blessé, il était toujours dangereux de l'approcher.

Luke évita le tir et, s'abandonnant de nouveau à la Force, laissa l'aile-X devenir comme une extension de son propre corps. Le petit appareil se mit à danser, bondir, ralentir, accélérer et réussit à échapper à tous les tirs.

Luke exhala un soupir de soulagement.

Mollo...

Il refit un passage.

Le D2 de Wes décocha une nouvelle salve de lasers. Luke eut l'impression qu'il ressentait la chaleur des rayons.

Mais ce n'était peut-être pas une impression.

Allez...

– Luke, il y a d'autres Tie qui se pointent, dit quelqu'un.

– Pas maintenant !

Une fois de plus, il laissa la Force diriger sa mise en joue, il la laissa prendre le contrôle. Il sentit frémir les ordinateurs de visée logés dans le nez de son appareil. Il sentit que c'était précisément le bon moment...

Il fit feu de nouveau...

Touché !

Les canons de Wes étaient maintenant hors d'usage et lui – ou son droïd dément – ne pourrait plus utiliser les lasers ou les torpilles.

Luke soupira de nouveau. *Dieu merci.*

Par toutes les étoiles de la galaxie, qu'est-ce qui avait bien pu causer une telle défaillance ?

– Wedge, regarde si tu peux remorquer Wes avec un rayon magnétique et tirons-nous d'ici en vitesse.

– Affirmatif, Luke.

C'était déjà assez terrible quand un ennemi vous tirait dessus, alors, quand il s'agissait de l'un de vos hommes...

– Hé, je suis désolé, Luke. Je ne sais pas ce qui s'est passé ! s'excusa Wes.

– Ne t'en fais pas, on tirera ça au clair plus tard. Maintenant, on a intérêt à décamper avant que les Impériaux ne décident que cela vaut finalement la peine de nous courir après...

– Bien compris, Luke.

La chaleur – et les sueurs froides – de l'incident était passée. La peur reprenait insidieusement le dessus. Il éprouva une brusque nausée.

Il aurait pu être réduit en miettes.

Si la Force ne l'avait pas prévenu, il aurait été carbonisé, il aurait éclaté comme une ampoule surchauffée, sans savoir ce qui l'avait frappé. Mort, parti, plus là.

– Ces chasseurs Tie sont en train de revenir en force, Luke.

– Allez, on dégage !

Jusqu'à présent Luke avait toujours pensé que, d'une manière ou d'une autre, tous les lasers le manqueraient, que tous les missiles le frôleraient sans le toucher, qu'il vivrait éternellement. Il ne lui était jamais apparu qu'il pourrait cesser d'exister.

C'était devenu une réelle possibilité maintenant.

Leia appuya sur la gâchette et les quatre canons de la tourelle dorsale du *Faucon* entrèrent en action, crachant leurs violents rayons énergétiques sur le Tie qui attaquait.

Le vaisseau impérial passa juste dans le rayon. Il explosa.

En comptant celui-ci, elle en avait abattu trois. Chewie en avait touché pas mal lui aussi mais de nouveaux chasseurs ne cessaient de fondre sur eux.

Et ils étaient bien trop nombreux.

– On ne peut pas se poser, dit Lando dans le communicateur, si on pose le pied sur la plate-forme, on se fait griller !

– Alors, qu'est-ce qu'on fait ?

– J'en sais rien ; on ne peut pas continuer à voler en rond comme ça. Oh oh...

– « Oh oh » quoi ?
– Le vaisseau de Boba Fett... Il est en train de décoller.
– Suivez-le !
– Je veux bien, mais comment ? Il y a un vrai mur de chasseurs impériaux entre lui et nous !
– Faites le tour !
Elle ne pouvait pas se permettre de laisser tomber si près du but.
– Je vais essayer.
Le *Faucon* fit une embardée et plongea en réalisant une série de tonneaux. Parce qu'ils se trouvaient dans le champ gravitationnel de la lune et qu'ils avaient besoin de toute la puissance possible dans les boucliers déflecteurs, ils avaient coupé la pesanteur artificielle à bord du vaisseau. Leia décolla de son siège et seules les sangles de sécurité l'empêchèrent de partir à la dérive dans le poste de tir. Elle se sentit brusquement devenir plus lourde au moment où, le vaisseau ayant atteint le bas de sa plongée, Lando pressa la commande des propulseurs pour repartir dans un mouvement tournant ascensionnel très abrupt.
Un autre chasseur Tie apparut dans son champ visuel. Leia enclencha les canons mais l'appareil vira rapidement sur le côté. Trop rapide. Le tir le rata.
Le *Faucon* vacilla. Un tir ennemi venait de toucher l'un de ses boucliers.
– J'espère que ce générateur d'écran déflecteur de contrebande que Yan a installé va tenir le coup, remarqua Lando.
Leia ne répondit pas, trop occupée à essayer de descendre deux chasseurs Tie qui fonçaient sur eux.
Ses canons crachèrent leurs rayons et transpercèrent la surface des volets de contrôle de l'un des assaillants. Le vaisseau partit en tourbillonnant.
Elle manqua le deuxième.
Elle entendit Chewie crier. Elle aurait tellement aimé pouvoir comprendre ce qu'il disait. Même en d'autres circonstances.
– Je déteste l'idée de devoir vous dire ça, dit Lando, mais franchement, je ne le sens pas du tout ce coup-là !

De retour à la base secrète de l'Escadron Rogue, Luke et Wedge sautèrent de leurs cockpits et se précipitèrent jusqu'à la zone où l'aile-X de Wes avait été remorquée. Wes, immobile, observait son vaisseau accidenté.

– Tu vas bien ? demanda Wedge.

– Ouais, ça va. Mais j'aimerais bien savoir ce que mon unité D2 a bien pu bouffer au petit déjeuner. Mais qu'est-ce qui lui a pris, hein ?

Luke essayait de garder bonne figure et espérait que son état de faiblesse ne se remarquerait pas. Il se sentait encore tout secoué et avait les jambes en coton. Il prit une profonde inspiration et fit un effort pour parler d'une voix calme.

– Et si on essayait de voir un peu de quoi il retourne. (Il fit un signe à la chef mécano.) Branchez un coupleur sur cette unité D2, voulez-vous ?

La mécanicienne mit prestement son équipe au travail. Luke entendit un sifflement derrière lui.

Il se retourna.

– J'en sais rien, D2. Tu as déjà entendu parler d'une histoire pareille ?

Le droïd couina et trilla.

Luke prit cela pour une réponse négative.

On déposa l'unité défectueuse sur le sol. La chef mécanicienne s'approcha et fixa un verrou de neutralisation sur le droïd avant que celui-ci puisse faire le moindre mouvement.

D2 s'avança, déplia un bras mécanique terminé par une interface de communication et se brancha sur l'autre unité. Un mécanicien connecta un moniteur de traduction au droïd endommagé.

D2 se mit à siffler frénétiquement.

– Oh oh, dit Luke en regardant l'écran du traducteur.

– Eh bien quoi ? demanda Wedge.

– Regarde. Si on se réfère à ce qui s'affiche, le droïd n'a pas eu d'erreur de fonctionnement. Il a été *programmé* pour me tirer dessus.

Wedge laissa échapper un long sifflement, comme pour appuyer ce que D2 venait de signaler dans son propre langage d'astromécano.

– Mais enfin, qui ferait un truc pareil ? Pourquoi ? *Et comment* ?

La chef mécanicienne décrocha son communicateur de sa ceinture, parla dedans et écouta la réponse. Luke ne réussit pas à entendre qui était son interlocuteur.

– C'est Rendar. Il est en train de revenir, expliqua la mécanicienne.

– Des nouvelles de Leia et Lando ?

Elle haussa les épaules.

– Il n'en a pas parlé.

– Gardez un œil sur ce droïd, dit Luke à la mécanicienne, que personne n'y touche. (Puis, se tournant vers Wedge :) Allons-y.

Luke se précipita vers le second hangar où le vaisseau de Rendar allait bientôt arriver.

– On ne va pas pouvoir passer au travers ! dit Lando. Ils vont nous mettre en pièces si on reste ici plus longtemps ! On devrait...

Il s'interrompit subitement.

– Lando ? Lando !

Pas de réponse.

– Chewie ?

Pas de réponse non plus.

Le *Faucon* paraissait voler normalement mais le système de communication avait l'air fichu.

Leia se mit à crier.

– C3 PO ? Où es-tu ?

– J-J-Juste derrière.

La voix nerveuse du droïd monta dans le boyau d'accès à la tourelle de tir.

– Va voir ce qui se passe avec le communicateur. Et vérifie que tout va bien pour Lando.

– Oui, Princesse Leia.

Un autre Tie passa en tirant. Leia fit feu et le manqua. Ces saletés étaient sacrément rapides.

Le *Faucon* se balança brutalement sur la gauche puis sur la droite. Au moins, il y avait quelqu'un aux commandes.

C3 PO se pencha dans la tourelle.

– Princesse Leia, Maître Lando dit que l'unité de communication est endommagée. Nous n'avons plus la possibilité de communiquer entre nous ou avec l'extérieur. Maître Lando dit également que nous devons quitter les lieux sur-le-champ ou nous allons être détruits!

Il y avait une pointe d'hystérie dans la voix du droïd.

– Non, on ne peut pas...

Mais ils étaient déjà en route. Le *Faucon* fit un large virage pour s'éloigner du chantier et plongea – en exécutant un quart de tonneau pour voler sur la tranche – entre deux tours en construction. Ils passèrent si près de la structure d'acier de l'une des tours que Leia, assise à son poste de tir, put presque lire les numéros de série appliqués au pochoir sur les poutrelles.

– Non! hurla-t-elle.

L'un des chasseurs Tie qui les poursuivait ne fit pas preuve d'autant d'habileté. Leia le vit entrer en collision avec une tour et s'écraser sur le sol en une boule de feu.

Le *Faucon* ayant exécuté son tonneau se mit de nouveau à voler parallèlement au sol; mais seulement pour quelques secondes car Lando tira les commandes à lui et l'appareil remonta en chandelle.

Leia regarda par la verrière de la tourelle. Ils distançaient leurs poursuivants. Elle détacha ses sangles de sécurité, quitta son poste et se précipita vers le cockpit. C3 PO la suivit, tout en jacassant quelque chose qu'elle n'arriva pas à saisir.

Lando était en nage lorsque Leia le rejoignit.

– Qu'est-ce que vous faites?

– Je sauve notre peau, dit-il. J'ai utilisé tous les trucs officiels, plus quelques-uns de mon invention et je ne suis pas arrivé à passer ce barrage de chasseurs. Ils étaient trop nombreux. Ils auraient fini par nous abattre, ce n'était qu'une question de temps.

– Et Boba Fett?

– J'ai perdu sa trace.

– Il doit probablement essayer de passer la barre de l'hyperespace le plus rapidement possible. Luke et l'Escadron Rogue...

Elle laissa mourir la fin de sa phrase en réalisant le problème.

– Ouais, dit Lando. Notre système de communication est foutu. On ne peut pas appeler Luke et lui demander de courir après Boba Fett.

– Et si on se dépêche de faire le tour de la planète ?

Lando secoua la tête.

– Il sera déjà parti.

Chewie arriva dans le cockpit et posa une question.

– Non, dit Lando. Désolé, mon vieux.

Chewie grogna une phrase qui semblait exprimer la colère.

– Ouais, moi aussi. Mais cela ne fera aucun bien à Yan si on se fait réduire en miettes.

Leia sentit un grand poids se poser sur ses épaules. Comme une couverture faite de plomb très mou, très lourd. Elle n'arrivait pas à rester assise sans courber le dos.

Yan, je suis désolée...

– Ecoutez, dit Lando. Je ne voudrais pas avoir l'air de jeter de l'huile sur le feu mais nous n'avions aucune certitude que Yan était à bord de ce vaisseau. Boba Fett l'a peut-être entreposé ailleurs.

Leia ne put articuler un mot. Ça demandait un trop grand effort.

Chewie dit quelque chose.

– Chewbacca a raison, intervint C3 PO. Tôt ou tard Maître Yan sera livré à Jabba. Nous avons toujours la possibilité de retourner sur Tatooine pour l'y attendre. Je pense qu'il s'agit là d'une excellente idée.

Personne ne souffla mot pendant un long moment.

C3 PO reprit la parole :

– Eh bien, au moins, nous sommes vivants.

Luke faillit envoyer un crochet dans la mâchoire de Dash. C'est la seule chose qui lui était passée par la tête pour se calmer.

Wedge, qui l'avait vu esquisser le geste, le retint.
– Du calme, Luke.
Dash, s'il était préoccupé, ne le montrait pas. Debout et détendu, il haussa les épaules.
– Tu les as laissés là-bas ?
– Hé, p'tit, moi j'ai été payé pour leur montrer où était *Slave I*. Je leur ai montré. Mon job était terminé. S'ils voulaient que je fasse quelque chose d'autre pour eux, ils auraient dû me le signaler à l'avance et on aurait réglé les termes du contrat.
– S'il leur arrive quoi que ce soit...
– Eh bien quoi, p'tit mec ? Tu me buteras ? Je ne les ai pas forcés à aller là-bas. On m'a engagé comme guide, j'ai guidé, un point c'est tout.
Il fit demi-tour et s'éloigna tranquillement.
Wedge posa une main sur l'épaule de Luke.
– Non, Luke, ne le fais pas. Cela ne leur sera d'aucun secours !
Tout en sentant la colère affluer en lui, Luke ressentit également une froideur, une sorte de... chose rusée qui l'accompagnait. Luke comprit immédiatement ce que c'était.
Obi-wan l'avait prévenu. Il ne pouvait pas se laisser aller à la colère. Si cela devait arriver, le Côté Obscur l'attendrait et l'attirerait. Il le sentait, tapi, prêt à lui insuffler ses énergies malveillantes. Il sentait que s'il baissait sa garde, cela lui donnerait des possibilités dont il ne disposait pas, cela lui donnerait des pouvoirs qu'un simple mortel ne serait pas capable de maîtriser. Il pourrait faire tomber Dash Rendar à genoux d'un seul geste de la main...
Non, n'y pense même pas ! S'abandonner au Côté Obscur signifierait devenir comme Vador, comme l'Empereur, devenir ce contre quoi il se battait.
Il inspira profondément et, en expirant tout doucement, laissa sa colère s'écouler hors de lui. Dash avait raison sur un point : il n'avait forcé personne à faire quoi que ce soit.
Un des techniciens de l'équipe de surveillance radar s'approcha de lui en courant.
– Nous avons repéré un vaisseau en approche. Pas de

communications mais les détecteurs nous signalent qu'il s'agit d'un cargo corellien.

Le *Faucon Millenium!* Ils étaient vivants!

– Ils seront là d'ici quinze minutes, dit l'homme.

Luke éprouva un vif soulagement. Leia. Elle allait bien. Même s'il sentait au fond de lui qu'il aurait su s'il était arrivé quoi que ce soit, il n'en était pas moins rassuré d'apprendre que le vaisseau était en un seul morceau.

– Cela nous donne quelques minutes, remarqua Wedge. Et si nous en profitions pour aller voir ce qu'on peut tirer de cette saleté d'unité D2?

– Bonne idée.

Lorsqu'ils arrivèrent à l'endroit où était entreposé le droïd astromécanicien défectueux, ils ne trouvèrent qu'un vaste tas de débris.

Quelqu'un avait désintégré le droïd en mille morceaux.

Luke se retourna brusquement, cherchant du regard la responsable de l'équipe chargée de surveiller l'unité. Il repéra la femme très rapidement.

Elle tenait un blaster pointé sur lui.

10

Luke vit Wedge mettre la main à son arme.

– Non !

La mécanicienne remarqua le geste de Wedge, se tourna légèrement et lui tira dessus. Le rayon crépita entre Luke et Wedge, manquant le premier de quelques centimètres. Luke, en sautant sur le côté, sentit s'élever une odeur ionisée...

Wedge n'eut pas le choix. Le rayon de son blaster alla la frapper en pleine poitrine et elle tomba à la renverse.

L'odeur de brûlé devint plus forte et beaucoup plus déplaisante.

Luke se pencha sur la chef mécanicienne : elle ne serait plus jamais capable de répondre à leurs questions.

– Bon, eh bien je suppose que maintenant nous savons qui a trafiqué le droïd, dit-il d'une voix calme. J'aurais quand même bien aimé savoir pourquoi.

Wedge secoua la tête.

– Peut-être qu'on peut le découvrir. Je vais voir ce que l'ordinateur des effectifs a sur elle.

– Très bien, vas-y.

Ce n'est que quelques minutes plus tard que le *Faucon Millenium* se posa sur la petite lune. Il alla se garer à l'abri des regards indiscrets à l'intérieur du hangar. L'écoutille s'ouvrit et la rampe d'accès s'abaissa. Lando et Chewie débarquèrent, suivis de C3 PO. Mais où était... ?

La voilà. Elle avait fort mauvaise mine. Elle marchait comme si elle était âgée de plus de mille ans.

– Leia?

Son visage était l'image même de la misère. Luke s'avança vers elle et la prit dans ses bras. Elle lui parut sans force.

– Qu'est-ce qui s'est passé?

– Boba Fett s'est enfui, dit-elle.

Lando se posta derrière eux.

– Ouais, et on peut dire qu'on a eu de la chance de pouvoir se tirer aussi. L'endroit grouillait de chasseurs Tie. Désolé, Luke, j'ai fait tout ce que j'ai pu.

Chewie hocha la tête et grogna quelque chose.

Luke hocha également la tête. Il se tourna et garda un bras autour de la taille de Leia. La tenir ainsi fit naître en lui toutes sortes d'émotions conflictuelles. Comme si cela ne suffisait pas de devoir faire face à Vador, de devoir comprendre la Force et son Côté Obscur. Ses sentiments à l'égard de Leia représentaient un vaste univers qu'il n'avait pas encore exploré.

– Allez, dit-il à la jeune femme. On va essayer de trouver une autre solution.

Leia était déprimée mais les informations concernant le droïd défectueux réussirent à percer la chape de désespoir qui pesait sur elle. Elle en fut terrifiée.

Lorsque Wedge et Lando revinrent avec ce qu'ils avaient collecté sur la mécanicienne dans l'ordinateur central, ils paraissaient sinistres.

– Eh bien quoi? demanda-t-elle.

– Eh bien, commença Wedge, il semblerait qu'un transfert de dix mille crédits ait été effectué sur son compte il y a quelques jours, juste après l'arrivée de l'Escadron Rogue. Lando a réussi à accéder au compte en utilisant un, heu, code de commande d'urgence, heu... qu'il a emprunté à quelqu'un.

– Et...?

– L'argent provient d'une corporation fantôme, enchaîna Lando. Je suis arrivé à remonter dans les comptes de deux autres corporations fantômes situées en amont. J'ai fini par échouer sur un truc qui s'appelle les Entreprises Sabre. La dernière fois que j'en ai entendu parler, le Sabre servait de façade aux opérations secrètes de contre-espionnage de l'Empire.

– Vous pensez donc qu'on a payé la chef mécanicienne pour qu'elle change la programmation du droïd afin qu'il tire sur Luke ? demanda Leia.

– Autrement, ce serait une pure coïncidence, non ?... dit Lando.

Leia hocha la tête.

– C'est du Vador tout craché, c'est comme s'il y avait ses empreintes de gants partout !

Luke secoua la tête.

– Non, ça ne tient pas debout.

– Et pourquoi non ?

– Il me veut vivant, fit Luke. Il veut que je rejoigne les rangs de l'Empire.

– Il a peut-être changé d'avis, suggéra Lando.

Le regard de Leia fixait le vide. Tout allait mal. Elle venait de perdre Yan, peut-être pour toujours – *Non, ne pense pas ça !* – et elle ne voulait pas perdre Luke. Il était trop important, non seulement pour l'Alliance mais pour elle aussi.

Elle aimait Yan mais elle aimait Luke également. Peut-être pas de la même façon, mais elle ne voulait pas le voir blessé. Elle avait comme un sentiment à ce propos, comme... une intuition. Cette tentative de meurtre sur la personne de Luke ne semblait être que la toute petite partie visible de quelque chose de bien plus grand, de quelque chose de caché en profondeur sous des brasses et des brasses d'eau boueuse. Il fallait qu'elle découvre de quoi il s'agissait afin de pouvoir tout arrêter en temps et en heure.

– Autre chose, continua Lando. Le compte avait une ligne de crédit ouverte par la même société fantôme.

– Ce qui veut dire ?

– Ce qui veut dire qu'un autre transfert de fonds était prévu. Je pense que les dix mille crédits n'étaient qu'une avance. Si tu t'étais fait vaporisé lors de notre petite expédition, je suppose qu'une somme bien plus importante aurait été versée sur le compte de la mécanicienne. Y a plein de questions qui restent en suspens, pas vrai?

Lando regarda Wedge.

– Elle allait tirer sur Luke, dit ce dernier. La deuxième règle en matière d'autodéfense, c'est de tirer d'abord et de poser les questions après.

Leia se retourna et regarda Lando.

– Et quelle est la première règle?

– Toujours se trouver ailleurs lorsque démarre la fusillade.

Ils échangèrent un regard. Qu'est-ce que tout cela pouvait bien signifier?

Xizor savait que cet exercice était nécessaire, essentiel pour une santé optimale et que cela maintenait les subalternes au pas que de savoir que leur supérieur était doué d'une extraordinaire force physique. Il pratiquait les arts martiaux de temps à autre et il savait que cela n'était pas suffisant. L'exercice l'ennuyait profondément. Il détestait cela.

Il était cependant assis dans son unité myostimulatrice lorsque Guri vint le voir.

L'unité était un appareil assez simple : un champ détecteur couplé à un diffuseur électromyoclonique contrôlé par ordinateur. Une fois allumée et le niveau réglé, l'unité myostimulatrice faisait travailler les muscles en les forçant à se contracter et à se relâcher de façon séquentielle. On pouvait devenir plus fort rien qu'en restant assis dans le champ détecteur, développer une puissante masse musculaire sans avoir à soulever le moindre poids. Un jouet génial.

Guri sembla se matérialiser de nulle part.

Xizor haussa les sourcils. Ses cuisses se contractaient en nœuds très durs, se relâchaient puis se contractaient à nouveau.

– La première tentative d'assassinat sur Luke Skywalker a échoué. La mécanicienne que nous avions soudoyée est morte.

Xizor hocha la tête. Ses mollets se raidirent puis s'assouplirent sous l'effet du stimulus électrique.

– Cela ne me surprend pas. Nous savions que ce garçon était extrêmement chanceux.

– Ou particulièrement doué, ajouta Guri.

Xizor haussa les épaules. Ses pieds se tendirent et se détendirent.

– L'un ou l'autre. J'ai longuement réfléchi à la question. Laissez nos agents agir. Qu'ils graissent quelques pattes si besoin est. Assurez-vous qu'on ait l'impression qu'ils sont des employés de l'Empire, qu'ils travaillent directement pour Vador. S'ils mettent la main sur Skywalker, tant mieux. Sinon, j'ai une autre idée qui pourrait nous être bien plus bénéfique.

– A vos ordres.

Il fit un grand geste. Le stimulateur commença à remonter le long de ses jambes vers son estomac.

– Cela ne doit pas être notre principale source de préoccupation. Nous avons une société à faire tourner.

Il marqua une pause et, lorsqu'il reprit la parole, une note tranchante, très aiguisée, teinta dans le ton de sa voix.

– Ororo Transports.

Guri hocha la tête.

– Je ne crois pas que le Syndicat Tenloss se doute qu'Ororo Transports est en train d'essayer de mettre la main sur notre affaire d'épices dans le Secteur Baji. Je suppose que nous pourrions le leur faire savoir et les laisser régler ce petit différend mais cela ne me convient guère. Je veux que vous alliez sur place pour rencontrer les gens d'Ororo. Faites leur part de notre... *mécontentement* en ce qui concerne leurs ambitions.

Guri hocha de nouveau la tête.

– Avant de partir, laissez un message à Dark Vador. Dites-lui que j'aimerais le rencontrer à sa convenance.

– Oui, mon Prince.

– Ce sera tout.

Elle sortit. Xizor regarda son estomac onduler sous les fortes contractions du stimulateur, ses abdominaux formant des rectangles symétriques aux bords arrondis. Il n'y avait pas la moindre once de graisse autour de ses muscles.

Envoyer Guri pour traiter avec Ororo était une chose nécessaire. La cupidité ne prenait jamais de repos. Il incombait donc à Xizor de s'assurer que tout le monde était conscient du fait qu'essayer de doubler le Soleil Noir, c'était courir droit à la faillite. La simple intervention de Guri suffirait probablement à taper sur les doigts des dirigeants de la compagnie et à les faire rentrer dans les rangs. Seulement, Xizor ne giflait jamais du plat de la main lorsqu'il s'avérait qu'un violent crochet du droit était mérité. Si vous vouliez faire du mal à un ennemi, il fallait lui en faire suffisamment pour lui ôter toute idée de se venger. C'était une vérité pure et simple.

Xizor avait des plans en ce qui concernait Ororo, des plans qui non contents de les châtier pour leur stupidité serviraient également ses desseins sur d'autres territoires. Tout était intimement lié dans cette galaxie ; une petite étincelle à un endroit pouvait se transformer ailleurs en effroyable incendie, si on savait comment l'attiser correctement. Xizor cherchait toujours les liens, vérifiait toujours comment un événement de ce côté-ci de la galaxie pouvait lui servir de l'autre côté, ou vice versa. Tout comme dans un holojeu tridimensionnel, certains coups anodins pouvaient préparer le terrain pour des manœuvres beaucoup plus ambitieuses. Une poussée au bon endroit et au bon moment pouvait, en théorie, déplacer une montagne. C'était le devoir de Xizor de savoir quand et où pousser.

Oui, c'est vrai, Ororo allait payer pour sa témérité, et d'une façon que personne n'aurait osé imaginer.

Il se rallongea et laissa la machine myostimulante le rendre plus fort.

Dark Vador dévisagea l'hologramme de Guri, le droïd humain de Xizor.

– Très bien, dit-il. Dites à votre maître que je vais le rencontrer. J'ai quelques affaires à régler à bord de la résidence orbitale de l'Empereur. Qu'il m'y rejoigne dans trois heures standard.

Vador coupa la connexion. Que voulait donc Xizor?

Quoi qu'il en soit, il ne croyait pas une seconde que cela puisse être utile à l'Empire – c'était sans doute d'abord utile à Xizor.

Le Seigneur Noir de Sith traversa à grands pas les coursives de son château jusqu'à l'endroit où sa navette personnelle était gardée. Il aurait très bien pu emprunter un turbo-élévateur jusqu'à la résidence orbitale – la plupart des passagers et des marchandises transitaient de ces satellites gigantesques jusqu'au centre de la Cité Impériale par ce moyen – mais il n'était pas resté en vie aussi longtemps pour s'amuser à prendre un risque aussi stupide. Les ascenseurs qui desservaient les stations orbitales ne tombaient qu'extrêmement rarement en panne mais ils représentaient des points très vulnérables qu'on pouvait attaquer de l'intérieur comme de l'extérieur. Non, mieux valait être aux commandes d'un vaisseau personnel blindé, un vaisseau depuis lequel le Côté Obscur autant que les canons lasers pouvaient se déchaîner si le besoin s'en faisait sentir.

En traversant l'une des grandes antichambres de ses quartiers, Vador réfléchit à un autre point. Pour le moment, l'Empereur ne voulait pas qu'il pourchasse personnellement Luke Skywalker. Bien qu'il n'en ait pas encore parlé ouvertement, l'Empereur savait que la construction de la toute nouvelle Etoile Noire avait pris un retard considérable. Les responsables n'arrêtaient pas de sortir des excuses de leurs manches : c'était à cause du matériel, de la faute des ouvriers, des plans qui changeaient tout le temps. Et l'Empereur s'impatientait. Vador était pratiquement sûr que ce n'était qu'une question de temps avant que l'Empereur ne l'expédie là-bas pour vérifier les causes du retard que prenait le projet. C'était étonnant de voir un général, qui traînait les pieds dès que l'Empereur avait le dos tourné, se rappeler soudain qu'il savait courir dès qu'on invoquait le Côté Obscur. Ces officiers impériaux qui se moquaient de la Force le faisaient en toute ignorance de ce qui pouvait leur arriver.

Ceux qui ne craignaient pas les pouvoirs de Dark Vador étaient ceux qui n'avaient jamais eu à se trouver face à face avec lui.

Vador n'était pas d'accord. Il sentait que l'Etoile Noire n'était pas l'arme invincible et omnipotente que ses concepteurs avaient promise à l'Empereur. Il avait déjà entendu une histoire semblable. Les Forces Rebelles, faiblement équipées, avaient démontré en détruisant la première Etoile Noire combien l'Empire s'était trompé.

Non. Cela n'était pas strictement exact. Luke Skywalker avait décoché le rayon fatal, prouvant – à la grande satisfaction de Vador – que la Force était bien plus puissante que la plus sophistiquée et la plus mortelle des technologies. Mais l'Empereur ne voulait rien savoir et il n'y avait rien à y faire. Il n'y avait rien eu à faire non plus pour éviter de rester sur Coruscant à se tourner les pouces. Telle était la volonté de l'Empereur.

Vador atteignit la base d'envol de sa navette. Un garde attendait, debout près de la porte.

– Ma navette est-elle prête à décoller?

– Oui, Seigneur Vador.

– Bien.

Il était arrivé une fois que le vaisseau ne soit pas prêt au moment voulu. Vador avait fait comprendre son mécontentement aux techniciens responsables et l'exemple avait été suffisant pour que l'incident ne se reproduise jamais plus.

Vador passa devant le garde dans un ample mouvement de cape et marcha vers son appareil.

Très bien. Puisqu'il ne pouvait pas se charger personnellement de courir après Luke, il pouvait s'arranger pour que quelqu'un d'autre le fasse à sa place. La machine était déjà en marche. Une forte récompense et la gratitude de Dark Vador étaient offertes à qui était capable de lui ramener Luke Skywalker vivant. Cela devait suffire pour l'instant.

– Et pourquoi moi? demanda Luke.

Ils se tenaient regroupés près du *Faucon*. Les techniciens chargés de la maintenance des appareils de l'Escadron Rogue allaient et venaient autour du vaisseau pour réparer les dégâts causés lors de l'expédition manquée pour coincer

Boba Fett. Depuis leur arrivée, la température à l'intérieur du grand hangar de fortune n'avait pas beaucoup monté.

Leia prit la parole.

– Parce que c'est votre planète natale et que vous connaissez l'endroit mieux que quiconque. Quelqu'un doit s'y poster pour attendre Boba Fett. Vous avez besoin de vous entraîner pour parfaire vos talents de Chevalier Jedi et vous avez besoin d'un endroit calme pour cela. Vous êtes donc le choix qui s'impose.

Luke secoua la tête. L'idée ne lui plaisait pas. De plus, il était persuadé que Leia n'était pas tout à fait franche avec lui.

– Et vos affaires avec l'Alliance, ça ne peut pas attendre?

– Non. Emmenez D2 et retournez à la maison de Ben. Lando, Chewie, C3 PO et moi, nous nous y retrouverons dès que j'en aurai terminé.

Luke soupira. Elle avait probablement raison mais cela ne facilitait pas les choses.

– Entendu. Mais soyez prudente.

Luke décolla à bord de son aile-X avec D2. Il avait entassé de l'eau et de la nourriture à bord de l'appareil. Le voyage allait être très long et il en serait quitte pour une bonne douche à son arrivée.

Après son départ, Leia alla s'entretenir avec Dash Rendar.

– Vous êtes disponible pour un travail? lui demanda-t-elle.

– Mon cœur, je suis toujours disponible... Si on y met le prix.

– Je souhaiterais que vous alliez sur Tatooine pour garder un œil sur Luke.

Dash leva les sourcils.

– Comme garde du corps? C'est dans mes cordes. Mais le gamin ne va pas beaucoup apprécier s'il l'apprend.

– C'est pourquoi vous devrez rester hors de vue, dit Leia. Quelqu'un a déjà tenté de le tuer et je pense qu'on va encore essayer. Combien?

Dash annonça un prix.

Lando siffla entre ses dents.

– Eh bien, mon pote, t'es vraiment un bandit, toi.

– Les meilleurs éléments sont rarement les moins chers. Et payable d'avance, je vous prie, Princesse.

Leia esquissa un sourire.

– Vous avez une bien piètre opinion de moi, Dash. Ai-je l'air stupide à ce point? Non. Un tiers d'avance. Deux tiers lorsque nous arriverons. S'il est toujours en vie.

– Ça, je ne peux pas vous le garantir.

– Je pensais que vous étiez le meilleur.

Dash sourit.

– Je le suis. La moitié d'abord. Le reste à votre arrivée.

– Marché conclu.

Après avoir payé Dash et que ce dernier fut parti, Leia se tourna vers Lando.

– Bon. Laissez-moi vous poser une question hypothétique.

– Si une réponse hypothétique ne vous gêne pas, allez-y.

– Quel serait le meilleur moyen de contacter quelqu'un de haut placé au Soleil Noir?

Lando la dévisagea comme si elle venait de lui annoncer qu'elle pouvait voler rien qu'en agitant les bras. Il secoua la tête.

– Le *meilleur* moyen? Ne pas les contacter!

– Je vous en prie, Lando, c'est très important.

– Princesse, le Soleil Noir, ça sent vraiment pas bon. On ne fricote pas comme ça avec eux.

– Je n'ai pas l'intention de fricoter avec eux. Disons simplement que j'aimerais bien savoir ce qu'ils portent pour dormir.

– Quoi?

– Quelqu'un a essayé de tuer Luke, reprit Leia. C'était peut-être Vador. Peut-être pas. Le Soleil Noir possède un vaste réseau d'espions, plus ancien et probablement plus étendu que celui de l'Alliance. Eux pourraient découvrir le responsable.

Chewie dit quelque chose à mi-chemin entre le grognement et les pleurs.

– Tu parles, Charles, dit Lando. (Chewie et lui échangèrent des regards.) Je persiste à dire que ce serait une grosse bêtise.

– Mais vous avez les contacts, continua Leia. Vous pouvez me les faire rencontrer, pas vrai ?

– Ce n'est pas une bonne idée.

– Lando...

– Ouais, ouais. Je connais quelques gars.

Elle sourit.

– Très bien. Où peut-on les trouver ?

11

La résidence orbitale de l'Empereur était une fois et demie plus grande que celle de Xizor et beaucoup plus somptueuse. Le Prince Sombre préférait, quant à lui, conserver ses trésors les plus chers sur la planète. Il avait l'impression qu'ils y étaient plus en sécurité. Ce n'était pas par peur de voir la résidence quitter son orbite et venir s'écraser sur le sol. Cela n'était arrivé à Coruscant qu'une seule fois en une bonne centaine d'années. L'accident était le résultat d'une succession dramatique d'événements : une panne de courant, un ouragan solaire et la collision avec un cargo.

Mais l'Empereur était à la tête de bien plus de richesses que quiconque dans toute la galaxie. La perte d'un satellite de la taille d'une ville ne serait qu'une goutte d'eau dans l'océan de ses trésors.

Xizor se tenait sur une large terrasse très élevée qui dominait le jardin central de l'immense résidence spatiale. Ses gardes du corps, maintenant au nombre de douze, formaient un demi-cercle depuis le bord du balcon au centre duquel Xizor était seul. Il regarda les arbres à feuilles persistantes ou caduques. La cime de certains dépassait les trente mètres. La section du parc qui se trouvait juste en dessous de la terrasse était dotée de son propre contrôle climatique. On y avait fait pousser une jungle très dense. Des fleurs colorées – rouge électrique, bleu vif, orange phosphorescent – ponctuaient les feuillages. Les dégradés allaient du vert pâle, pour les pousses les plus jeunes, au noir pour certaines grosses lianes noueuses aux larges feuilles.

Xizor ne s'intéressait guère à la botanique mais il savait reconnaître du bon travail lorsqu'il en voyait. Peut-être pourrait-il convaincre le jardinier de l'Empereur de venir s'occuper de ses jardins à bord de sa propre résidence orbitale ?

Il sentit Vador approcher bien avant de pouvoir le voir ou même l'entendre. L'homme avait une présence certaine, aucun doute là-dessus. Xizor se tourna vers lui et s'inclina légèrement.

– Seigneur Vador.

– Prince Xizor. Vous vouliez m'entretenir de quelque chose ?

Pas de formule de politesse, pas de petite phrase aimable de la part de Vador. C'était presque rafraîchissant, se dit Xizor, comparé à la meute de larves obséquieuses qu'il avait l'habitude de côtoyer. Presque.

– Oui. L'emplacement d'une base secrète rebelle a été porté à ma connaissance. Je me suis permis de penser que ce genre d'information vous intéresserait.

Vador demeura silencieux. Seule sa respiration mécanique et mesurée se fit soudain un peu plus forte. Xizor eut l'impression de voir le cerveau du Seigneur Noir au travail, évaluant, calculant et se demandant où l'individu qui était à la tête du Soleil Noir voulait en venir.

Xizor conserva une expression aussi neutre que possible car il savait que des holocaméras enregistraient la scène. Les siennes, celles de l'Empereur, celles de Vador et celles de tout espion suffisamment doué pour duper n'importe quel système de sécurité du satellite.

– Bien sûr, approuva finalement Vador. Où se trouve cette base ?

– Dans le Secteur Baji, sur la Bordure. Plus précisément dans le Système Lybeya, cachée sur l'un des grands astéroïdes de Vergesso. J'ai cru comprendre qu'il y a là-bas un chantier où de nombreux vaisseaux seraient en réparation. Peut-être des centaines de vaisseaux, allant du chasseur au transporteur de troupes.

Vador ne dit rien.

– La destruction d'une telle base handicaperait grandement l'Alliance, continua Xizor.

L'idée était très en dessous de la vérité et la phrase sonnait aussi plat que s'il avait dit que de la neige au soleil avait quelque chance de fondre.

Il y eut, de nouveau, un silence prolongé.

– Je vais demander à mes agents de voir de quoi il retourne, dit enfin Vador. Si cela s'avère, l'Empire vous sera... redevable.

Oh, que cela devait faire mal d'avoir à dire une chose pareille. Xizor adressa un hochement de tête courtois à Vador.

– Je ne fais que mon devoir, Seigneur Vador. Il n'est pas nécessaire de me remercier.

Il eut l'impression que Vador ne savait plus où se mettre. Devoir quelque chose à Xizor lui restait certainement en travers de la gorge. Mais que pouvait-il faire ? Si cette information était vraie – et elle l'était certainement – le morceau serait de choix, bien mûr et succulent. Les Rebelles ne possédaient pas tant de vaisseaux que cela et ils ne pouvaient pas se permettre d'en perdre ne serait-ce que quelques-uns. Quant à perdre l'équivalent d'une flotte entière parquée dans un chantier de construction... c'était là un excellent service rendu à l'Empire.

Ce que les Rebelles et l'Empire ignoraient, c'est que ce chantier était la possession d'Ororo Transports, cette même compagnie qui avait osé marcher sur les platesbandes du Soleil Noir en voulant s'accaparer le marché des épices dans ce secteur de la galaxie – abondance de biens ne pouvait nuire. C'était là une bonne façon de harponner deux anguilles avec la même lance : d'énormes dégâts seraient causés à Ororo et la confiance de l'Empereur en Xizor en serait grandie.

C'était comme une marée qui ne rejetait sur le rivage que des choses malfaisantes.

Vador tourna les talons et quitta les lieux, sa cape noire flottant dans son dos. Les gardes du corps de Xizor s'écartèrent prudemment pour lui laisser le passage.

Vador allait devoir vérifier l'information. L'Empereur enverrait un détachement pour s'occuper de la base et, avec un peu de chance, il se verrait confier le commandement du détachement. Vous avez découvert cela, occupez-vous-en. C'était dans la nature de l'Empereur que d'arranger les choses de cette manière. Cela mettrait temporairement Vador à l'écart et donnerait ainsi un peu plus de liberté à Xizor pour mettre son plan à exécution.

Le Prince Sombre se tourna et observa la magnifique jungle miniature en contrebas. Les projets étaient comme les plantes. Vous les plantiez où vous vouliez, vous les arrosiez et leur donniez de l'engrais, vous les tailliez si le besoin s'en faisait sentir et ils poussaient selon vos désirs. Ils s'épanouissaient et fleurissaient.

Il fit signe à un de ses gardes du corps de s'approcher.

– Mon Seigneur?

– Trouvez-moi qui s'occupe de ça. (Il montra le parc d'un revers de la main). Offrez-lui deux fois le montant de crédits qu'on lui donne ici pour qu'il vienne travailler à ma résidence orbitale.

– Bien, mon Seigneur.

Le garde salua et sortit précipitamment.

Xizor prit une profonde inspiration et inhala l'air riche en oxygène et en senteurs de jungle. L'air semblait si naturel. Comme des champignons humides, de la mousse et de l'herbe fraîchement coupée, le tout combiné en une odeur délicate. Oui, si naturel. Et Xizor ne se sentait jamais aussi bien que lorsqu'il arrivait à manipuler les choses à son idée.

Luke recouvrit son aile-X d'un filet de camouflage et vint se poster près de D2.

– Voilà, ça devrait aller comme ça.

Depuis le ciel, l'appareil devrait être invisible, et tous ses systèmes électriques coupés afin que quelqu'un volant à proximité ne puisse le détecter au radar. L'incident avec la chef mécanicienne ne l'avait pas troublé outre mesure mais la raison lui dictait qu'il valait mieux qu'on ne découvre pas qu'un vaisseau de l'Alliance était garé dans le coin.

La chaleur montait du sol en vagues miroitantes, les soleils irradiaient et dégageaient plus de lumière que le désert n'était capable d'en absorber. Les reflets dans le sable étaient aveuglants et Luke gardait les yeux plissés en permanence pour se protéger de la vive lumière. Il n'était pas très inquiet à l'idée que quelqu'un pourrait passer par hasard dans les environs. Personne ne venait ici sans une bonne raison.

Il marcha jusqu'à la maison – qu'il considérait toujours comme celle de Ben – et D2 le suivit en roulant sur le sol irrégulier. Le droïd courtaud couina et sifflota. Il semblait préoccupé et Luke devina qu'il voulait parler de Leia et des autres.

– Ouais, je sais. Moi aussi je me fais du souci à leur sujet. Mais ne t'inquiète pas, tout ira bien pour eux.

Enfin, c'est ce qu'il espérait.

Une fois entré chez Ben, Luke pressa un bouton et l'une des faces de synthépierre glissa pour révéler les panneaux solaires cachés dans le toit. L'alimentation électrique de la maison était restée en mode réduit pour économiser les batteries pendant tout le temps où il avait été absent et il ne faisait pas plus frais dedans que dehors. Avec la mise en service soudaine des capteurs énergétiques, le système domestique disposa de plus de ressources qu'il n'avait l'habitude d'en gérer et l'air conditionné se mit à tourner à plein régime. Une douce et fraîche brise envahit alors la maison.

Luke se sentait poisseux après son long voyage dans l'espace. Il se déshabilla et prit une longue douche. Fort heureusement, les condensateurs avaient rempli les réservoirs souterrains pendant son absence et l'eau était en quantité suffisante pour qu'il se lave et se rince à deux reprises. Il se sentit beaucoup mieux après la douche. Le trajet était long depuis Gall et pendant tout ce temps il avait rêvé de pouvoir se dégourdir les jambes et dormir dans un vrai lit.

Mais peut-être allait-il d'abord terminer la taille des facettes de la gemme-lentille de son sabrolaser. Il pensait à beaucoup trop de choses et se dit qu'il ne lui serait pas vraiment possible de faire une sieste. Du moins pas tout de suite. Bien trop de pensées bourdonnaient dans sa tête. Puisqu'il était éveillé, autant utiliser ce temps à faire quelque chose d'utile.

Il passa une tunique et s'assit à la table de travail.

– Rodia ? demanda Leia.

– Rodia, dit Lando.

Ils étaient à bord du *Faucon* et traversaient l'hyperespace. Chewie était endormi dans la couchette juste derrière la salle principale du vaisseau. C'était la seule qui soit suffisamment longue pour qu'il puisse s'y étendre. C3 PO s'était déconnecté. Lando et Leia étaient donc seuls dans le cockpit.

– Et pourquoi Rodia ? Ça fait une trotte alors qu'on est à mi-chemin de Coruscant.

– Je sais, mais c'est là que se trouve mon contact. Avaro, c'est son nom. Il possède un petit casino dans le complexe de jeux d'Equateur City. Le complexe est dirigé par le Soleil Noir. Avaro saura certainement qui il nous faut rencontrer.

– Bon, d'accord.

– Ça risque juste d'être un tout petit peu compliqué.

– Et pourquoi ça ?

Lando secoua la tête.

– Eh bien, avant que Vador ne débarque sur la Cité des Nuages pour livrer Solo à Boba Fett, d'autres chasseurs de primes étaient à la recherche de Yan. Pendant que nous nous tournions les pouces à Mos Esley, j'ai découvert qu'un bandit rodien appelé Greedo s'était fritté avec Yan dans l'une des cantinas de la ville. Greedo était venu pour le zigouiller et toucher la récompense. Il y a eu une fusillade. Yan s'en est sorti. Pas Greedo.

– Et ?

– Greedo était le neveu d'Avaro.

– Et vous pensez qu'il va nous en tenir rigueur ? demanda Leia.

– Peut-être. Peut-être pas. Tout ce que je sais des coutumes rodiennes, c'est qu'ils ont la rancune facile. Si quelqu'un tuait mon neveu, il y a des chances que je ne sois pas ravi de rencontrer cette personne.

– Oui, mais nous on n'a rien fait. C'est Yan qui l'a tué.

Lando sourit.

– Eh bien, oui, c'est vrai. Mais nous sommes des amis de Yan.

Leia s'affala dans son fauteuil. Des obstacles, toujours des obstacles. Mais peut-être que cela ne poserait pas problème après tout. Impossible à dire tant qu'ils ne seraient pas sur place.

Alentour, l'hyperespace s'enroulait autour du *Faucon* et ils volaient sans savoir ce qui les attendrait à leur arrivée.

Vador posa un genou à terre. L'Empereur, debout devant sa baie vitrée blindée, admirait la découpe des tours les plus hautes de la cité. Il se retourna brusquement.

– Relevez-vous, Seigneur Vador.

Vador obéit.

– Alors, nos agents ont vérifié ce rapport?

– C'est exact, mon Maître.

– Une centaine de vaisseaux rebelles, c'est cela? Plus, sans doute, les pilotes et les officiers.

– Il semblerait, oui.

– C'est bien le secteur du Grand Moff Kintaro, non? Quel laxisme de sa part que d'avoir laissé une telle base s'installer. Nous allons lui en toucher deux mots.

Vador ne dit rien. Le Grand Moff Kintaro allait bientôt perdre son emploi et il y avait fort à parier qu'il y perdrait aussi le souffle. De façon permanente.

– Bon. Vous devez rejoindre la Flotte pour vous rendre immédiatement dans ce secteur. Détruisez cette base. La perte en vaisseaux et en hommes portera sérieusement atteinte au moral des Rebelles.

– Je pensais que, peut-être, l'Amiral Okins aurait pu prendre le commandement de l'expédition.

L'Empereur sourit.

– Vous le pensiez?

Vador sentit ses espoirs disparaître en fumée.

– Mais si telle est votre volonté, je dirigerai l'attaque.

– Oui, telle est ma volonté. Vous pouvez emmener Okins avec vous, si cela vous fait plaisir. Mais vous superviserez personnellement l'assaut.

Vador s'inclina.

– Bien, mon Maître.

En quittant les appartements les plus privés de l'Empereur, Vador sentit la colère monter en lui. La base était bien là, exactement à l'endroit que Xizor leur avait indiqué. La victoire serait décisive pour l'Empire et elle serait relativement facile. Après tout, des vaisseaux en cours de réparation ne seraient guère capables de décoller pour se défendre et l'attaque serait aussi simple que de tirer sur des oiseaux attachés à leurs perchoirs. Cependant, Vador ne faisait pas confiance au Prince Sombre et il savait parfaitement que l'individu ne faisait jamais rien gratuitement.

Qu'est-ce que Xizor allait bien pouvoir tirer de cette affaire ? Qu'espérait-il y gagner ?

Vador ressassa toutes ces questions en marchant. Du moins avait-il réussi à dissimuler à l'Empereur d'où lui était parvenue l'information concernant l'emplacement de la base rebelle. Il avait fait effacer tous les enregistrements des holocaméras de la résidence orbitale. Ceux qu'avaient fournis ses propres caméras étaient placés en lieu sûr. Une bien petite victoire mais n'importe quel point gagné contre Xizor était toujours bon à prendre.

Vador fut rejoint à la sortie du Palais Impérial par l'Amiral Okins.

– Que vos vaisseaux se tiennent prêts, Amiral. Je dirigerai personnellement l'attaque depuis mon destroyer.

Okins s'inclina.

– A vos ordres, Seigneur Vador.

Vador releva la tête et observa les cieux nocturnes qui s'étendaient au-dessus de la Cité Impériale. Les ténèbres étaient refoulées par les millions de lumières qui scintillaient à la surface de la planète. Là-haut, où l'obscurité reprenait le dessus, on apercevait les minuscules points lumineux des vaisseaux spatiaux en approche ou en partance. Leurs balises clignotantes – blanches, vertes et rouges – évoquaient un essaim de lucioles belvariennes. Vador allait emmener sa flotte, détruire le chantier rebelle, le réduire en poussière et puis il reviendrait ici très vite. Xizor avait certainement une idée derrière la tête et le mieux serait de découvrir rapidement en quoi elle consistait.

12

Luke inspira profondément. Il était debout à l'extérieur de la maison de Ben. Les premières étoiles de la soirée commençaient à poindre et la lune se levait doucement. L'air était encore chaud mais ce n'était plus la fournaise de l'après-midi. Il tenait le sabrolaser enfin terminé dans sa main droite. Il l'avait assemblé en suivant à la lettre les indications du vieux livre. Cela devrait marcher.

Devrait. Il était tout de même sorti pour faire le test. Ainsi, si tout explosait, il ferait moins de dégâts.

D2 se tenait à proximité et observait la scène. Luke aurait très bien pu obliger le droïd à faire l'essai à sa place. Ce qui aurait été moins risqué, mais quel véritable Jedi se serait permis une chose pareille ?

– Retourne à l'intérieur, ordonna-t-il.

D2 ne fut pas très content de cet ordre et le lui fit savoir. Sa phrase électronique se termina en un bruit comparable à celui d'un ballon qui se dégonfle.

– Allez. Si quelque chose m'arrive, je veux que tu ailles tout raconter à Leia.

Ouais, c'est ça. Dis-lui que Luke, le plus bel idiot de la galaxie, s'est carbonisé et s'est lui-même réduit en un petit tas de cendres noires parce qu'il n'a pas été capable de déchiffrer correctement un simple schéma électronique.

D2 s'en alla tout en sifflant des airs de protestation.

Luke souffla tout doucement. Il attendit que D2 soit

hors de vue, inspira de nouveau à fond et appuya sur le bouton de la commande...

Le sabrolaser s'illumina ; la lame se déploya à la bonne longueur – un petit peu moins d'un mètre – et se mit à bourdonner au rythme de l'énergie qui l'alimentait. Le rayon était d'un vert qui brillait fortement dans la nuit naissante.

Luke sourit, respira de nouveau. *Ouf.*

En fait, il ne pensait pas vraiment que l'arme allait exploser.

Il balança le sabre devant lui pour le tester. L'équilibre était bon, peut-être même meilleur que pour l'arme précédente. Il se mit en garde, glissa en avant et exécuta une série de coups, frappant vers le bas puis fouettant de gauche à droite et revenant en arrière.

Oui !

Une pointe de rocher jaillissait du sol desséché à quelques mètres de là. Il s'en approcha, resserra sa prise sur le sabrolaser et l'abattit selon un angle de quarante-cinq degrés. La lame bourdonnante claqua, emporta un pan de roche gros comme le poing, ne laissant qu'une marque très lisse.

Luke hocha la tête et se détendit, abandonnant sa position de combat. Il approcha sa main gauche de la lame. Aucune sensation de chaleur ; c'était très bon signe, cela signifiait que les superconducteurs étaient en parfait état de marche.

Derrière lui, D2 émit un petit son et s'approcha en roulant.

Luke coupa l'alimentation de sa vibrolame. Il aperçut le droïd et soupira. Ce D2 n'en faisait vraiment qu'à sa tête.

– Tu vois, ça fonctionne, dit-il. Je savais que ça allait marcher, tu sais.

Il eut l'impression que le sifflement d'approbation de D2 était teinté d'une pointe de sarcasme.

Luke pouffa. Tout cela n'avait guère d'importance. Il venait de se construire une arme élégante et elle obéissait parfaitement. Ça, c'était important.

Peut-être finirait-il par devenir un Maître Jedi, après tout.

Il regarda vers les étoiles. Il espéra que Leia et les autres allaient bien.

Leia, Chewie et Lando étaient assis dans le bureau privé d'Avaro. Ils faisaient face au Rodien assis de l'autre côté d'une grande table faite d'une sorte d'os jaunâtre sculpté. La peau d'Avaro virait au vert terne, il était bien plus gros que la plupart des Rodiens que Leia avait rencontrés et il parlait le basique en zézayant.

– Ve ne vois aucun pwoblème, dit-il. Gweedo n'auwait pas dû f'attaquer à Folo tout feul. Il n'était pas bien malin fe neveu. Folo est convelé, Kenobi est mowt, votwe awvent est auffi valable que felui de n'impowte qui.

Eh bien, voilà qui en disait long sur l'importance qu'il attachait aux liens familiaux. Cela rendait les choses plus faciles. Leia aurait cependant apprécié qu'Avaro s'exprime dans une langue dans laquelle il aurait été plus à l'aise. Laquelle ? Leia n'aurait pas pu le dire, étant donné que sa connaissance du langage rodien était plus qu'élémentaire. Elle arrivait tout de même à le comprendre en faisant un petit effort et c'était tout ce qui importait.

– Donc, vous allez nous faire rencontrer les gens qu'il faut ?

Avaro hocha la tête.

– Abfolument. Fela va pwendre quelques vouws. Les contacts locaux ne fewont pas fuffivant, vous auwez bevoin d'un wepwésentant qui ne foit pas de fette planète.

– Très bien.

– En attendant, vous êtes libwes de pwofiter de notwe cavino. Ve vais vous faiwe pwépawer des fambwes.

Leia acquiesça.

– Merci.

Si Mos Esley était hideux, cet endroit était encore pire, pensa-t-elle en quittant le bureau d'Avaro. Ils se dirigèrent vers l'hôtel. Il y avait des machines de jeux électroniques, des tables de cartes, des loteries et des tas d'autres choses du même acabit, avec des joueurs, des croupiers et des surveillants à foison. Le sol était usé et sale, l'air complètement enfumé et chargé d'une odeur d'épices qui indiquait clairement que certains clients étaient dopés aux substances chimiques. Ou bien complètement abrutis par elles. Tout dépendait du point de vue qu'on en avait. Des gardes très costauds et armés jusqu'aux dents étaient postés à intervalles réguliers. On aurait dit qu'ils cherchaient quelqu'un à tuer. Tout avait l'air miteux et très mal entretenu.

Lando regardait tout autour de lui d'un œil critique.

– Vous voyez quelque chose qui vous plaît? demanda Leia.

– Quelques parties de cartes me donnent l'impression d'être relativement réglo. Un établissement comme celui-ci dans un complexe où il y a tant d'autres casinos doit faire preuve d'un minimum d'honnêteté. Les pourcentages prélevés par la direction doivent assurer un assez bon profit et s'il n'y a pas un gros gagnant de temps en temps, cela décourage les autres clients et ils vont jouer ailleurs. Il vaut mieux se tenir à l'écart de la disquette et des loteries. Ces jeux-là sont truqués.

– Ne vous inquiétez pas, je ne suis pas joueuse.

Lando eut un large sourire.

– J'ai dit quelque chose de drôle? reprit Leia.

– Princesse, vous êtes la plus grande joueuse que j'ai jamais rencontrée. Mais vous, vous ne risquez pas d'argent, vous risquez votre peau.

Leia fut obligée de sourire à cette remarque. Il avait raison sur ce point.

C3 PO attendait à l'entrée et ne semblait pas très heureux d'être là. Il eut l'air soulagé de les voir revenir.

– J'espère que votre rendez-vous s'est bien passé?

– Ouais, très bien, répondit Lando. Cependant je pense que nous t'emmènerons avec nous la prochaine fois pour que tu assures la traduction. Avaro a un petit problème avec le basique.

– Je suis heureux de pouvoir rendre service, dit C3 PO. Je préfère d'ailleurs aller avec vous que de rester ici, dehors, tout seul, à vous attendre. Certains clients me paraissent peu recommandables.

C'était un bien bel euphémisme. Leia sourit de nouveau.

– Bien, on ferait mieux d'aller prendre possession de nos chambres à l'hôtel, remarqua Lando. On aura toujours le temps de revenir ici pour tâter de l'honnêteté de cet endroit.

Une semaine standard s'était presque écoulée depuis sa dernière rencontre avec l'Empereur et Dark Vador, debout sur le pont de son superdestroyer, s'apprêtait à quitter l'hyperespace. Ils venaient d'entrer dans le Secteur Baji et aborderaient bientôt le Système Lybeya. En formation se trouvaient deux destroyers de classe *victoire* et un de classe *impériale*. Une puissance de feu plus que suffisante pour détruire un simple chantier de construction.

Il valait mieux plus que pas assez, avait dit l'Empereur.

Vador ne tirait aucune joie particulière de ce type de mission. C'était très impersonnel mais c'était l'une des phases nécessaires de la guerre. L'ennemi ne pouvait pas se battre sans équipement et réduire à néant ses ressources était une opération bien plus rentable à long terme que d'avoir à combattre. Les préférences personnelles de Vador n'avaient donc rien à voir là-dedans.

– Nous passons en subluminique, Seigneur Vador.

Il se retourna et vit qu'un jeune sous-officier se tenait derrière lui. Vador avait entendu que les officiers tiraient à la courte paille dès qu'il y avait quelque chose à lui dire. Le perdant était alors désigné comme porteur du message. C'était une bonne chose qu'ils aient tous peur de lui. La peur était une bien meilleure arme qu'un blaster ou un sabrolaser.

Vador demeura silencieux, et l'homme commença à se faire du souci.

– Très bien, finit-il par dire. Mettez le cap sur les Astéroïdes de Vergesso en utilisant les coordonnées stellaires du chantier. Je serai dans mes quartiers. Faites-moi savoir dès que nous arriverons.

– Bien, Seigneur Vador.

Vador resta debout à observer l'officier terrifié qui partait précipitamment. Il aurait dû être en train de pourchasser Luke Skywalker plutôt que de jouer les figures de proue en dirigeant une mission que n'importe quel officier à l'intelligence limitée aurait pu mener à bien. Évidemment, ses agents étaient sur le terrain – certains étaient volontaires, d'autres avaient été désignés d'office – et la plupart étaient très fiables, mais ce n'était pas la même chose que d'avoir à mener la chasse soi-même.

Il exhala de façon particulièrement douloureuse. Malheureusement, on ne lui avait pas donné le choix. L'Empereur ne vous demandait pas votre avis lorsqu'il vous donnait un ordre.

Pour Vador, le mieux était encore de se dépêcher et de boucler cette mission aussi vite que possible.

Il regagna ses quartiers.

Lando s'assit à une table en compagnie de cinq autres joueurs et ils commencèrent une partie d'un jeu de cartes que Leia ne reconnut pas. Chaque participant se voyait remettre sept rectangles électroniques très fins par le droïd croupier. Un joueur avait le droit d'en rejeter jusqu'à quatre et d'en piocher autant. Le but consistait à trier ses cartes par couleurs et par numéros, puis de parier sur la valeur de cette combinaison en espérant qu'elle totaliserait plus de points que celles des adversaires ou qu'elle s'approcherait d'une sorte de total idéal. Leia n'arrivait pas encore bien à comprendre de quoi il s'agissait. Apparemment chaque joueur recevait, en début de partie, le même nombre de points à miser sur un compteur placé devant lui, le gagnant était celui qui totalisait le plus grand nombre de points à la fin de la session.

Lando semblait bien se débrouiller. Le compteur électronique indiquait un chiffre supérieur à celui des autres joueurs, sauf un.

– La mise est de quinze, dit le droïd. La somme est minimum et la couleur libre.

– Match, annonça l'homme chauve assis à côté du croupier. En vert.

– Match en bleu, lança une jeune Rodienne assise près de lui.

– Double ! dit Lando. En rouge.

Les autres joueurs grommelèrent.

C3 PO se tenait à proximité de Chewie et observait attentivement la partie. En gardant sa voix aussi basse que possible, il s'adressa à Leia.

– Je n'arrive pas à comprendre comment il ne cesse de gagner. Il ne joue pas correctement. Les probabilités de remporter le match qu'il vient de proposer sont de huit cent six contre un. Cela me paraît très difficile d'arriver à la combinaison gagnante.

– Il bluffe, chuchota Leia.

C3 PO se tourna pour la regarder.

– Cela ne me semble guère raisonnable.

Trois joueurs se débarrassèrent de leurs cartes et les glissèrent dans la fente de défausse.

– Bien sûr que ça l'est, dit Leia. Il est en train de gagner et les autres sont intimidés. Plutôt que de risquer de perdre plus, ils préfèrent se coucher.

– Mais que se passerait-il si l'un des joueurs avait une meilleure main et refusait de se coucher?

– Regarde, chuchota-t-elle.

Il ne restait plus que Lando, le chauve et la Rodienne dans le tour.

– Match, dit le chauve.

– Plus un dixième, dit la Rodienne.

– Redouble, dit Lando. En rouge. Compte maximum.

– Mais il ne peut pas faire une chose pareille! chuchota C3 PO.

Chewie se tourna vers lui et gronda.

– Pas besoin d'être impoli. Je me contentais simplement d'exposer la vérité...

– La ferme! le coupa Leia.

Elle était impatiente de voir comment les autres joueurs allaient réagir à l'annonce de Lando.

Le chauve secoua la tête et posa ses cartes.

– Trop pour moi.

La Rodienne regarda ses cartes. Elle les tenait de telle sorte que Leia ne pouvait pas les voir. Puis elle regarda Lando.

Ce dernier lui sourit. L'expression était chaleureusement moqueuse. Il avait l'air satisfait, confiant, presque suffisant.

Bon sang qu'il était bon.

La Rodienne marmonna quelque chose que Leia ne comprit pas. Elle se douta cependant qu'il devait s'agir d'un juron. Elle jeta ses cartes dans la défausse.

– Tour gagné par le joueur numéro trois, dit le droïd croupier.

Lando jeta également ses cartes et se tourna vers Leia pour lui sourire.

– Je ne peux pas le croire, dit C3 PO.

– Il y a des fois où faire croire qu'on est le plus fort a bien plus d'effets sur l'entourage que d'être réellement fort. Tiens, prends le serpent de Bulano, par exemple. Il n'a pas de dents, il n'a pas de griffes, il ne crache pas de poison mais il peut inspirer de l'air et se gonfler jusqu'à atteindre cinq fois son volume normal. Cela lui donne un aspect beaucoup plus agressif et beaucoup plus dangereux. Battre réellement un adversaire, ce n'est pas ce qui compte le plus, du moment que *lui* est persuadé que tu peux le battre.

– Je suppose que vous avez raison, dit C3 PO.

Il n'avait pas l'air très convaincu.

Leia espérait que Lando s'amusait bien car en ce qui la concernait, elle n'était pas vraiment à la fête. Cela faisait trois jours qu'ils étaient là et, puisqu'elle n'avait que faire des jeux de hasard de ce trou à rats, elle commençait à trouver le temps long. Elle en avait un peu profité pour apprendre des rudiments de rodien avec un électrodico et connaissait maintenant quelques mots et quelques phrases. Elle était sortie une ou deux fois, Chewie la suivant comme une ombre, mais là non plus elle ne s'était pas beaucoup amusée. Comme à Mos Esley à cette époque de l'année, il faisait très chaud. En revanche, il y avait un océan à proximité du complexe de jeux mais cela rendait le taux d'humidité très élevé. L'atmosphère était donc lourde *et* moite. Une combinaison pas très plaisante.

Elle aurait pu, si elle l'avait voulu, aller voir l'océan et s'asseoir sur la plage. Avaro lui avait dit que beaucoup de touristes s'y rendaient pour nager ou faire du moto-surf pendant que leurs amis ou leurs proches restaient au casino. Bien sûr, s'asseoir sur une plage, laisser la brise caresser vos cheveux, déguster une boisson fraîche pouvait avoir quelque chose d'amusant mais pas lorsqu'on traînait dans son sillage un Wookie bougon qui se plaignait en permanence du sable dans sa fourrure.

Et puis, elle voulait être présente s'il devait y avoir du nouveau pour leur affaire.

Une rangée d'échiquiers holographiques était disposée dans un coin du casino. Des joueurs y faisaient des paris. Chewie semblait vraiment intéressé car il n'arrêtait pas de regarder dans cette direction.

Elle secoua la tête.

– Allez, dit-elle à Chewie. Si tu veux jouer, va jouer. Moi je regarde et C3 PO peut rester derrière toi pour te donner de mauvais conseils.

Le Wookie leva les sourcils.

Ils laissèrent Lando à sa partie et se dirigèrent vers les tables de jeu holographiques. La rapidité avec laquelle la foule s'écartait sur leur passage était étonnante. Leia n'arrivait pas à savoir si c'était parce qu'elle connaissait Avaro, lequel daignait traverser la salle de jeu de temps en temps pour venir la saluer, ou tout simplement parce que Chewie leur ouvrait la route. Il était interdit d'utiliser des armes à feu à l'intérieur du casino, leur avait-on dit, mais presque tous les clients semblaient en porter une. L'arbalète-laser de Chewbacca paraissait particulièrement redoutable.

Elle fut surprise de constater l'absence des Impériaux. Aucun soldat de choc, rien, pas même un officier en permission. C'était probablement parce que le Soleil Noir avait des parts dans le complexe.

Elle soupira. Lorsqu'elle avait accepté d'aider l'Alliance, elle ne s'était jamais imaginé qu'un jour elle pourrait traîner dans un casino de neuvième zone, bouffé aux mites, en attendant d'être contactée par un représentant de la plus grande organisation criminelle de la galaxie. Si quelqu'un lui avait dit ça quelques mois auparavant, elle lui aurait éclaté de rire au nez et lui aurait conseillé d'aller se faire soigner.

Essayer de prédire son propre futur s'avérait presque toujours une science inexacte.

C'était l'une des petites bizarreries de la vie.

13

D2 projeta un rayon étincelant vers Luke. L'air matinal du désert de Tatooine crépita soudain sous l'arc électrique de plus de deux mètres.

Luke, en pleine possession de la Force, avait déjà levé le sabrolaser devant lui pour bloquer l'éclair artificiel. La décharge d'électricité vint s'enrouler mollement autour de la lame.

– Trop facile, dit-il.

D2 siffla.

– Je sais, je sais, c'est pas de ta faute si t'es pas Dark Vador.

Luke se détendit un peu. Il fallait quelques secondes aux accumulateurs logés à l'intérieur du droïd pour réunir suffisamment d'énergie afin de créer une nouvelle décharge. Avec la Force, l'éclair bleuté était facile à dévier. Sans la Force, il se ferait sérieusement secouer puisqu'il était impossible d'échapper au rayon.

Il n'y avait pas de danger réel. La charge électrostatique lui ferait dresser les cheveux sur la tête et il aurait d'horribles démangeaisons. Même à deux cent mille volts, l'ampérage était si bas qu'à moins de se tenir au milieu d'une grande flaque d'eau, les risques étaient limités.

Une grande flaque était un phénomène qu'on ne rencontrait jamais dans cette partie du désert.

Luke entendit un ronronnement dans le lointain. Le bruit, d'abord faible, devenait plus fort de seconde en seconde. Il se tourna pour observer le désert...

Zzzaaappp!

Luke fit un bond d'un mètre et se frotta les fesses.

– Hé! Aïe!

D2 fit entendre le bruit que Luke avait analysé comme étant la version électronique d'un rire moqueur.

– Ce n'est pas drôle!

D2 couina et sifflota en ponctuant sa réponse de grincements semblables à ceux émis par un ballon de baudruche que l'on tortille.

– Je sais. Je ne t'ai pas dit d'arrêter mais tu m'as bien vu me retourner et regarder ailleurs, non?

D2 dit quelque chose qui sembla très désobligeant.

– Ah ouais? Eh bien souviens-t'en la prochaine fois que t'auras besoin d'un bain lubrifiant.

D2 siffla en montant et descendant la gamme.

Maître Yoda aurait certainement secoué la tête. Luke et son contrôle de la Force venaient d'en prendre un coup. Une petite baisse de concentration et *pouf!* plus rien.

Luke oublia très vite son irritation contre le petit droïd. Ces ronronnements résonnaient très fort à présent. Il vit le nuage de poussière. C'était comme si une comète était en train de foncer vers lui. Des moteurs.

On venait lui rendre visite. Et la délégation semblait importante.

– On ferait peut-être bien de ne pas se montrer, dit Luke. Va te cacher à l'intérieur, D2.

Une fois le droïd en sécurité dans la maison, Luke fit le tour d'une petite dune et se coucha. Il ne pouvait pas se permettre de détaler chaque fois qu'un rat du désert éternuait. Il lui fallait rester pour voir ce qui se passait.

Le bruit des moteurs s'amplifia jusqu'à en devenir assourdissant et Luke en reconnut la source : des swoops.

Les swoops étaient de très longs cycles à répulseurs dotés d'un avant ressemblant à un soc de charrue. Ces véhicules pouvaient accueillir deux passagers; ils étaient très rapides, très maniables mais leur parfaite maîtrise demandait un très long entraînement. Ils n'étaient guère plus que d'énormes moteurs avec des sièges et un guidon; le couplage des gros répulseurs aux puissants turbopropulseurs en faisait des machines volantes agressives, rapides et bruyantes. Une moto-jet était un jouet comparée à un swoop tout équipé. Certaines personnes associaient ces petits véhicules dénués de carrosserie aux gangs de hors-la-loi qui faisaient tout et n'importe quoi tant que cela n'était pas légal. Certains d'entre eux étaient très célèbres, comme les Nova Démons et les Lions Infernaux de l'Etoile Morte. Ils arrivaient à faire tout ce qu'ils voulaient de leurs swoops, sauf peut-être danser. Ils trafiquaient de l'épice, des armes, exécutaient divers travaux louches pour différents commanditaires du monde criminel. En général, leur passage était synonyme de malheur.

Heureusement, tout pilote de swoop n'était pas nécessairement un criminel.

Luke avait déjà eu l'occasion d'emprunter l'un de ces engins dans son adolescence. Il avait ainsi pu bondir d'un canyon à l'autre et foncer tard le soir à travers les rues de Mos Esley au nez et à la barbe des patrouilles de sécurité.

La question était : qu'est-ce qu'un gang de swoops pouvait bien faire dans les environs ? Luke était la seule personne dans un rayon de plus de cent kilomètres. S'étaient-ils perdus ?

Il y avait peu de chances.

Non, si c'était bien ce à quoi il pensait, c'est lui qu'ils venaient voir.

Et ils n'avaient probablement pas fait tout ce chemin uniquement pour lui souhaiter une bonne journée. Eh bien, lui qui rêvait d'une occasion de tester son nouveau sabrolaser, il allait avoir tout le loisir de mettre son arme à l'épreuve.

Luke essaya de repérer des insignes sur les swoops qui passaient en rugissant devant lui et commençaient à décrire des cercles autour de la maison de Ben. Il y en avait huit, neuf... une douzaine. Les pilotes portaient tous des lunettes de protection et des casques antichocs mais leurs combinaisons étaient dépareillées. Certains étaient vêtus de défroques bleues, d'autres orange et brun, un pilote avait endossé une veste verte à manches bouffantes, un autre en portait une en cuir de Bantha teinté en rouge. Les autres se contentaient des classiques combinaisons grises des employés de cargos.

Tous portaient le même insigne. Luke n'arriva pas à se rappeler de quoi il s'agissait mais le dessin lui était vaguement familier.

Ils étaient tous armés de blasters.

Il réalisa qu'il n'était pas si bien caché que cela. L'un des motards le repéra, dégaina son blaster et fit feu. Le rayon crépita juste au-dessus de lui et sous l'impact le sable se transforma en une flaque de verre liquide. Le tir l'avait manqué de beaucoup mais il semblait évident qu'ils n'étaient pas là pour faire des prisonniers.

Oh oh...

Il entendit le hurlement d'un motard par-dessus le rugissement des moteurs.

– Pulvérisez-moi cet avorton, les gars, je veux qu'on retrouve ses morceaux jusqu'à Bespin!

Luke se hâta de trouver une meilleure cachette. A proximité, se dressaient quelques très gros rochers qui pourraient lui servir de bouclier contre les rayons lasers. Il se précipita. Son propre blaster était encore à l'intérieur de la maison, et tout ce qu'il avait c'était son sabrolaser et des probabilités contre lui. Dix contre un, douze contre un? Cela pouvait être pire mais cela aurait pu être mieux. Il n'arriverait jamais à les distancer à pied. Et puis, il n'y avait pas beaucoup d'endroits pour se cacher dans les parages.

Pourquoi essayaient-ils donc de le tuer? Qui les avait envoyés?

Les moteurs vrombirent; les vibrations des répulseurs firent trembler le sol. Luke eut la sensation d'être englouti sous une vague énorme et les infrasons lui firent mal à la tête. Il vit que leurs bouches bougeaient sans parvenir à saisir ce dont il s'agissait.

O.K., Luke. Trouve une solution...

Les motards convergèrent vers lui en décochant des rayons mortels. La plupart passaient plutôt loin et il réussit à bloquer les autres de quelques coups de sabre assez simples. Il essaya d'appeler la Force à lui mais il lui était difficile de se concentrer avec ce vacarme et cette bonne douzaine de bandits qui lui tiraient dessus.

Deux pilotes foncèrent sur lui et firent feu. Aucun rayon ne l'approcha à moins d'un mètre.

Heureusement, les swoops soulevaient énormément de poussière. Un vrai nuage les entourait comme une sorte d'écran brun plus ou moins opaque.

Un autre rayon fusa d'un blaster. Luke bondit sur le côté et fit tournoyer sa resplendissante lame verte.

Il y eut soudain, derrière lui, le fracas d'un accrochage. Luke se retourna vivement; deux swoops étaient entrés en collision. Le premier bascula et alla s'écraser sur un amas de rochers. Le pilote sauta à terre à la toute dernière seconde. L'autre véhicule se posa sur le sol, endommagé, peut-être, mais certainement pas hors d'usage. Ils ne pouvaient plus tirer et ils ne pouvaient plus voler. Un coup de chance pour lui.

Un rugissement retentit sur sa gauche. Luke pivota.

Un motard fonçait sur lui en tenant dans la main un objet qui ressemblait à une énorme hache!

Un autre moteur hurla, celui-ci beaucoup plus proche que celui de l'homme à la hache. Luke se prépara. Lorsque passa le second motard, il exécuta une feinte avec son sabrolaser et envoya un violent coup de botte dans les jambes du pilote.

Luke parvint à désarçonner son attaquant. La commande de sécurité de la poignée des gaz coupa immédiatement les turbines mais pas les répulseurs. Luke sauta sur le swoop, agrippa le guidon et fit tourner la poignée de l'accélérateur. Les turbos du swoop redémarrèrent au quart de tour.

Voilà, les probabilités étaient un peu meilleures. Il ne pouvait pas éternellement se fier uniquement à sa chance, il pouvait maintenant compter sur l'un de ces engins.

Il donna un peu de puissance, poussa sur les rétrofusées, fit faire un demi-tour au swoop et souleva un véritable mur de sable. Une manœuvre qu'il avait mise au point lorsqu'il était plus jeune. Il tourna le swoop dans la direction de l'homme à la hache et accéléra à fond.

Le démarrage foudroyant faillit le jeter à terre mais il réussit à se maintenir en selle.

Bon sang! Il avait presque oublié combien cela pouvait être marrant de piloter l'un de ces trucs!

La hache fut pulvérisée lorsqu'elle heurta le sabrolaser. Luke actionna la poignée des gaz, exécuta un virage serré. La moto se dégagea en rugissant.

Le pilote le plus proche devait être celui qui portait des manches bouffantes vertes. Avec les turbos à fond, il ne fut pas très difficile de le rattraper.

Manches Bouffantes le vit venir mais le temps qu'il réalise que Luke ne faisait pas partie de son gang, il était déjà trop tard. Il essaya de tourner à la dernière seconde mais Luke abattit son sabre sur le contrôleur du propulseur droit, qui coupa immédiatement le réacteur droit. Seul le réacteur gauche fonctionnait encore. Le swoop se mit alors à tourbillonner sur lui-même de façon frénétique. Luke fit une embardée pour l'éviter. La moto folle, tournoyant à toute vitesse, vint se placer en travers du chemin d'un autre pilote à la combinaison grise. Il y eut un concert de métal tordu et de plastique broyé lorsque les deux swoops se rentrèrent dedans et allèrent s'écraser au sol.

Parfait, parfait. Trois d'abattus, il en reste neuf. Jusqu'ici, tout va bien.

C'était trop beau pour durer.

Le chef du gang aperçut Luke et fit des gestes de la main signifiant à ses hommes de se regrouper pour une attaque en formation.

Luke força son véhicule dans un ample virage et poussa sur l'accélérateur. S'il réussissait à emmener ce joujou à quelques centaines de mètres au-dessus du sol et hors des nuages de sable, il pourrait le pousser jusqu'à sa vitesse maximale et rejoindre ainsi le Canyon du Mendiant en quelques minutes. Il avait exploré les moindres recoins de cet endroit à bord de son T-16 et il en connaissait chaque centimètre carré. Il leur serait impossible de le rattraper là-bas. Luke pourrait alors se débarrasser d'eux un par un, endommager leurs machines... Capturer tout le gang!

Une paire de lunettes supplémentaire était fixée au guidon. Luke accrocha son sabre à sa ceinture, détacha les lunettes et les enfila. C'était nécessaire. Lorsque les propulseurs étaient chauds, un swoop pouvait monter jusqu'à 600 km à l'heure. A cette vitesse, un simple moustique suffisait à vous crever un œil. Luke espéra que le propriétaire de la machine la révisait régulièrement.

Canyon du Mendiant, me voilà!

Le Canyon était en fait constitué d'un réseau de crevasses plus ou moins larges. Par le passé, il y avait eu beaucoup d'eau sur Tatooine et de grandes rivières irriguaient la planète. Le Canyon du Mendiant avait été le confluent d'au moins trois grands fleuves et – à la faveur de l'action conjuguée des vents, des pluies et des soleils pendant des millions d'années – l'eau avait creusé un profond labyrinthe de vallées tortueuses dans la roche.

Luke n'avait pas volé dans les canyons depuis belle lurette. Mais rien n'avait changé depuis sa dernière visite. En compagnie de quelques-uns des aspirants pilotes de la région, il venait souvent participer à des simulacres de combats aériens dans ces vallées, en utilisant d'inoffensifs rayons lumineux en guise de lasers. Sans compter les heures passées à chasser le rat-spide dont certains spécimens atteignaient les trois mètres de long. Même de cette taille, les cibles étaient difficiles à toucher lorsqu'on n'était armé que d'un blaster de faible puissance et qu'on volait à très grande vitesse.

La meute de swoops était toujours à ses trousses. Ils n'avaient pas gagné de terrain, sauf pour l'un d'entre eux qui n'était plus qu'à quelques centaines de mètres derrière lui. Ils n'avaient pas perdu de terrain non plus et le gang se maintenait à peu de distance derrière le pilote habillé en bleu.

Luke sourit. *Voyons comment ils vont se débrouiller une fois sur mon terrain de jeu.*

Le passage appelé Grande Avenue était parfaitement rectiligne pendant près de deux kilomètres avant de se finir en un brusque virage sur la droite. Le Tournant de l'Homme Mort, ainsi qu'on le nommait. A juste titre. Luke ralentit l'allure en approchant de l'intersection. Si on prenait le virage trop vite, on se retrouvait transformé en pulpe visqueuse écrabouillée sur la paroi rocheuse du canyon.

Il enclencha les rétrofusées et ajusta la vitesse des turbojets pour exécuter un virage serré sur la droite. Le swoop ralentit, dériva légèrement sur la gauche, puis les propulseurs rétablirent l'équilibre en une puissante poussée.

Simple comme bonjour.

Le motard derrière lui, apparemment peu au fait de la conduite dans les canyons, ne ralentit pas suffisamment. Luke entendit le crash lorsque l'engin s'écrasa sur les rochers. La cellule énergétique se déchira et un éclair jaune orangé, suivi d'une boule de feu, s'éleva dans les airs.

Il n'avait guère le temps de s'attarder là-dessus, un autre virage se présentait. Un très long zigzag à gauche, droite et gauche, qu'il fallait absolument aborder en restant exactement au centre du corridor rocheux qui allait en se rétrécissant tout au long de la sinuosité.

Il ne vit pas le reste du gang derrière lui. S'ils voulaient l'attraper, il fallait bien qu'ils soient quelque part. Bien sûr, ils pouvaient toujours rester en altitude mais pour le repérer, ils devaient voler très haut. Si haut qu'ils n'auraient jamais le temps de descendre pour le capturer. Avec un écart pareil, Luke aurait tout le loisir de trouver un piton ou une avancée où stationner. Ils passeraient au-dessus de lui sans le voir.

Quatre de foutus. Plus que huit.

Quelques secondes plus tard, l'un des motards en combinaison grise apparut dans le rétroviseur de Luke. Le gars devait être bon pour avoir réussi à gagner tout ce terrain. Ou complètement fou.

Le gris commençait à le rattraper. Il était à moins de cinquante mètres.

Ce jeu du chat et de la souris avait assez duré.

Justement.

Le Chas de l'Aiguille était une étroite fente aux bords très accidentés située dans la partie la moins large du canyon.

Luke se crispa sur l'accélérateur. Il passa en trombe par l'ouverture. Assez près du bord pour qu'une pointe de rocher lui déchire un pan de veste. *Bon sang...*

Le gris, dans le sillage de Luke, essaya de le suivre.

Mais il ne passa pas.

Boum...

Le reste de la meute lui courait toujours derrière. Ses chances de s'en sortir étaient toujours relativement faibles. L'après-midi risquait d'être long. Ou alors très court...

En abordant un virage serré, Luke entendit une voix rauque crier :

– Il a de l'aide ! On ne va pas l'avoir, ce coup-ci. Spiker, tirons-nous !

Hein ? De l'aide ?

Luke regarda par-dessus son épaule.

Un swoop, moteur coupé, descendait silencieusement en chute libre. L'homme aux commandes était habillé en noir, son visage dissimulé derrière un casque de vol et des lunettes polarisées. Un blaster clignotait dans sa main droite et il faisait feu sur le gang de motards.

Si ce gars sur le swoop tardait à rallumer ses moteurs, il serait vite transformé, lui et sa machine hors de prix, en un gros cratère fumant...

Comme si la pensée de Luke avait été entendue, les moteurs du swoop furent mis à feu. Le petit véhicule continua sa descente mais plus lentement.

Cependant, il semblait que le pilote n'avait pas encore enclenché les répulseurs.

Il continuait de tirer tout en tombant. Il tirait à tort et à travers et réussit à disperser le gang. Mais qui était-ce donc ?

Le swoop tomba et s'arrêta net à une vingtaine de centimètres du sol.

Bon Dieu, ça, c'était du pilotage !

Les motards détalèrent. Après un moment, l'étranger dirigea calmement son véhicule vers l'endroit où Luke se tenait immobile.

L'homme ôta ses lunettes et son casque.

Dash Rendar !

– Mais qu'est-ce que tu fous là ? dit Luke.

Dash haussa les épaules.

– J'te protège les miches de ce gang de salopards, on dirait...

– Non, tu m'as très bien compris. Pourquoi es-tu ici ?

(Luke jeta un coup d'œil aux assaillants écrasés sur le sol.) Eh bien?

– Eh bien... Voilà ce qui s'est passé. Leia – celle-là, quelle belle môme – Leia donc, m'a comme qui dirait demandé de garder un œil sur toi jusqu'à ce qu'elle revienne.

– Elle a *quoi*?

– Du calme, tu vas péter un plomb. Y a pas d'quoi fouetter un chat.

– Ecoute, mon pote, j'ai pas besoin de baby-sitter!

– Ah ouais? Et t'allais te farcir ces rigolos tout seul, peut-être?

– Je me débrouillais pas mal...

– C'est vrai, t'as raison, c'était pas mal mais t'allais quand même te faire avoir.

Luke tenta de garder son sang-froid. Il n'aimait vraiment pas ce vantard mais il avait raison. Il aurait fallu un miracle, un de ceux qu'il n'était pas encore capable d'accomplir, pour se débarrasser tout seul de la meute de swoops. Que ça lui plaise ou non – et cela ne lui plaisait pas du tout – Dash venait de lui sauver la vie.

– Merci, marmonna-t-il.

– Pardon? J'ai pas entendu ce que tu as dit.

– Pousse pas, Dash, tu veux?

L'homme sourit.

Il allait avoir une petite conversation avec Leia quand elle reviendrait. D'accord, il se sentait très attiré par elle; d'accord, il considérait qu'elle était la plus dure et la plus belle femme qu'il ait jamais vue mais d'où lui était venue cette drôle d'idée d'envoyer un type pour le surveiller? Il savait qu'elle avait dû payer Dash pour cela. Dash n'était pas du style à agir de la sorte gratuitement.

Dash dit quelque chose. Luke, qui ne l'avait pas entendu, écarquilla les yeux.

– Hein?

– J'ai dit : est-ce que tu as remarqué leurs tatouages? Ce gang travaille pour Jabba.

Luke alla regarder de plus près. Effectivement, il avait déjà vu cet insigne. Celui des hommes de Jabba.

– J'étais à Mos Esley, reprit Dash, et je traînais mes guêtres ici et là, lorsque j'ai surpris leur conversation. On venait de leur donner l'ordre de te tuer.

Le tuer. Ça, ouais, il avait bien compris. Dash continua de parler et Luke essaya de rattraper le cours de ce qu'il disait.

– ... Et il semblerait que Dark Vador ne soit plus ton principal admirateur.

– Il ne l'a jamais été. Si c'est bien lui qui se cache derrière tout cela.

L'était-ce ? Luke secoua la tête. Toute cette histoire n'avait aucun sens.

14

– Seigneur Vador, nous approchons de l'astéroïde rebelle.

Vador se détourna du hublot pour fixer le jeune officier qui avait, à son tour, fait un mauvais tirage.

– Bien. Demandez à l'Amiral Okins de me retrouver sur la passerelle.

– Tout de suite, mon Seigneur.

Puis Vador ajusta les contrôles de son armure pour en augmenter l'alimentation en oxygène et se dirigea vers le pont. Les attaques surprises sur des vaisseaux sans défense, ce n'était pas son genre, mais il mènerait sa mission à bien.

– Ah, Prince Xizor, dit l'Empereur. Comme je suis heureux de vous revoir.

Xizor hocha la tête et s'inclina.

– Tout le plaisir est pour moi, mon Empereur.

– Je vous en prie, entrez. Qu'est-ce qui vous amène jusque dans mes quartiers?

– J'étais simplement curieux, mon Maître, de connaître les progrès de l'attaque du Seigneur Vador sur le chantier rebelle du Secteur Baji.

Le visage ravagé de l'Empereur ne frémit pas mais Xizor fut persuadé que sa phrase avait réussi à le surprendre.

– Je dois vraiment songer à une solution pour vous voler vos espions, dit l'Empereur. Surtout après votre tentative de me prendre mon meilleur horticulteur. Quel dommage que l'homme ait eu ce fatal accident d'ascenseur avant de pouvoir commencer son travail pour vous.

– Quel dommage, en effet, répondit Xizor. (S'il y avait quelqu'un qu'on pouvait qualifier de mauvais perdant, c'était bien l'Empereur.) Cependant, je dois vous signaler que ce ne sont pas mes espions qui m'ont fourni cette information.

– Eh bien, dites-moi, comment êtes-vous arrivé à le savoir ?

– Je suis surpris que le Seigneur Vador ne vous en ai pas parlé. Ce que mes espions ont découvert, c'est l'emplacement du chantier rebelle. Quant à moi, je me suis immédiatement empressé d'aller faire part de cette information au Seigneur Vador.

– Bien sûr, dit l'Empereur d'une voix aussi fluide qu'une goutte de lubrifiant glissant sur une vitre de transparacier. J'attends, d'un moment à l'autre, un rapport de la Flotte. Peut-être aimeriez-vous l'attendre avec moi en prenant un rafraîchissement ?

– J'en serais très honoré.

Xizor se retint de sourire. Vador n'avait donc pas révélé à l'Empereur l'identité de la personne qui lui avait communiqué l'emplacement des Rebelles. Pas surprenant. Qui plus est, il avait dû détruire les enregistrements des caméras de la résidence orbitale de l'Empereur pour effacer toutes ses traces. A la place de Vador, Xizor aurait fait la même chose. C'était, bien entendu, la raison de sa présence auprès de l'Empereur. Pour s'assurer que ce dernier sache bien à qui il fallait attribuer la responsabilité de cette petite affaire.

Et qui il fallait blâmer pour ne pas l'avoir mis au courant.

Ah, quel plaisir ce serait de voir Vador découvrir que son petit manège était en train de mal tourner.

Il allait adorer ça.

– Eh bien, Amiral ?

– Nous serons à portée très bientôt, Seigneur Vador, dit Okins.

– Parfait. Commencez le tir dès que nous aurons atteint la distance optimale. Je ne veux aucune erreur.

Vador était debout à la baie d'observation principale de son vaisseau et regardait le massif astéroïde qui flottait de façon menaçante au-devant d'eux. Aussi gros qu'une petite lune, le rocher était criblé de cratères dus aux collisions avec ses nombreux petits frères. Sa composition semblait contenir du nickel ferreux, ce qui était très courant dans cette région de l'espace.

Soudain, deux vaisseaux jaillirent de la face cachée de l'astéroïde.

– Deux frégates d'escorte de classe Nebulon-B, dit un officier sur sa gauche.

Vador observa les deux vaisseaux. Les frégates étaient longues et fines. Les modules de contrôle et d'armement étaient situés à l'avant, reliés aux énormes propulseurs et aux ponts d'amarrage des Tie situés à l'arrière par un long tube relativement fin.

– Nos propres vaisseaux, dit-il, très en colère.

Personne n'osa répondre.

Au tout début de la rébellion, un grand nombre de frégates avaient été capturées ou étaient passées du côté de l'Alliance.

– Au moins, nous savons qu'ils ne possèdent pas de Tie en état de marche, hasarda l'Amiral.

Comme si ses mots avaient servi de signal, une douzaine de chasseurs ailes-X décollèrent de l'une des frégates et accélérèrent en direction de la flotte impériale.

– Je remarque que des modifications ont été apportées afin de transporter des ailes-X, dit Vador d'un ton très sec. Il semblerait que ce chantier ne soit pas une cible aussi facile que nous le pensions.

Okins se tourna vers l'officier responsable des opérations Tie.

– Faites donner la chasse. Je ne veux pas gaspiller notre puissance de feu en écrasant ces... insectes déplaisants avec nos canons.

– Tout de suite, Amiral.

Vador vit un troisième vaisseau arriver de derrière l'astéroïde, bien plus rapide que les deux frégates. Il l'identifia au moment où l'officier prit la parole.

– Voici une corvette corellienne.

Sous son masque, Vador sourit. *Excellent.* C'était bien mieux de se battre plutôt que d'avoir à massacrer une bande de volatiles boiteux cloués au sol. Il fit face à l'officier chargé des opérations.

– Faites préparer mon intercepteur.

L'Amiral regarda l'off-op Tie puis se tourna vers Vador.

– Mon Seigneur, pensez-vous que cela soit bien...

– ... Raisonnable? termina Vador. Cela fait bien longtemps que je n'ai pas volé au combat, Amiral. J'ai besoin de me dégourdir les muscles. Vous vous occuperez du chantier. Moi, je m'occupe de débarrasser l'espace de tous ces chasseurs.

L'Amiral inclina la tête de façon toute militaire.

Comme si l'Amiral pouvait avoir le choix...

Vador avait oublié combien il adorait piloter son intercepteur. Cela faisait si longtemps. Tout lui revint instantanément.

Les réjouissances ne durèrent pas longtemps. Presque sans effort, il réduisit trois, quatre, cinq appareils rebelles en poussière.

C'était... décevant. Aucun d'entre eux ne possédait la Force. Le défi serait donc facile à relever. Certains avaient du talent, bien sûr, mais le talent n'était rien en comparaison du Côté Obscur. Il s'attendait à un peu plus de compétition.

N'importe quel type de compétition.

Une aile-X qui montait en chandelle tenta une attaque par le dessous. Vador exécuta un looping, fit le tour de son assaillant, pressa la détente et fit exploser l'appareil avec ses lasers.

Il réalisa que les destroyers faisaient feu sur les frégates. L'une était déjà hors de combat et l'autre était maintenue en respect. Une frégate n'était pas de taille à résister à la fierté de la Marine Impériale...

Alors qu'il détruisait un autre chasseur X, Vador sentit la

perturbation dans la Force. La Flotte pilonnait le chantier et déversait la destruction et la mort sur les vaisseaux, les pilotes et les soldats. Des rayons de lumières multicolores fusaient en tous sens.

Une autre aile-X fonça, tourbillonna et vira pour essayer d'éviter d'être touchée. Le pilote rebelle était bon mais ses chances de s'en sortir vivant étaient bien minces.

Vador laissa le Côté Obscur guider sa mise en joue. Il sentit que la cible était dans son collimateur...

Et il se retint de tirer.

Dégoûté, il abandonna l'attaque et laissa l'aile-X s'échapper. Il était bien au-dessus de tout cela. Depuis qu'il avait affronté Luke sur la passerelle de la Cité des Nuages, aucun autre ennemi ne lui semblait de taille. Enfin. Ce criminel de Xizor valait peut-être le coup mais son cas était différent ; cela n'avait rien de guerrier. Xizor avait l'esprit retors, jamais il n'oserait affronter le Seigneur Noir de Sith en combat singulier.

Vador observa l'aile-X disparaître dans le lointain. La bataille venait de prendre fin d'un coup. Le chantier rebelle était en flammes, son oxygène et ses réserves de carburant alimenteraient l'incendie pendant longtemps. Des centaines de vaisseaux avaient été détruits, des milliers de soldats avaient disparu, une grande victoire pour l'Empire.

Vador secoua la tête. Une grande victoire. Autrefois, il en aurait probablement été très fier. Aujourd'hui ? Tout lui semblait aussi insipide que d'avoir à tirer sur ces pauvres pilotes d'aile-X.

Un vrai guerrier avait besoin de se mesurer à des adversaires de force égale. Obi-wan n'était plus là et tous les autres Jedi s'étaient éteints, sauf un, peut-être le plus fort d'entre tous. Son propre fils.

Il avait dit à l'Empereur que Luke Skywalker se joindrait à eux ou mourrait. La vérité était très légèrement différente : Luke se joindrait à Dark Vador ou mourrait.

Voilà quelque chose qui valait le coup.

Ce serait le duel de toute une vie. Cette bataille n'était rien en comparaison.

Il ramena son chasseur vers le vaisseau.

Vador entra dans le champ de l'holocaméra et déclencha la transmission. Le faisceau emprunta le raccourci de l'hyperespace pour réaliser une connexion plus rapide que la vitesse de la lumière. L'air se mit à trembler et onduler lorsque l'image de l'Empereur se matérialisa.

Vador mit un genou à terre.

– Mon Maître, dit-il.

– Ah, Seigneur Vador. Votre rapport?

– Le chantier rebelle n'est plus. Ils nous ont livré combat mais cela n'a guère duré. Nous avons détruit des centaines de vaisseaux et éliminé des milliers d'hommes.

– Bien, bien.

L'Empereur fit un signe de la main et son image holographique rétrécit. L'holocaméra effectuait un réglage qui élargirait l'angle de vision.

Xizor apparut alors, à quelques mètres de l'Empereur.

La réaction incontrôlée de Vador fit s'emballer son appareil respiratoire. Puis il réalisa que l'Empereur pouvait très bien entendre la différence dans son souffle. Il se concentra pour retrouver un rythme de respiration plus normal.

– Le Prince Xizor vient justement de me dire combien il est heureux d'avoir fourni à l'Empire l'emplacement de la base rebelle. Il semble que nous lui sommes redevables d'un grand merci, qu'en pensez-vous?

Vador serra les dents. Il aurait préféré se mordre la langue et l'avaler plutôt que d'avoir à faire montre de gratitude, surtout en présence de l'Empereur mais il n'avait pas le choix. L'Empereur aimait bien faire claquer son fouet une fois de temps en temps, histoire de rappeler que c'était bien lui qui commandait et qu'il n'hésiterait pas à en donner quelques coups en réprimande si le besoin se faisait sentir.

Vador regarda Xizor. C'était une bonne chose qu'ils ne puissent pas voir son visage lorsqu'il prit la parole.

– L'Empire vous doit des remerciements, Prince Xizor.

L'Empereur sourit.

Et Xizor sourit encore plus.

– Oh, n'y pensez plus, Seigneur Vador, dit-il. Je suis toujours heureux de pouvoir rendre service.

S'il avait dû se montrer encore plus effacé et servile, il lui aurait fallu lécher les bottes de l'Empereur. Heureusement qu'il se trouvait à des années-lumière de là. La colère de Vador était telle qu'il n'était pas certain qu'il aurait su se retenir de massacrer Xizor s'il s'était trouvé en sa présence. Et cela en dépit des remontrances de l'Empereur.

– J'espère vous voir revenir bientôt, Seigneur Vador.

– Oui, mon Maître. Nous sommes sur le chemin du retour alors même que nous parlons.

– Parfait.

L'image tourbillonna et disparut.

Vador demeura immobile quelques instants. Puis il fit demi-tour et quitta la chambre holographique.

Un sous-officier s'approcha de lui au moment où il sortait.

– Seigneur Vador, je...

Ce fut tout ce qu'il arriva à dire. Vador serra le poing et appela le Côté Obscur à lui.

L'officier tomba en se tenant la gorge.

– Je souhaite qu'on ne me dérange pas, dit Vador à l'homme allongé sur le pont. Est-ce bien clair ?

Vador rouvrit la main.

L'officier inspira bruyamment. Lorsqu'il fut de nouveau capable de parler, il articula avec peine :

– T-t-tout à fait c-c-clair, S-Seigneur Vador.

Après cela, le Seigneur Noir de Sith regagna précipitamment ses quartiers pour ressasser ses pensées.

Xizor ressentit son triomphe sur Vador comme s'il s'agissait de quelque chose de tangible, comme une coulée de satisfaction qui l'aurait couvert et enduit d'une enveloppe réconfortante.

– Vous devriez venir me rendre visite plus souvent, dit l'Empereur. J'apprécie beaucoup ces moments que nous passons à parler. Je suis sûr que le Seigneur Vador aura également plaisir à vous voir dès qu'il sera rentré.

Xizor s'inclina. Il y avait fort peu de chance que Vador éprouve jamais ce genre de plaisir.

– Mon Maître.

Et il sortit.

La sensation de puissance allait croissant. L'Empereur, bien entendu, était pleinement conscient de ce que Xizor venait de faire à Dark Vador. Mieux, il avait apprécié sa participation à la machination, il avait aimé voir ses deux plus loyaux serviteurs se dresser l'un contre l'autre, se contentant d'observer le déroulement des événements. Il se comportait comme un vieil homme qui aurait possédé une meute de loups à moitié sauvages. Il aimait jeter un os, un seul, au milieu de la meute pour voir quel individu serait prêt à battre tous les autres pour l'obtenir. Personne n'était aussi retors que l'Empereur. Xizor décida qu'il lui faudrait prendre de grandes précautions pour la suite de ses projets.

D'extrêmes précautions.

15

Xizor se laissa aller dans son fauteuil automoulant et observa la petite image holographique qui flottait au-dessus de son bureau.

– Augmentation de la taille, dit-il. Grandeur nature.

L'ordinateur obéit et la simulation grandit de six fois.

Debout sur le bureau se tenait maintenant une femme d'une éclatante beauté, une femme qui n'avait pas conscience que son image avait été capturée par une holocaméra.

– Transfert de l'image sur la plaque de projection holographique du sol.

De nouveau, l'ordinateur exécuta les ordres.

Xizor hocha la tête.

– Voici donc la Princesse Leia. Bien, bien, bien. Très intéressant.

Il savait qui elle était, bien sûr, mais il n'avait encore jamais pris la peine d'étudier son image de si près. Il s'était toujours figuré qu'il s'agissait d'une forte femme, dévouée à la Cause, l'une de ces androgynes, de ces affreuses hommasses qui ne se soucient guère de leur apparence. Il se trompait. Grandement.

Derrière lui, Guri prit la parole.

– Elle a contacté le propriétaire de l'un de nos casinos protégés du complexe de jeux sur Rodia. Apparemment, elle cherche à obtenir un entretien avec quelqu'un de haut placé au Soleil Noir.

Le Prince Sombre croisa les doigts et regarda l'image.

– Allons donc. Pourquoi un leader de l'Alliance s'intéresserait-il à notre organisation ? Ils ont toujours rejeté nos propositions d'associations, ils ne voulaient pas plonger au risque de salir leurs belles mains de révolutionnaires dans la fange du monde criminel. Ils ont changé d'avis ? J'en doute...

Comme on ne lui demandait rien, Guri ne répondit pas.

Xizor reprit :

– Cela doit être important. Essayons de trouver ce qu'elle désire, voulez-vous ? Allez-y et renseignez-vous.

De nouveau, Guri s'abstint de tout commentaire mais Xizor détecta quelque chose d'inhabituel dans son attitude.

– Un problème ?

– Cette tâche ne me paraît pas spécialement stimulante.

Xizor éclata de rire. C'était là l'une des petites marottes de Guri : vouloir sans arrêt qu'on la force à repousser ses propres limites.

– Peut-être pas, je vous l'accorde. Cependant, cette tâche est très importante pour d'autres raisons. Si les informations de nos services de renseignements ainsi que celles fournies par l'Empire sont exactes, cette Princesse Leia Organa n'est proche que d'un tout petit nombre de personnes. L'une d'entre elles n'est autre que Luke Skywalker. Il y a de fortes probabilités qu'elle sache où il se trouve. Découvrez ce qu'elle veut et revenez me voir. Il se pourrait qu'elle représente le moyen le plus facile de dénicher Skywalker. Dans tous les cas, je pourrais peut-être trouver une... quelconque utilité à cette jeune femme. Plus tard. Une fois que vous m'aurez rapporté les renseignements et que vous aurez réglé notre petite affaire en cours avec Ororo. Et ça, je suppose que ce sera probablement plus... stimulant.

– A vos ordres.

Xizor porta l'index à son front et esquissa un salut moqueur.

Guri quitta la pièce.

Il se replongea dans la contemplation de la simulation de Leia Organa.

– Ordinateur? Rotation de l'image. Vitesse normale.

L'hologramme se mit à tourner sur un axe invisible. Même de dos, elle était toujours aussi belle.

Xizor inspira profondément et souffla longuement. C'était une femme bien intéressante. Attirante, brillante, bien éduquée et dangereuse. D'après ses fiches, elle était aussi douée pour tirer au blaster qu'elle était jolie.

Le Prince Sombre sentit un changement en lui. Il sentit que sa peau était en train de changer de couleur et qu'elle allait passer d'un vert froid à un chaud orange pâle. Il sourit. Il venait de se débarrasser de sa dernière maîtresse. L'idée d'une nouvelle compagne ne lui déplaisait pas. Surtout une femme qui avait bien plus à offrir que sa simple beauté. Il se demanda alors ce qu'elle pouvait bien être en train de faire à cet instant précis. Sans doute était-elle attablée devant un repas délicat. Ou peut-être était-elle en train de dépenser son argent à de fort dispendieux loisirs. Les femmes adoraient ce genre de choses.

A cet instant précis, Leia était en train de regarder Chewie entamer une nouvelle partie sur l'échiquier holographique. Ce coup-ci, contre un Twi'lek au maquillage très criard et qui portait de la verroterie de troisième zone sur ses appendices crâniens.

Chewie déplaça une pièce puis s'appuya contre le dossier de sa chaise.

– Très bon, ça, Chewbacca, dit C3 PO. Excellent coup.

Le Twi'lek regarda C3 PO et lui adressa un sourire dément, dévoilant des rangées de petites dents pointues.

Leia se pencha vers le droïd de protocole et lui chuchota :

– Qu'est-ce qui se passe, là? J'ai vu ce Twi'lek gagner quatre fois de suite contre des joueurs bien meilleurs que Chewie.

C3 PO se tourna vers elle.

– Ah, eh bien, répondit-il *sotto voce*, j'ai pris la liberté de mentionner au Twi'lek, au tout début de la partie, ce qui arrivait quand un Wookie perdait à ce genre de jeu.

Leia le regarda sans comprendre.

– Vous souvenez-vous de ce que Maître Solo disait en parlant de bras arrachés ?

Leia secoua la tête. Yan avait taquiné C3 PO avec ça. Chewie était effectivement un farouche combattant mais, en règle générale, il faisait plutôt montre d'un tempérament doux. Elle-même n'avait jamais réellement cru à cette histoire de bras. Mais vraisemblablement le Twi'lek y croyait dur comme fer.

Si le Soleil Noir ne se montrait pas bientôt, elle ne tarderait pas à contracter une bien mauvaise fièvre de l'espace à force de rester coincée dans cet endroit.

Guri faisait face à trois individus. De l'autre côté de la table étaient assis deux hommes et un Quarren. Derrière elle, deux gardes du corps gamorréens observaient en silence. Guri n'était pas armée.

– Vos sources se sont trompées, dit l'un des hommes.

C'était Tuyay, l'officier responsable des opérations chez Ororo Transports. Un gaillard très costaud, les muscles saillant sous le costume en Zeyd sur mesure qu'il avait payé fort cher. Apparemment, il devait être capable de soulever l'équivalent de quatre fois son propre poids à bout de bras sans que la moindre goutte de sueur perle à son front. Il n'avait pas l'air très content. En fait, il semblait sur le point de faire une crise d'apoplexie.

– Vraiment ? fit Guri.

Elle se laissa aller dans son fauteuil, totalement détendue.

– M. Tuyay a raison. Ororo n'a jamais ne serait-ce que penser à se mêler des affaires du Soleil Noir.

Cette phrase venait de Dellis Yuls, le personnage à tête de poulpe chargé de la sécurité de la compagnie.

Le dernier interlocuteur, un petit homme sec et nerveux, hocha la tête en signe d'approbation.

– Non, bien sûr, nous n'irions pas marcher sur les plates-bandes du Prince Xizor.

Il s'agissait de Z. Limmer, le directeur financier.

– Alors, dit Guri, je dois donc dire au Prince Xizor que tout cela n'était qu'une terrible méprise? Que nos agents ne sont que des imbéciles incapables de trouver leurs propres postérieurs?

– Je ne me permettrais pas d'être si précis, avança le Quarren.

Tuyay regarda ses deux collègues assis à ses côtés et éructa.

– Assez de salades! J'en ai marre de jouer les carpettes devant votre patron. Oui, c'est cela, allez donc lui dire que vos agents sont des imbéciles! Dites-lui que lui-même est un imbécile! Ororo n'a pas à trembler de peur devant ce soi-disant terrible Prince Sombre! On est sur la Bordure, ici, bien loin des lits moelleux et des plaisirs décadents de la Cité Impériale, là où Xizor se terre dans son petit nid douillet payé par nos impôts. Ici, on gagne nos galons à la sueur de notre front. Ici, on mérite le moindre décicrédit qu'on peut ramasser! Dites-lui que si cela ne lui plaît pas, il n'a qu'à venir en personne et arranger les choses lui-même!

Limmer avala de travers et devint tout pâle.

– Heu... J-je p-p-pense que ce que M. T-T-Tuyay veut dire, c'est q-q-que...

– La ferme, Limmer, espèce de lombric! N'essayez pas d'édulcorer les choses. (Tuyay se tourna vers Guri.) Rentre chez toi, petite fille. Sauve-toi pendant que je t'y autorise. Et ne reviens pas. Si jamais je te revois dans les parages, il se pourrait bien que je te trouve un emploi qui risquerait fort de te déplaire.

Il sourit et son expression avait quelque chose de malfaisant.

Guri sourit en retour et se leva. Elle avait toujours l'air un peu ensommeillée, comme après une très longue sieste.

Lorsqu'elle se mit en mouvement, tout se déroula incroyablement vite. Elle sauta sur la table, se projeta dans les airs et exécuta une pirouette. Elle atterrit derrière Tuyay, se retourna prestement et le souleva en le maintenant prisonnier de son fauteuil. Elle le lança immédiatement à la tête des deux Gamorréens avant que ceux-ci n'aient le temps de dégainer leurs blasters. L'impact cloua au sol les deux individus porcins.

Dellis Yuls sortit une petite arme de poing d'une poche intérieure de sa tunique, mais avant qu'il n'ait le temps de s'en servir, Guri lui prit le poignet, le tordit et le cassa. Elle lui arracha l'arme et la jeta au loin en souriant.

Alors que Limmer essayait de se lever, elle lui envoya un coup à la gorge de la pointe de ses doigts. Elle s'appliqua ensuite à tordre le cou de Yuls jusqu'à ce qu'il craque comme une branche de bois humide. Puis elle bondit par-dessus la table.

Tuyay venait de se redresser. Il se retourna. Guri le saisit à la gorge et il fit de même avec elle. Pendant un moment, ils restèrent debout, face à face, comme paralysés.

Tuyay vacilla, son visage reflétant l'horreur qu'il éprouvait à constater la force de Guri. Il perdit conscience, son sang ayant cessé d'irriguer son cerveau.

Guri le lâcha, alla vers l'un des Gamorréens, s'empara du blaster accroché à sa ceinture, et leur tira une balle dans la tête.

Elle sauta de nouveau par-dessus la table pour se retrouver du côté de Limmer et Yuls. Elle les abattit tous les deux d'un coup de blaster à la base de la nuque.

Puis elle retourna à l'endroit où Tuyay, essayant de retrouver son souffle malgré sa gorge endolorie, était étendu. Elle s'installa à côté de lui et attendit tranquillement qu'il reprenne ses esprits. Il leva les yeux vers elle.

– Je m'en vais rapporter au Prince Xizor ce que vous m'avez dit, annonça-t-elle en souriant.

Puis, sans autre forme de procès, elle appliqua le canon du blaster sur l'œil gauche de Tuyay et appuya sur la détente.

Elle se releva et marcha vers le mur où elle savait qu'une caméra de sécurité dissimulée avait enregistré toute la scène. Elle arracha l'installation.

L'image devint noire.

– Arrêtez l'enregistrement, dit Xizor.

Il soupira et secoua la tête. Il venait de voir ce qu'il savait déjà. Guri était l'arme la plus mortelle de son arsenal. Il se demanda comment elle se débrouillerait en combat singulier contre Vador. Probablement mieux que lui-même mais il était cependant certain que Vador, qui avait traqué et massacré les adeptes Jedi, finirait par la terrasser.

Malgré cela, ce serait tout de même très intéressant à regarder.

A plus de neuf millions de crédits, ça faisait cher du spectacle si elle devait perdre.

– Repassez-moi l'enregistrement.

Il adorait voir un professionnel au travail.

16

– Bon, alors, où est Leia ? demanda Luke.

Dash et lui étaient retournés, chacun sur un swoop, jusque chez Ben. Les deux véhicules étaient maintenant dissimulés sous le filet de camouflage avec l'aile-X. Le vaisseau de Dash, lui, était toujours au port de Mos Esley.

– Partie pour Rodia afin d'essayer de contacter le Soleil Noir.

Surpris, Luke faillit lâcher le récipient d'eau froide qu'il tenait à la main.

– Le Soleil Noir ? Mais elle a perdu la tête ?

– Oh, parce que tu es peut-être un expert en la matière ? remarqua Dash d'un ton narquois.

– Non, mais j'ai pas mal parlé avec Yan lorsque nous étions cantonnés sur Hoth pendant les longues nuits de tempête. Il avait eu affaire à eux. Il prétendait qu'ils étaient plus dangereux que l'Empire. (Il marqua une pause de quelques secondes.) Pourquoi Leia voudrait-elle contacter le Soleil Noir ?

Dash haussa les épaules.

– Aucune idée. Peut-être qu'ils savent qui veut ta mort. La Princesse en pince pour toi, bien que je ne comprenne pas pourquoi. Dis, t'as l'intention d'attendre que cette flotte s'évapore ?

Luke regarda le récipient qu'il avait complètement oublié.

– Oh, pardon.

Il tendit l'eau à Dash; celui-ci s'en servit un grand verre qu'il avala avec bruit.

L'idée que Leia puisse aller se frotter à une vicieuse organisation criminelle ne collait pas avec ce qu'il savait d'elle. Cependant, qu'est-ce que Luke pouvait bien y faire? Leia était une grande fille; elle se débrouillait toute seule bien avant qu'ils ne se rencontrent. Enfin... si on ne prenait pas en compte sa capture par Vador. Bien sûr, lui-même, Yan et Chewie l'avaient sauvée mais ils n'en avaient pas été pour autant couverts de gloire. Non. Ils s'étaient plutôt retrouvés couverts de ces effluves puants, ceux qu'on récolte dans les conduits à ordures, par exemple...

– Bon alors, qu'est-ce qu'on fout, p'tit?

– Hein?

– On va rester assis ici à attendre qu'ils reviennent? A moins que tu ne veuilles aller demander au Hutt pourquoi il a envoyé sa bande de comiques pour te zapper?

– Jabba n'a aucune raison de me courir après.

– Sauf si quelqu'un l'a poussé à le faire. C'est pour ça que je suis là, tu te souviens? Puisque tout est calme, je pourrais peut-être en profiter pour t'apprendre comment on pilote correctement un swoop.

– Ecoute, ils n'auraient jamais pu me rattraper dans le Canyon du Mendiant...

D2 se mit à siffler et sonner de façon frénétique.

– Je n'aime pas beaucoup ce son-là, dit Luke.

– C'est quoi? demanda Dash.

– Quelque chose dehors, on dirait. On ferait mieux d'aller voir.

D2 trilla à nouveau.

Dash dégaina son blaster et vérifia l'indicateur de charge.

Luke posa la main sur son sabrolaser pour s'assurer qu'il était toujours bien accroché à sa ceinture.

D2 émit un petit gazouillis et roula vers la porte.

A l'extérieur, ils virent le feu de freinage d'une fusée dans le ciel juste au-dessus d'eux.

– On dirait un droïd messager, dit Luke.

D2 sembla le confirmer.

Dash respira un grand coup et rangea son blaster.

Un droïd messager n'était pas le genre de chose qui vous tombait dessus tous les jours. On l'utilisait lorsqu'on avait besoin d'une émission urgente et qu'on voulait éviter les réseaux d'holotransmission. Le procédé était fort coûteux et le droïd ne servait qu'une fois, à moins d'être soi-même en possession d'un nouveau propulseur pour le renvoyer.

D2 se remit à siffler.

– Oui, effectivement, il arrive drôlement vite. J'espère qu'il est antichocs, dit Luke.

Dash se dirigeait déjà vers la porte.

Dehors, le vaisseau en approche, si petit soit-il, était parfaitement visible. Il tombait vers le désert à quelques encablures de là.

– Qui sait que tu es ici, p'tit gars?

Luke secoua la tête.

– Leia, Lando, Chewie, C3 PO...

– Et Jabba, termina Dash. Je ne pense pourtant pas qu'il serait prêt à dépenser plein de fric pour un droïd messager alors qu'il pourrait utiliser les réseaux locaux de communication pour bavarder. Je ne parle même pas de te tuer...

– C'est peut-être pour toi, proposa Luke.

– J'en doute. Je ne laisse jamais d'adresse où faire suivre mon courrier. Personne ne sait que je suis ici, à l'exception de tes amis, et ils n'ont aucune raison de me contacter comme ça.

Luke observa le petit vaisseau qui fonçait vers le sol. L'appareil enclencha ses rétrofusées et se mit à ralentir mais il tombait toujours très rapidement. Le droïd avait certainement sous-estimé la force de gravité ou quelque chose du même genre.

Le message était peut-être destiné à Ben. Venant de quelqu'un qui aurait perdu le contact depuis longtemps et qui ne saurait pas que Ben était... parti.

Le messager s'écrasa au sol avec fracas à un peu plus de cinq cents mètres d'eux, propulsant du sable dans tous les sens.

– Allons jeter un coup d'œil, suggéra Dash.

Luke serra les dents. Il s'apprêtait à faire une réflexion sur « qui » donnait les ordres mais il se retint. Les Chevaliers Jedi étaient censés garder leur sang-froid en toute occasion. C'était encore un aspect qu'il devait perfectionner.

Ils se dirigèrent vers le vaisseau.

Dans ses quartiers privés, Xizor fut tiré de sa légère sieste par le bourdonnement de son communicateur personnel qui prononçait son nom d'une voix douce.

– Un appel en attente pour vous, Prince Jiiiiiiizor.

Son imagination lui jouait-elle des tours ou bien le module vocal de son appareil de communication venait-il d'écorcher son nom tout comme le fauteuil qu'il avait fait réparer quelques jours auparavant?

Décidément, on ne pouvait plus compter sur rien. Tout tombait en panne bien avant la norme due à l'usure. L'Empire plongeait dans l'entropie à vitesse grand V.

– Passez-le-moi. Et procédez à un autodiagnostic de votre module vocal.

L'image holographique à échelle réduite se matérialisa au niveau du sol. C'était l'un des espions locaux de Xizor.

– Oui?

– Vous m'avez demandé de vous prévenir dès que Dark Vador serait de retour à son château, mon Prince. Il vient juste d'arriver.

Le Prince Sombre hocha la tête.

– Parfait. Maintenez les procédures normales de surveillance.

L'espion hocha la tête et interrompit la connexion. Son image disparut.

Ainsi, Vador était rentré du combat, ayant, sans le savoir, aidé Xizor à frapper Ororo Transports là où cela faisait le plus mal : dans la balance des crédits. Ajouté à la petite démonstration de Guri sur les officiers responsables, cela forcerait Ororo à bien se tenir, du moins dans un futur proche.

Il valait mieux qu'il s'abstienne d'appeler Vador tout de suite. Nul doute que le Seigneur Noir de Sith avait besoin d'un moment pour se remettre de la claque sur les doigts que l'Empereur venait de lui administrer. Le problème de Vador, c'est qu'il autorisait son tempérament orageux à lui dicter sa conduite. Un legs venu tout droit de son héritage de mammifère. C'était quelque chose qui se produisait pour beaucoup d'espèces et qui était, dans presque tous les cas, fort préjudiciable. La froideur engendrait la précision; la chaleur reléguait la précaution de côté et vous faisait plonger tête baissée dans les ennuis. Un sang froid autorisait la mesure et la planification, un sang chaud vous précipitait dans la passion la plus débridée. La passion avait du bon, certes. Mais uniquement lorsqu'elle était contrôlée et canalisée proprement.

Prenez la Princesse Leia, par exemple. Xizor la trouvait à son goût mais il l'attirerait à lui doucement, posément. Il ne se livrerait pas à l'une de ces courses sauvages qui méprisaient toute forme d'amarres intellectuelles et vous faisaient naviguer sur des océans de luxure. Ah, non, certes non. Il ferait cela à la manière de tout Falleen qui se respectait. Et un Falleen qui se respectait faisait preuve de sang-froid.

Le froid l'emportait sur le chaud.

Toujours.

Dark Vador observait l'espion au moyen d'une holocaméra dissimulée dans un droïd de nettoyage de la voirie. Le droïd montait et descendait l'avenue comme un escargot mécanique géant. Il laissait derrière lui une trace de propreté en guise de bave, lavant l'asphalte au moyen de jets et de détergents très puissants qui faisaient briller la surface de la route.

L'espion de Xizor était attablé à la terrasse d'un restaurant et faisait semblant de consulter les dernières nouvelles, en sirotant une boisson chaude qui avait refroidi depuis bien longtemps.

Vador soupira et fit un signe. L'image disparut. Ces tissus d'intrigues et d'espionnage étaient des affaires tellement alambiquées. C'est vrai, il avait appris les règles du jeu et était devenu un expert en la matière. C'était une condition nécessaire pour survivre dans ce monde mais il n'aimait pas cela du tout. Des hommes comme Xizor et l'Empereur éprouvaient un certain plaisir à manipuler les gens mais Vador avait toujours trouvé avilissant de devoir patauger dans ces histoires de double jeu et de triple trahison. Lui, il était un guerrier. En tant que tel, il préférait se planter sabre au poing devant une armée en train de charger plutôt que d'avoir à supporter les minauderies de ces gens tout sourire qui ne songeaient qu'à causer leurs ruines mutuelles. Des méthodes qui, bien entendu, étaient l'essence même de la vie politique de la Cité Impériale. Terrasser un homme d'un brusque coup de lame, voilà qui était propre et honorable. Lui tirer dans le dos, caché dans l'ombre d'une ruelle, puis se précipiter pour faire porter le chapeau à quelqu'un d'autre, cela n'avait rien de comparable.

Il s'éloigna des moniteurs de surveillance. Oui, bien sûr, lui aussi pouvait faire ce genre de chose. Et oui, bien sûr, c'était nécessaire. Il n'était pourtant pas forcé d'aimer cela.

Tôt ou tard, il trouverait la preuve dont il avait besoin pour incriminer Xizor. Plus la toile était embrouillée, plus celui qui la tissait avait des chances de s'y emmêler. Tôt ou tard, l'homme commettrait une erreur fatale et, à ce moment-là, Vador éliminerait Xizor. Il pourrait ensuite s'expliquer devant l'Empereur.

Une pensée réjouissante.

Le droïd messager – une boîte compacte aux bords arrondis dotée d'une unité antigrav qui lui permettait de flotter et de se déplacer à quelques mètres du sol – était apparemment en bon état. En dépit du violent impact de l'atterrissage de son module de transport dans les sables du désert. La boîte, de moitié moins grande que D2, flottait maintenant devant Dash et Luke à l'intérieur de la maison de Ben.

Il avait l'air en bon état mais quelque chose à l'intérieur avait dû se détériorer dans la chute.

– Je suis porteur d'un message pour la Princesse Leia, répéta-t-il pour la cinquième fois.

– Combien de fois va-t-il falloir que je te répète qu'elle

n'est pas là, hein? s'énerva Luke. D2, tu ne veux pas essayer de lui parler, toi?

D2 se rapprocha de son comparse, siffla et émit quelques bips rapides. Il conclut en envoyant de rapides éclairs lumineux au moyen de son holoprojecteur vers son interlocuteur.

Il y eut un moment d'attente au cours duquel des ajustements se produisirent à l'intérieur du système du messager.

– Je suis autorisé à délivrer le message à un représentant mandaté par la Princesse Leia en son absence, dit-il.

– Ah, enfin, nous sommes sur la même longueur d'onde, soupira Luke. Tu peux me dire. Je suis son, heu, représentant mandaté.

Il sourit à Dash. Ce dernier secoua la tête.

– Mot de passe? demanda le droïd.

Comment ça, un mot de passe? Qu'est-ce que Leia avait bien pu utiliser comme mot de passe?

– Heu... Luke Skywalker?

– Ce mot de passe est incorrect.

– Heu... Yan Solo?

– Ce mot de passe est incorrect.

– On risque d'être là pour un bon moment si tu racles les fonds de tiroir à la recherche de tous les noms que tu connais, Luke.

– Tais-toi, tu veux? J'essaye de réfléchir.

– Ah, pardon... Pas te déranger pendant cet intense processus, c'est ça?

Luke se mit à réfléchir. Il fallait que ce code soit quelque chose de simple, songea-t-il, quelque chose que Leia n'oublierait pas. Quelle était donc la première chose qui venait à l'esprit quand il pensait à elle?

Non... Pas celle-là...

– Heu... Alderaan?

– Mot de passe correct.

Un panneau coulissa sur le droïd, révélant un holoprojecteur. Après quelques secondes, une image se matérialisa.

Un Bothan un peu courtaud, avec des cheveux longs et une barbe, apparut. Il était vêtu d'une longue tunique vert émeraude, ainsi que d'un pantalon, et portait des bottes. Un long fusil-blaster de type militaire était accroché à sa ceinture et pendait le long de sa jambe droite.

– Salutations, Princesse Leia. Ici Koth Melan, qui vous parle depuis Bothawui, sa planète natale. Notre réseau d'espions a découvert des informations vitales pour l'Alliance et leur nature est d'une telle importance qu'elle justifie l'emploi d'un droïd messager. Vous devez vous rendre sur Bothawui *immédiatement*. Je me permets d'insister encore sur l'importance de cette information et sur le caractère d'urgence de la situation. Le facteur temps est capital. Je demeurerai à la Mission des Echanges Galactiques pendant encore cinq jours. L'Alliance *doit* agir pendant ce laps de temps ou l'information risque d'être perdue pour de bon.

La projection s'interrompit.

– Eh bien, dit Dash. En voilà un qui est bien pressé. On peut rejoindre Bothawui dans les temps, si je pousse mon vaisseau. Même ce cageot d'aile-X qui te sert d'appareil pourrait y arriver, mais je n'en mettrais pas ma main à couper.

– Il faut que nous passions cette information à Leia, dit Luke.

– Aucune chance, p'tit. On ne peut pas utiliser les réseaux d'holotransmission parce que nous ne savons pas où elle se trouve actuellement. On ne peut pas simplement appeler les renseignements et leur demander, hein? « Excusez-moi, pouvez-vous me dire où se trouvent les pires ennemis de l'Empire, s'il vous plaît? »

– D'accord, j'ai pigé.

– Ouais, c'est ça. Eh bien, le temps qu'on aille sur Rodia, qu'on la trouve et qu'elle se rende sur Bothawui, il se sera écoulé au moins une semaine standard.

Luke fixa le droïd messager. Qu'est-ce qu'ils allaient bien pouvoir faire? Le message semblait important, très important.

– Bon, dit-il. Je crois qu'il faut qu'on y aille à sa place, alors.

– Et pourquoi? Le message était pour elle, non?

– Je suis son représentant mandaté. J'ai trouvé le bon mot de passe. Ce que ce Koth Melan a à dire, il peut me le dire, à moi.

– Ça me paraît pas bien malin. Un maître-espion bothan se laisserait faire comme ça et révélerait ses secrets ? Et puis, même son nom sonne faux. « Melan » ? C'est pas très bothan comme nom.

– On ne t'a rien demandé. T'es supposé être le garde du corps, non ? Tu n'en as rien à foutre de l'Alliance.

– Non, c'est vrai, t'as raison. A moins que tu veuilles m'engager pour ce coup.

– Ben voyons. Bon, moi, j'y vais. Toi, tu fais ce que tu veux.

Dash sourit.

– Bien. Pour moi, tu vaux plus vivant que mort ; j'ai plutôt intérêt à protéger mon gagne-pain. Je vais prendre l'un des swoops pour retourner en ville récupérer mon vaisseau. On se retrouve en orbite.

Luke hocha la tête. Il n'aimait pas beaucoup Dash mais ce type savait se servir d'un flingue et c'était un pilote hors pair. Et ça, ça comptait beaucoup.

– Allons chercher l'aile-X, D2. On part en balade.

D2 fit remarquer que lui non plus ne trouvait pas cela une si bonne idée.

Dommage, pensa Luke. Un Chevalier Jedi n'allait pas rester à se tourner les pouces alors qu'il y avait des informations vitales pour l'Alliance à récupérer, n'est-ce pas ? Non, bien sûr que non.

17

– Ve fuis dévolé, dit Avaro. Mais le Foleil Noiw ne fe montwe pas à chaque fois que ve claque des doigts.

Leia secoua la tête, dépitée. Elle et Chewie se trouvaient dans le bureau d'Avaro et, encore une fois, il les envoyait gentiment promener. Lando était heureux comme un poisson dans l'eau; il gagnait presque toutes les parties de cartes auxquelles il participait. Même Chewie avait l'air de s'amuser au casino mais, si quelque chose ne se décantait pas rapidement, Leia allait commencer à s'arracher les cheveux un à un. Rester assise à ne rien faire, ce n'était pas son style.

– O.K., dit-elle. Bon, voilà ce qui va se passer. Si quelqu'un ne se présente pas d'ici à la fin de la semaine prochaine, nous irons voir ailleurs.

Avaro haussa les épaules.

– Comme il vous plaiwa.

Non, ça, ça ne lui plaisait pas; ce qui lui plaisait, c'était de bouger, de faire quelque chose, de découvrir qui était après Luke et pourquoi. Cela semblait terriblement maladroit de la part de Vador d'avoir manigancé cette histoire avec la mécanicienne parce que si c'était le cas, on pourrait très facilement remonter la piste jusqu'au Seigneur Noir de Sith. Elle n'avait pourtant pas d'autre idée sur qui pouvait avoir envie de tuer Luke. De temps en temps, les choses qui avaient l'air trop faciles l'étaient réellement.

D'autres fois, pas du tout.

Elle se leva et quitta le bureau d'Avaro. Ici, elle n'avait pas bien le choix. Elle allait devoir attendre, et elle n'allait pas aimer cela du tout.

Guri s'apprêtait à partir pour Rodia quand Xizor la retint.

– Avant que vous ne partiez, j'ai une autre commission à vous confier. Il y a dans mes dossiers personnels un document secret sous l'appellation « Route ». Vous voyez de quoi je veux parler ?

– Oui.

– Téléchargez-le et faites en sorte qu'il tombe entre les mains de notre agent double bothan sur Bothawui. Assurez-vous qu'il soit parfaitement conscient que nous sommes responsables de la livraison du dossier.

Guri ne dit rien mais il sentit chez elle une certaine opposition.

– Vous désapprouvez ? dit-il.

– Il ne semble pas que ce soit dans votre plus grand intérêt de faire une chose pareille.

– Ah mais si, au contraire. En laissant le Soleil Noir donner gratuitement des tuyaux aux Rebelles, on peut gagner leur confiance petit à petit. Au cas, fort peu probable, où l'Empire perdrait cette guerre, l'Alliance se souviendrait de nous comme d'amis et non d'ennemis.

Guri hocha la tête. Elle comprenait, qu'elle soit d'accord ou non, elle comprenait.

– Altesse.

Elle sortit.

Xizor s'accorda quelques instants de réflexion sur les préoccupations de Guri en revoyant ses plans. La nouvelle information devait s'ajouter aux renseignements secrets qu'il avait laissés filtrer afin qu'ils soient découverts par les Bothans. Il y avait un léger risque mais il était relativement mince en comparaison de ce qu'il y avait à gagner. L'Empire était puissant et il ne pensait pas sincèrement que l'Alliance pouvait remporter la victoire mais seul un imbécile aurait rejeté cette possibilité, aussi minime soit-elle. Des choses des plus étranges étaient arrivées. Des gens avaient été frappés par la foudre; des météorites étaient tombées alors que le ciel était parfaitement dégagé; le battement de l'aile d'une mite sur la Côte Nord pouvait déclencher la brise qui allait engendrer l'ouragan sur la Côte Sud. Un joueur prudent ne prenait aucun risque superflu mais venait un temps où même le saut le plus calculé pouvait se faire au-dessus du plus profond des abîmes. Ce temps était arrivé et, comme d'habitude, on était en présence d'une lame à double tranchant. Manipulée avec soin, elle couperait de part et d'autre.

Et c'était exactement ce qu'on attendait d'elle.

Rejoindre Bothawui ne fut pas si difficile, même si les choses se compliquèrent légèrement lorsqu'ils sortirent de l'hyperespace. Une patrouille impériale bourdonnait autour de la planète. Luke et Dash durent se livrer à de savantes manœuvres pour les éviter.

Apparemment, il n'y avait aucune quarantaine et ils gagnèrent la surface sans encombre. Ils empruntèrent ensuite les transports en commun qui faisaient la navette entre le spatioport et la ville.

Luke n'était jamais venu sur Bothawui et fut fasciné de constater combien l'endroit était propre et bien entretenu, comparé à son propre monde. C'était une belle journée de printemps ensoleillée. Quelques unités éparses de soldats de choc allaient et venaient mais il apparaissait que les Bothans avaient bien le contrôle de leur propre port d'entrée. Les rues étaient larges, la plupart des grands immeubles semblaient construits avec la même pierre naturelle très brillante. La majorité des gens que Luke voyait était des Bothans mais un grand nombre de représentants d'autres races se mélangeaient à la foule des passants. Tout cela semblait bien cosmopolite en dépit de la guerre qui faisait rage. Luke fit part de cette pensée à Dash.

– Ouais, mais c'est parce qu'il y a plein d'espions partout, répondit Dash. Et Bothawui est certainement le centre d'opérations secrètes le plus actif de toute la galaxie. L'Empire a ses propres agents, ici, tout comme l'Alliance et ils ont tous décidé, d'un commun accord, de conserver à cet endroit un caractère de territoire neutre.

Ils allèrent jusqu'à la Mission des Echanges Galactiques, payèrent leur course et descendirent du transport.

Pénétrer à l'intérieur pour rencontrer Koth Melan fut un peu plus difficile.

Le garde bothan voulut voir un laissez-passer que, bien entendu, ils ne possédaient pas. Étant donné qu'il était recherché, Luke ne se sentait pas spécialement d'attaque pour décliner son identité au garde.

Peut-être pourrait-il utiliser la Force sur ce Bothan ? Il avait employé le truc de Ben un certain nombre de fois et cela avait plutôt bien marché. Et puis, cela impressionnerait Dash.

Mais avant que Luke ne commence à concentrer la Force en lui, Dash attira le garde sur le côté, lui dit quelques mots et lui plaça quelque chose dans la main.

Le garde sourit et leur fit signe d'entrer dans l'immeuble.

– Mais, qu'est-ce que tu lui as dit ? demanda Luke.

– Pas grand-chose. Mais cette pièce de cent crédits que je lui ai donnée, elle, lui a dit : « Hé, ces deux types sont sympa, si tu les laissais entrer ? »

– Tu l'as *acheté* ?

– Tu ne sors pas souvent, pas vrai ? C'est comme ça que les choses fonctionnent, ici, dans la vraie galaxie. Sache que l'argent est le meilleur lubrifiant qui soit lorsque tu veux graisser une patte. On est à l'intérieur et on est contents. Le garde va pouvoir offrir un chouette cadeau à sa femme ou à sa petite amie et il est content. Tout le monde est content, personne n'a été blessé. Si on se fait choper, le garde prétendra ne nous avoir jamais vus. C'est le prix à payer quand tu fais du business.

Luke secoua la tête. Mais Dash avait peut-être raison. Est-ce que donner des crédits était pire que d'embrumer l'esprit de cet homme avec la Force ? Ouais, c'était pour une bonne cause et c'était justifié. Mais quelques crédits, c'était pas justifié, ça aussi ?

Il lui faudrait réfléchir un peu plus à la question.

Dash, pendant ce temps, était parti retrouver un droïd de renseignement parqué dans le hall de l'immeuble.

– Où pouvons-nous trouver Koth Melan ? lui demanda-t-il.

Le droïd avait une voix très grave et très sonore.

– Niveau seize. Numéro sept, dit-il.

– Merci.

Ils avancèrent vers les turbo-élévateurs.

Un autre droïd, celui-ci de protocole et ressemblant donc à C3 PO, était en faction au comptoir situé dans l'antichambre menant au bureau vers lequel on avait dirigé Dash et Luke. Son enveloppe de métal avait été polie pour obtenir un doré particulièrement étincelant.

– Bonjour. Puis-je vous renseigner ? leur demanda-t-il.

– La Princesse Leia est attendue par Koth Melan, dit Luke.

– Et *vous* êtes la Princesse Leia ?

Luke fronça les sourcils.

– Non, non, je ne suis pas la Princesse Leia. Je suis, heu... son représentant mandaté. Luke Skywalker. Nous n'avons pas vraiment rendez-vous. Mais si votre patron tient à la voir, je suis certain qu'il tiendra à nous voir, nous.

– Je ne crois pas que tout ceci soit très logique, dit le droïd.

– Ecoutez, contentez-vous de lui dire que nous sommes ici, d'accord ?

– J'ai bien peur de ne pas pouvoir vous laisser entrer sans rendez-vous. Maître Melan est un Bothan très occupé. Je ne tiens pas non plus à le déranger pour des futilités. Peut-être, cependant, puis-je m'arranger pour que vous le rencontriez, disons, d'ici une semaine standard ? Vos noms ?

Luke fronça les sourcils. Comment pouvaient-ils convaincre ce droïd de les laisser entrer ? Ils ne pouvaient pas le soudoyer et la Force n'avait aucun effet...

Dash sourit et dégaina son blaster. Il le pointa sur le droïd.

– O.K. Crâne Doré, mon nom est L'Homme avec un Blaster qui va te Rôtir la Carcasse. Soit tu ouvres cette porte, soit ton Bothan, qui est si occupé, va être obligé de se mettre en quête d'un nouveau réceptionniste.

– Oh, Seigneur, soupira le droïd.

– Et pas de signal d'alarme, compris? dit Dash. Je te surveille de très près. Lève-toi et va ouvrir cette porte manuellement.

– Très bien, Monsieur L'Homme avec un Blaster qui va te Rôtir la Carcasse.

Luke et Dash échangèrent un regard entendu. Les droïds prenaient fréquemment les choses au pied de la lettre.

Il tapa un code sur le clavier fixé au montant de la porte. Le panneau coulissa.

– Allez, ordonna Dash.

Le droïd les précéda dans une vaste pièce. Assis derrière un bureau, le dos à une baie de transparacier, se trouvait le Bothan qui avait envoyé le message à Leia.

Enfin, Luke estima qu'il s'agissait de la même personne. Ils se ressemblaient tous.

– Maître Melan, je vous prie de bien vouloir me pardonner cette intrusion mais...

– Ça ira, R-Zéro-Quatre. Retournez à votre comptoir. Je vais recevoir ces deux gentilshommes.

– Je n'irais pas jusqu'à les qualifier de gentils, monsieur, dit le droïd baptisé R-0-4. Ils m'ont dit qu'ils étaient la Princesse Leia. Ils m'ont menacé de sévices corporels!

– Ce n'est pas grave, R-Zéro-Quatre, dit le Bothan. (Il se tourna vers Dash.) Rangez votre quincaillerie, Rendar, vous n'en aurez plus besoin.

Sous le coup de la surprise, Dash cilla mais il rengaina son arme.

Le droïd sortit en fermant la porte derrière lui.

Luke s'avança.

– Veuillez excuser la façon avec laquelle nous sommes entrés mais nous devions absolument vous voir.

Melan sourit.

– Je sais. Vous êtes Luke Skywalker et vous, vous êtes Dash Rendar. Je vous attendais. Je vous en prie, prenez un siège.

Luke et Dash échangèrent un rapide regard.

– Je devrais peut-être vous expliquer, dit Melan. J'ai découvert tout récemment que la Princesse Leia Organa n'était plus sur Tatooine mais il était trop tard pour rappeler le droïd messager que j'avais envoyé. Puisque vous êtes ici, je suppose que vous connaissez le mot de passe sur lequel elle et moi nous étions entendus.

Il regarda Luke.

– Je connais votre réputation et tout ce que vous avez fait pour l'Alliance.

Puis son regard se fixa sur Dash.

– Vous aussi, je connais votre réputation, monsieur Rendar, cependant je suis très surpris de voir que vous travaillez pour l'Alliance.

Dash haussa les épaules.

– Non, ce n'est pas le cas, je travaille pour la Princesse.

– Ah, très bien. Peu importe. Vous êtes là et nous allons pouvoir traiter de l'affaire qui nous intéresse.

– Vous avez pris un drôle de risque en nous laissant entrer jusqu'ici avec un blaster, dit Dash. On aurait très bien pu être des assassins de l'Empire déguisés.

Melan leur adressa un autre sourire.

– Pas vraiment. J'étais au courant de votre arrivée depuis votre atterrissage au spatioport. Vous avez d'abord été passés à l'analyseur à l'entrée de l'immeuble par le garde que vous avez « acheté » puis dans l'ascenseur et votre identification s'est avérée positive. Si, comme vous le dites, vous aviez été des assassins déguisés, l'ascenseur vous aurait emmenés à un niveau où une douzaine de gardes armés de blasters vous auraient attendus.

Luke et Dash échangèrent un coup d'œil.

– J'ai beaucoup d'ennemis, continua Melan. J'ai appris à être prudent.

Luke s'approcha d'un des sièges et s'y assit. Dash suivit son exemple.

– Qu'est-ce qu'il y a de si important pour que vous envoyiez un droïd messager à Leia ?

– L'Empire s'est embarqué dans un nouveau projet militaire, commença Melan. On ne sait pas encore vraiment ce dont il s'agit ni où cela va se passer. Mais nous savons qu'il est question d'un projet de grande envergure. L'Empereur a assigné une somme considérable à cette entreprise secrète, ainsi qu'une quantité tout aussi considérable d'hommes et de matériel.

– Comment avez-vous obtenu cette information? s'enquit Luke.

– Le réseau d'espionnage bothan est sans égal, dit Melan avec une touche de fierté dans la voix. Comme vous l'avez fait avec l'un de nos gardes à l'entrée, nous avons graissé la patte d'un officier impérial de très haut rang. Avec ce qu'il nous a donné, nous avons essayé d'introduire un droïd de piratage dans le complexe informatique principal de Coruscant pour qu'il repère et copie tous les plans de ce projet secret. Malheureusement, cette opération a échoué. La leçon que nous avons tirée de cet échec, c'est que les plans sont très farouchement gardés au cœur d'ordinateurs spéciaux qui n'ont aucune ligne de communication avec l'extérieur. Il n'y a ainsi aucun moyen d'obtenir ces informations à distance par piratage de réseau et nul autre moyen d'accéder à ces systèmes qu'en allant directement pianoter sur le clavier relié à leur unité centrale. D'après le peu de renseignements qui ont filtré, ce projet n'a rien de très réjouissant pour l'Alliance.

Luke hocha la tête.

– Bien, qu'est-ce que nous sommes censés faire?

– Nos agents sur le terrain ont mis la main sur des renseignements qui indiquent que l'un de ces ordinateurs à haute protection est envoyé de Coruscant à Bothawui. Nous pensons que cela serait d'une grande utilité pour l'Alliance de récupérer cette machine et d'en étudier le contenu pour connaître les intentions de l'Empire.

Luke hocha la tête une nouvelle fois.

– Oui, cela me semble effectivement raisonnable.

Dash prit la parole.

– Excusez-moi mais pourquoi faites-vous preuve de tant de zèle pour aider l'Alliance? Je pensais que le boulot des espions bothans était de collecter et de vendre des informations tout en évitant d'être impliqués dans les opérations stratégiques et tactiques.

Melan prit un air sinistre.
– Il y a vingt ans, l'Empire a fait exécuter mon père en l'accusant d'espionnage.
– Ce sont les risques du métier, non ?
– Oui, et ce sont des risques que je suis prêt à prendre. Mais tous les Bothans ne sont pas des espions, monsieur Rendar. Mon père était enseignant. Il n'était coupable de rien si ce n'est d'avoir essayé d'apprendre à ses étudiants ce qu'était l'Empire. Vous aurez peut-être remarqué que mon nom ne se termine pas par le suffixe honorifique « y'lya ». Tant que l'Empire ne sera pas battu, je ne pourrai pas regagner mon honneur.
Dash hocha la tête.
– Ceci explique cela.
Luke songea à sa tante et son oncle, transformés en cadavres fumants dans leur ferme sur Tatooine, et comprit parfaitement ce que devait ressentir Melan.
– Je suppose que vous avez aussi de bonnes raisons d'en vouloir à l'Empire, continua Melan en s'adressant à Dash. Après ce que l'Empereur vous a fait, à vous et à votre famille.
Dash serra les dents. Luke vit les muscles de sa mâchoire se contracter.
– Cela ne vous regarde pas, répondit-il.
Luke ne dit rien, cependant une question lui brûlait les lèvres : *Qu'est-ce qu'ils t'ont fait, Dash ?*
Au lieu de la formuler, il se contenta d'observer :
– Si l'Empire se donne toute cette peine, on ferait mieux de découvrir pourquoi. Comment peut-on mettre la main sur cet ordinateur ?
– Nos agents ont appris que l'Empire a l'intention d'envoyer les plans discrètement à bord d'un vaisseau sans escorte qui se ferait passer pour un simple cargo transportant de l'engrais. La raison en est simple : un vaisseau de fret a de fortes chances de moins attirer l'attention de l'Alliance qu'un convoi blindé et fortement armé.
– Un cargo transportant de l'engrais ? dit Dash. Ça, c'est tordu. Qui penserait à attaquer un truc pareil ?
– Nos espions nous informent qu'ils pourront très bien-

tôt obtenir l'itinéraire du cargo. Lorsqu'ils l'auront, il est possible qu'il ne nous reste qu'un jour ou deux avant son arrivée. Des Bothans ont des affinités avec l'Alliance et sont désireux de participer à la capture du vaisseau, cependant ils manquent d'entraînement pour des opérations pareilles. Cela serait vraiment bien s'ils avaient quelqu'un pour les commander, quelqu'un qui bénéficierait d'une certaine expérience des combats spatiaux.

Luke sourit.

– Ça, c'est un boulot pour moi. (Il se tourna vers Dash.) Qu'est-ce que t'en dis ? Tu viens avec nous ?

– Risquer ma peau et mon vaisseau ? Et pour quelle raison ?

– Je pensais que tu devais veiller à ce que je reste en vie.

– Pas à ce point-là.

– Allez, c'est juste un cargo. Contre une escouade de Bothans et moi-même dans mon aile-X. Qu'est-ce qu'on risque ? C'est simple comme bonjour.

Dash sembla réfléchir à la question.

– En plus, reprit Luke, si les informations contenues dans cet ordinateur sont aussi vitales qu'on le dit, l'Alliance pourrait bien te donner un petit supplément pour avoir participé à la capture. Ça peut bien valoir quelques milliers de crédits supplémentaires, peut-être plus.

Dash releva les yeux vers lui.

– D'accord. De toute façon, je n'ai rien d'autre à faire, alors pourquoi pas ?

Luke sourit. Décidément, ce type lui rappelait beaucoup Yan.

18

L'Empereur était d'habitude un homme malin. Il ne faisait que très rarement des choses que Vador considérait comme peu raisonnables. Encore moins stupides.

Vador était au château de l'Empereur et se tenait devant son maître. Cette dernière affaire particulièrement tortueuse dont il venait de l'entretenir lui semblait correspondre en tout point à la seconde catégorie. Stupide. Stupide et dangereuse.

Il n'aurait jamais cependant osé le lui dire en face ou même derrière son dos. Mais l'Empereur n'était pas si expert que cela à lire dans les pensées. Ce qui était aussi bien car, s'il en avait été capable, il aurait immédiatement anéanti Vador pour son opinion sur l'idiotie de l'entreprise.

Encore une fois, se dit Vador en observant son maître, s'il lisait dans les pensées, il serait douteux qu'un tel... *plan* puisse recevoir l'approbation de qui que ce soit.

– Vous n'êtes pas d'accord, Seigneur Vador?

– Ce n'est pas à moi de juger, mon Maître.

– Effectivement.

Plus tard, en regagnant son propre château, Vador repensa à sa réaction devant ces nouvelles données. Il semblait qu'il ne pouvait guère faire autre chose que d'observer la situation. De rester debout à ne rien faire d'autre que surveiller.

Cela n'améliora en rien son humeur.

Luke et Dash furent conduits par Koth Melan, à bord de sa landspeeder personnelle, jusqu'à une base secrète nichée dans les montagnes à deux heures de la ville. Là, ils rencontrèrent l'escouade de pilotes bothans, leurs officiers artilleurs et inspectèrent leurs vaisseaux.

La douzaine de chasseurs était de type BTL-S3, des ailes-Y biplace, le vaisseau d'attaque de l'Alliance le plus courant. Ils n'étaient pas aussi rapides que les ailes-X ou les Tie, ne disposaient pas de la même puissance de feu mais ils étaient robustes et pouvaient encaisser de nombreux coups. Ils n'étaient ni les plus récents ni les plus rapides des appareils qu'on pouvait rencontrer dans le vide de l'espace mais ils seraient plus que suffisants pour arrêter un simple cargo. Ils arboraient les couleurs et les codes d'identification de l'Alliance.

– Une belle brochette d'antiquités, fit remarquer Dash. Faut probablement descendre et pousser de temps en temps si on veut les faire avancer plus vite que n'importe quel droïd aux pattes cassées.

Luke l'ignora. Il se tourna vers le chef de patrouille.

– Vous avez des astromécanos pour tous ces vaisseaux?

Le chef, un Bothan qui semblait aussi jeune pour son espèce que Luke pouvait l'être pour un humain, hocha la tête.

– Oui, nous avons les droïds. Et tous les appareils sont équipés de canons lasers Taim & Bak IX-Quatre alimentés par des générateurs Novaldex standard. Malheureusement, nous ne disposons pas de torpilles à protons pour les lanceurs Arakyrd.

Luke haussa les épaules.

– Ce n'est pas grave. On ne veut pas le démolir ce cargo, de toute façon. On le veut en un seul morceau. Combien d'heures de vol ont vos hommes?

– Pas beaucoup, j'en ai bien peur. La plupart d'entre nous sont relativement nouveaux ici. Une centaine d'heures, parfois moins, sur ces coucous-ci. Mais les gars sont rapides et les artilleurs sont plutôt bons tireurs, même si on n'a pas eu des masses d'occasions de s'entraîner.

Tout cela n'augurait rien de bon.

– Nous avons quelques jours devant nous avant qu'on ne nous donne l'emplacement de notre cible, dit Luke. On peut probablement trouver un coin pour faire quelques manœuvres.

– Nous adorerions ça, Commandant Skywalker. L'escouade est à votre entière disposition.

Luke sourit. Il aimait bien la façon dont sonnait *Commandant Skywalker.* Il se voyait bien devenir Colonel Skywalker, Général Skywalker. Devenir général ne le gênerait pas vraiment dans ses études de Jedi, Ben était bien général, pas vrai ?

Chaque chose en son temps. D'abord ceci, puis Yan qui devait être sauvé. Ça allait être difficile mais pour une petite course avec un cargo chargé de fumier, il pouvait certainement arriver à tirer quelque chose de ces gars en l'espace de quelques jours, non ?

Leia songea à aller glisser une pièce dans l'une des machines à sous truquées de la salle de jeu. Elle s'ennuyait tellement qu'elle était prête à essayer n'importe quoi.

Avaro s'approcha d'elle.

– Ve weviens de l'efpafe. L'envoyée du Foleil Noiw est en woute. Elle fewa ifi dans twois vours.

Leia sentit monter en elle une vague de soulagement. *Dieu Merci.* Puis, alors qu'Avaro s'éclipsait en se dandinant, elle pensa à ce qu'il venait de dire. « *Elle* » sera là dans trois jours.

Elle ?

Eh bien, pourquoi pas ? Aucune règle n'empêchait une femme d'être criminelle.

D'une manière un peu perverse, cela lui plaisait que l'agent du Soleil Noir soit une femme.

Et le fait qu'elle n'allait pas tarder à arriver lui plaisait également.

L'agent qu'ils attendaient arriva à la base secrète de Bothawui trois jours après Dash et Luke. Les quatre hommes se rencontrèrent dans une salle de réunions privée.

– Voici les coordonnées du plan de vol, dit l'agent en sortant un minuscule ordinateur qu'il déposa sur la table.

Melan prit la parole.

– D'autres informations sur ce que pourrait être le gros projet ?

– Même pas des rumeurs. Tout cela est encore plus fermé qu'une huître corellienne.

– Dommage.

L'agent ressemblait trait pour trait à une centaine d'autres Bothans que Luke avait pu croiser. Placé au beau milieu d'une foule, il devenait invisible.

– Vous pensez que ces indications sont valables ? demanda Melan en faisant un signe de tête vers le petit ordinateur.

– Absolument. Je les ai obtenues de notre contact dans la pègre. Elle ne nous a jamais livré de mauvais renseignements jusqu'à présent.

– Votre contact dans la pègre ? releva Luke.

– Le Soleil Noir, dit l'agent.

Luke et Dash échangèrent un regard.

– Le Soleil Noir ? demanda Luke.

– Il apparaît que cette organisation courtise l'Alliance, répondit Melan. Plusieurs fois, ils nous ont fourni des renseignements de grande valeur. Je crois qu'ils pensent que l'Alliance va gagner la guerre contre l'Empire.

– Ils doivent bien être les seuls, remarqua Dash.

Melan regarda Dash mais ignora ce qu'il venait de dire.

– La guerre, comme la politique, permet parfois de tisser d'étonnantes relations. On fait ce qu'on peut avec ce qu'on a.

Luke secoua la tête.

– Je n'aime pas ça. Ils doivent bien espérer récupérer quelque chose en échange.

Que Leia soit partie rencontrer les gens du Soleil Noir au moment où ceux-ci leur fournissaient de précieux renseignements semblait une bien curieuse coïncidence. Quelque chose n'allait pas.

– Ils n'ont rien demandé.

– Pour l'instant, fit Dash.

– O.K., dit Luke, laissons ça de côté pour le moment. Si cette information est exacte, combien de temps avons-nous avant de nous préparer au décollage ?

– Votre escouade de volontaires est déjà en état d'alerte, répondit Melan. Nous devons être en position dans moins de trois heures standard pour être au point de rendez-vous.

– Nous ?

– Je viens aussi, dit Melan. Si Dash Rendar a de la place sur son vaisseau.

Dash adressa un sourire nonchalant au Bothan.

– Pas de problème. Vous savez cuisiner ? Il se peut que je veuille bouffer un petit truc pendant que nous allons intercepter ce cargo.

– Je doute que nous ayons le temps de manger, dit Luke.

– Toi, peut-être pas, p'tit gars, mais moi, je peux piloter et manger en même temps.

Luke fut forcé de sourire. Ce type était tellement imbu de sa personne que c'était un miracle si ses chevilles n'explosaient pas en aspergeant la pièce d'ego.

– Il vaudrait mieux rejoindre les appareils, suggéra Luke.

Dash fit un salut moqueur.

– A vos ordres, mon Commandant !

Il était temps de partir.

Luke prit la tête de la douzaine d'ailes-Y et les fit s'éloigner discrètement de la planète en profitant de la zone d'ombre d'une petite lune. Ainsi, ils évitaient les senseurs des patrouilles impériales. La formation était un peu inégale mais ils ne pilotaient pas trop mal pour un groupe qui n'avait passé que très peu de temps en vol. Luke ne les aurait pas menés au combat contre le meilleur détachement Tie de la Marine Impériale mais ils devaient bien être capables de cerner un cargo pour l'intercepter.

Ils approchaient des coordonnées et il était presque l'heure. Il se concentra sur l'embuscade.

Derrière lui, Dash pilotait son vaisseau chromé – presque invisible contre le noir du vide sidéral – avec Koth Melan pour passager.

– Restez serrés, les gars, dit Luke dans son communicateur. Nous sommes presque en position. Préparez-vous à tout couper, Escouade Bleue.

Les pilotes des ailes-Y accusèrent réception. Il avait fait en sorte de simplifier les choses ; chaque appareil d'attaque possédait un numéro et il avait attribué une couleur à l'unité...

– O.K. Nous y sommes. Prenez vos places.

L'Escouade Bleue obéit et les chasseurs s'arrêtèrent. Tous semblaient flotter au beau milieu de nulle part, en attente. Si l'information était exacte, le cargo devrait surgir de l'hyperespace à une centaine de kilomètres droit devant eux...

Le pilote du cargo devait avoir eu une panne de réveil. Le vaisseau rejoignit l'espace standard à moins de cinquante mètres de là.

C'était un transport léger de série, un vaisseau corellien mais d'une forme bien différente de celle du *Faucon Millenium*. Au lieu d'une carlingue en forme de soucoupe, dotée de nez jumeaux et d'un cockpit dépassant sur le côté, il s'agissait d'une sorte de long ovale dont on avait tranché les extrémités. Un module cargo détachable était accroché sous le vaisseau. Le tout ressemblait à la représentation schématique d'un gigantesque blaster.

– Debout, l'Escouade Bleue ! Voilà notre cible ! En formation d'attaque !

Le vaisseau était sorti de l'hyperespace relativement lentement mais puisqu'il était beaucoup plus proche que prévu, ils n'eurent pas vraiment le temps de réagir. Luke alluma un canal standard d'opérations et héla le cargo.

– Attention, équipage du cargo *Suprosa*, ici le Commandant Skywalker de l'Alliance. Coupez vos moteurs et préparez-vous à être abordés.

Si tout se déroulait comme prévu, Koth Melan – revêtu d'une combinaison pressurisée – serait escorté à bord du cargo par quelques gardes et des techniciens qui l'avaient accompagné sur le vaisseau de Dash. Ils feraient l'aller et le retour en un rien de temps.

– Ici le capitaine du cargo *Suprosa*. Vous n'êtes pas bien, non ? fut la réponse qui arriva. Nous transportons du fertilisant ! Quel type de pirates êtes-vous donc ?

– Nous ne sommes pas des pirates. Comme je vous l'ai dit, nous appartenons à l'Alliance. Et puis, nous avons peut-être un très grand jardin. Rangez-vous, Capitaine, et personne ne sera blessé.

Il y eut une très longue pause. Peut-être le pilote ne savait-il pas exactement ce qu'il était en train de remorquer mais Luke en doutait. S'il l'ignorait, il n'émettrait aucune objection à être abordé...

– Ecoutez, mon vieux. Je suis sous contrat avec XTS et mes ordres sont de livrer ce chargement à l'agence de Bothawui. Pourquoi n'iriez-vous pas embêter quelqu'un qui transporte des armes ou des épices, hein ?

– Capitaine, soit vous coupez vos moteurs, soit nous les coupons nous-mêmes. Certains de mes artilleurs peuvent dégommer, avec leurs lasers, des mouches sur un mur sans en érafler la peinture.

Oui, c'était possible, mais il n'en avait vu aucun réaliser un exploit pareil au cours des séances d'entraînement. Cependant, le pilote du cargo ne le savait pas, lui.

Le vaisseau de transport largua son chargement, prit de la vitesse et vira de bord.

Il allait essayer de les distancer.

Luke bascula son communicateur sur le canal d'opérations tactiques.

– Il va falloir employer la manière forte, les gars. Visez uniquement les moteurs ! Si vous n'êtes pas sûrs de votre coup, ne tirez pas. On ne veut pas tout faire péter. Allez, en avant !

La distance qui séparait le cargo de l'escouade diminua en un clin d'œil. C'était idiot ; le vaisseau n'était pas armé et était bien plus lent que les ailes-Y. Ils voulaient se farcir le capitaine ? Il était cuit et il devait le savoir.

Le cargo tenta de virer à angle droit par rapport à l'axe d'arrivée des chasseurs. Ils étaient presque à portée de tir. Luke était en tête. Son appareil était plus rapide qu'une aile-Y et il ne lui faudrait qu'un ou deux coups au but pour endommager les moteurs, en supposant qu'ils soient équipés d'un blindage standard.

Encore deux secondes...

D2 siffla.

Oh oh... Luke n'aimait pas ce qu'il venait d'entendre.

– Passe-le sur écran, s'il te plaît, D2.

L'image du cargo apparut sur le moniteur de Luke.

Là où, normalement, auraient dû se trouver quatre sections de la coque parfaitement lisses, clignotaient des signaux rouges. Deux autres points, bleus ceux-là, apparurent.

Les panneaux de blindage avaient coulissé sur des compartiments secrets qui laissaient maintenant apparaître des pièces d'artillerie.

– Attention, tout le monde, la bête a des griffes ! Canons lasers à la proue et à la poupe plus ce qui semblerait être des lance-missiles en ventral et en dorsal. Faites gaffe à vous !

– Luke engagea son aile-X dans un large virage relevé au moment où les lasers bâbord du cargo entraient en action. Le rayon passa si près que les communications furent brouillées.

L'un des autres chasseurs, Bleu Quatre, plongea sur le cargo et visa le compartiment des moteurs. Luke vit le rayon toucher sa cible, mais l'éclat bleu étincelant à l'endroit de l'impact révéla que le vaisseau de transport était doté de boucliers renforcés.

Cela ne serait pas une cible si facile, après tout...

Les canons du cargo coincèrent Bleu Quatre et le petit chasseur vola en éclats.

Bon sang, il devait y avoir une sacrée puissance énergétique derrière ces armes !

– Cassez la manœuvre d'encerclement et regroupez-vous ! lança Luke dans son communicateur.

Bleu Deux était déjà en position d'attaque et changea sur-le-champ de direction.

Trop tard.

Bleu Deux n'était plus que de la poussière, de l'histoire ancienne...

Quatre vaisseaux bothans exécutèrent un looping d'esquive en conservant une assez bonne formation. Dash, à bord de l'*Outrider*, les suivit de près.

Luke était suffisamment proche du cargo pour voir le lance-missiles dorsal propulser un nuage de gaz qui se cristallisa en scintillant dans la lumière du soleil.

– Il vient de larguer un missile ! hurla-t-il.

– Je le vois, répondit Dash. Je m'en vais te bousiller cette saloperie !

Luke vit le vaisseau de Dash réaliser un tonneau et plonger. Ses canons robotisés se mirent à cracher des décharges d'énergie à intervalles réguliers. Il ne pouvait pas situer le missile mais il voyait clairement Dash avancer dans son attaque. Les canons continuaient à envoyer leurs dards lumineux.

– Bon sang ! s'exclama Dash. Je devrais déjà l'avoir touché ! Pourquoi il ne s'arrête pas ?

– Dash ! Allez viens ! hurla Luke.

– La ferme ! Je le tiens ! Stop, espèce de tas de ferraille, stop !

– Dégage, Dash !

– Non, attends, je l'ai !

– Missile en approche ! hurla Bleu Six, dispersez-vous !

Les quatre chasseurs essayèrent de se séparer, s'écartant comme les doigts d'une main.

Trop tard.

Le missile explosa juste au milieu d'eux et, lorsque le calme revint, les quatre appareils et les huit Bothans avaient disparu.

– C'est pas possible, j'ai pas pu le rater comme ça, dit Dash d'une voix incrédule. J'ai pas pu...

La colère envahit Luke. Il engagea l'aile-X dans un virage relevé très serré et mit le cap droit sur le cargo. Six appareils de son escouade avaient été détruits. En un clin d'œil. Et Dash, Dash le casse-cou, avait tout fait foirer de façon royale ! S'il n'y avait pas eu tant de vies perdues, Luke se serait dit que cette grande gueule n'avait que ce qu'il méritait. L'équipage du cargo savait ce qu'il transportait, en tout cas. Les derniers doutes que Luke avait encore à ce sujet s'étaient bel et bien dissipés.

Celui-ci était trop en colère pour pouvoir utiliser la Force. Il ignora l'énergie qui l'envahissait, il ignora la cacophonie de sifflements et de couinements de D2, il ignora tout sauf le compartiment des moteurs du cargo qui se trouvait dans sa ligne de mire. Il fit feu. Encore et encore. Il vit les radiations absorbées par les écrans déflecteurs, il vit leur halo bleu s'intensifier. Il vit le champ de force céder petit à petit devant son attaque. Il vit le compartiment des moteurs se déchirer, se mettre à fumer et dégager des flammes rouges et violettes pendant que les rayons lasers le mettaient en pièces.

– C'est pas possible, j'ai pas pu le manquer, répéta Dash.

Il avait l'air sonné.

– Laisse tomber, Dash, ordonna Luke. Il est trop tard pour se faire du souci, maintenant. Prépare-toi à accoster.

Luke changea le canal de communication et s'adressa au cargo.

– Vos propulseurs sont morts, Capitaine. Il vous arrivera la même chose, à vous et à votre équipage, si vous tirez encore un rayon laser ou un missile. C'est compris ?

Un court silence.

– Bien reçu.

– Vous êtes donc considérés comme prisonniers de guerre. Préparez-vous à l'abordage. Si vous tenez à la vie, vous avez tout intérêt à ne pas faire de bêtises avec votre véritable cargaison. S'il lui arrive quoi que ce soit, vous subirez un sort peu enviable.

Luke coupa la communication. Bon sang. Il venait de perdre la moitié de ses effectifs. Il aurait dû s'en douter. C'était bien trop facile pour être honnête. Une douzaine de Bothans étaient morts pour avoir tenté d'appréhender ce vaisseau et son ordinateur. Il aurait dû s'attendre à un piège. Il aurait dû savoir qu'on ne pouvait jamais faire confiance à l'Empire. Il aurait dû savoir que Dash était plus fort en parole qu'en action.

Il faisait un bien piètre commandant. Chaque fois qu'il partait en mission, il perdait quelqu'un. Personne d'autre n'était à blâmer. Dash avait failli à sa tâche mais c'était sous sa responsabilité, c'était bien lui, Luke, qui était le commandant de cette mission. Il pensait que cela serait facile. Simple comme bonjour, avait-il dit à Dash.

Ouais, il était bien trop suffisant, trop imbu de sa personne, bien trop certain que la Force lui montrerait le bon chemin dans toutes les situations. C'était faux.

D'une certaine façon, voilà ce qui le mettait vraiment en colère. La Force ne répondait pas à chaque fois qu'il avait besoin d'elle.

Mais le Côté Obscur, lui, était toujours prêt quand on avait besoin de lui. Toujours.

Oh non. Il est hors de question que tu prennes ce chemin-là.

Mais ce chemin était bien tentant. Toute cette puissance qu'il avait ressentie...

Il secoua la tête. Il espéra que ce qui était contenu dans l'ordinateur que transportait le cargo valait le prix qu'il avait dû payer pour l'obtenir. Cela vaudrait mieux.

19

Avaro leur fit savoir que la représentante du Soleil Noir était arrivée et leur proposa de tous les recevoir sous son toit mais Leia déclina poliment l'invitation. Elle avait demandé à Lando de leur louer un appartement situé à deux pâtés de casinos plus loin. Accompagné du droïd, ce dernier en avait récemment inspecté les moindres recoins à la recherche de gadgets espions. La confiance de Leia en Avaro était aussi grande que la capacité de ce dernier à prononcer correctement les « r ».

– Dites-lui de venir nous rencontrer à La Chance Qui Tourne, dit-elle au serveur qui s'inclina et sortit.

Leia s'approcha de l'endroit où Chewie jouait aux échecs avec C3 PO. Tous les autres joueurs avaient été convaincus qu'il était bien plus sage de laisser gagner un Wookie que d'essayer de lui tenir tête.

– En route, les garçons, on a de la visite.

Ils se levèrent et la suivirent.

Lando était en route pour rejoindre la suite qu'ils avaient louée. Il avait l'intention de tout vérifier à nouveau et de mettre en place des dispositifs de sécurité. Lui serait caché, blaster au poing, quand la représentante du Soleil Noir se montrerait. Chewie surveillerait la porte depuis le hall et C3 PO resterait avec Leia.

Dehors, le jour laissait petit à petit la place à la nuit. Il faisait toujours chaud et humide. Les enseignes lumineuses criardes qui flanquaient tous les murs faisaient oublier les façades lépreuses. Elles étaient faites de tuyaux de plastique transparent contenant du gaz qui réagissait aux impulsions électriques et qui pouvaient s'illuminer d'une bonne douzaine de couleurs différentes. Les enseignes projetaient des rayons et des ombres multicolores dans toutes les directions. Les lumières allaient parfaitement avec le reste : tout dans le complexe semblait artificiel, même les pelouses et les buissons qui provenaient de biopépinières avaient l'air faux.

Dans la pénombre, quelqu'un hurla. Leia entendit un son de bottes martelant le sol suivi de cris rauques. Elle posa la main sur la crosse de son blaster, glissé dans un étui dissimulé sous la large ceinture de son pantalon. Même accompagnée de Chewie, elle se sentait mieux en portant une arme. La nuit ici était aussi dangereuse qu'une escarmouche avec l'Empire. Les gens qui venaient de perdre une très grosse somme d'argent au jeu se livraient souvent à des actes désespérés. Chaque matin, le journal local tenait une rubrique nécrologique sur sa dernière page. Un meurtre devait être franchement spectaculaire ou particulièrement horrible pour faire la une.

Ils arrivèrent à La Chance Qui Tourne sans incident et se rendirent immédiatement à leur appartement.

Lando, l'arme à la main, les accueillit à la porte lorsqu'ils eurent sonné.

– Tout est en place?

– Oui.

Il fit un signe vers la salle où devait se dérouler la rencontre. Il y avait un bureau équipé d'un terminal d'ordinateur à un bout de la pièce, deux canapés, trois chaises et une petite table. Un bar et un réfrigérateur étaient installés dans le coin opposé à la porte. Deux panneaux coulissants conduisaient aux commodités et à la chambre adjacente.

– Je resterai derrière la porte de cette chambre au cas où la représentante aurait besoin d'aller se rafraîchir un peu, dit Lando.

– Parfait. Chewie, toi tu te charges du hall.

Chewbacca hocha la tête et se mit en marche, son arbalète en bandoulière.

– O.K., toi, C3 PO, tu te mets là, près du bar.

Leia alla jusqu'au bureau et s'installa derrière. Il y avait tout intérêt à garder un aspect très formel à cet entretien. Elle s'assit, inspira à fond puis expira longuement.

Elle avait rencontré des officiels de l'Alliance, des généraux, des chefs de planète ainsi que des gouverneurs impériaux et des Sénateurs. La hiérarchie et le rang ne lui faisaient pas peur. Mais elle n'avait jamais eu l'occasion de s'entretenir en tête à tête avec un haut dignitaire de la pègre. Enfin, pour autant qu'elle puisse s'en souvenir. Elle était un peu nerveuse. Elle ne savait pas vraiment à quoi s'attendre.

Chewie les appela depuis l'entrée.

Leur visiteuse venait d'arriver.

– Fais-la entrer, dit Leia.

Et la porte s'ouvrit.

L'ordinateur était à peu près de la taille d'une mallette. Il était noir et sans signe distinctif extérieur, à part un petit anneau de contrôle sur l'un des côtés. Koth Melan tenait l'objet respectueusement posé sur ses mains grandes ouvertes.

Ils étaient à bord de l'*Outrider*, dans le salon principal du vaisseau. Dash était affalé dans l'un des fauteuils encastrés dans la structure et fixait le mur, sans rien dire. Il était encore sous le choc de son échec dans la tentative d'interception du missile qui avait fait disparaître quatre ailes-Y. Luke avait souhaité que Dash la mette un peu en veilleuse mais il n'avait pas voulu que cela se passe ainsi. Dash était déçu de ne pas être aussi bon qu'il le prétendait, mais au moins était-il en vie. Ce qui était un avantage par rapport à la moitié de la formation d'attaque.

Luke aussi avait le regard fixe mais il était dirigé sur le petit ordinateur. Encore une fois, il espéra que le contenu valait le sacrifice de la vie de douze Bothans.

– Vous pouvez accéder au programme ?

Melan secoua la tête.

– Non. Il est probablement codé et protégé par un système automatique de destruction. Seul un expert devrait pouvoir se jouer de tout cela. Notre meilleure équipe est sur Kothlis, une colonie de Bothans qui se trouve à quelques années-lumière d'ici. On va emmener l'ordinateur là-bas pour voir ce qu'il a dans le ventre.

– J'aimerais bien venir aussi, dit Luke.

– Bien entendu. Je vous donnerai les coordonnées ; vous pouvez très facilement vous y rendre à bord de votre aile-X.

– Dash ?

L'homme ne répondit pas, fixant toujours le vide. Le coup avait vraiment été dur. Luke en venait presque à se sentir mal pour lui.

– Dash, répéta-t-il.

Dash cligna des yeux, comme au sortir d'une transe.

– Hein ?

Luke avait déjà vu ce genre de réaction. Etat de choc postcombat.

Luke se tourna vers Melan.

– Sommes-nous susceptibles de tomber sur des Impériaux en chemin pour Kothlis ?

Melan haussa les épaules.

– Qui peut le prévoir ? C'est possible.

– Est-ce que votre organisation pourrait repérer où se trouve la Princesse Leia ?

– Jusqu'à hier, elle se trouvait au casino d'Avaro Sookcool, situé dans le complexe de jeux sur Rodia.

Luke secoua la tête. Décidément, ces gars étaient vraiment bons. Il regarda Dash. Non, il ne pouvait pas l'emmener avec lui, pas dans l'état dans lequel il se trouvait. Il était bien trop choqué.

– Dash...

– Je l'avais en plein dans mon viseur, dit Dash. Je ne pouvais pas le manquer.

– Dash !

– Hein ? Quoi ?

– Va sur Rodia, trouve la Princesse Leia et parle-lui de l'ordinateur et des plans secrets. T'as compris ?

– Je ferais mieux d'aller avec toi.

– Non, c'est plus important que tu retrouves la Princesse.

Luke eut l'impression qu'il était en train de parler à un tout petit enfant.

Dash cligna des yeux et regarda Luke fixement.

– D'accord. Rodia. Plans. Pigé.

– On se retrouvera plus tard. O.K. ?

– Te retrouver plus tard, hein, hein.

– Ça va aller ?

– Ouais.

– C'est la guerre, remarqua Melan avec compassion, ce genre de sale coup arrive.

Luke hocha la tête. Encore une chose dont l'Empire devrait répondre.

Guri ne correspondait vraiment à aucune des idées préconçues de Leia. La femme du Soleil Noir était superbe, d'une éclatante beauté avec de longs cheveux blonds et un visage parfait. Elle portait une cape noire, assez courte, par-dessus une combinaison moulante noire elle aussi, des bottes en peau et une ceinture de croûte de cuir rouge bouclée très bas sur les hanches. Elle se déplaçait avec la grâce d'une danseuse professionnelle. Leia n'arriva pas à repérer si elle portait une arme.

Guri s'assit en face d'elle. Elle parla la première, sa voix était détendue et régulière.

– Comment pouvons-nous vous servir, Princesse ?

Leia se retint de sourire. Cette femme savait aller à l'essentiel. Mais Leia pratiquait la diplomatie depuis bien trop de temps pour révéler tout de go ce qu'elle voulait à une étrangère. Il était nécessaire de se livrer à un véritable rituel, de tourner autour du pot, de faire quelques feintes, de dérouter son interlocutrice. On ne plongeait pas d'un seul coup dans des eaux inconnues d'une falaise très élevée ; des choses dangereuses pouvaient se tapir sous la surface. La raison commandait de tout inspecter en premier lieu. Leia ne connaissait rien de cette blonde glacée : ni quel était son statut dans l'organisation, ni quels étaient ses objectifs, ni ce qu'elle attendait de ceux qui traitaient avec elle. Tout en sachant que l'Alliance ne se risquerait pas à un partenariat avec des criminels, Leia était prête à utiliser tous les moyens possibles pour maintenir Luke en vie. Elle ne représenterait d'ailleurs pas l'Alliance au cours de cet entretien, une information qu'elle avait bien l'intention de garder pour elle.

– Je crois comprendre que le Soleil Noir dispose d'un service de renseignements de premier ordre, dit-elle.

Guri lui adressa un sourire éclatant.

– Il nous arrive d'apprendre une ou deux petites choses de temps en temps.

– Désirez-vous un rafraîchissement ?

Leia fit un signe de tête vers le bar et C3 PO.

Guri se tourna dans la même direction.

– Du thé, si cela n'est pas trop vous demander. Bien chaud.

Leia regarda C3 PO.

– Et la même chose pour moi, je vous prie.

– Tout de suite, dit le droïd.

Il se mit à préparer le thé.

– Avez-vous fait bon voyage ? dit Leia.

Guri sourit.

– Très bon. J'espère qu'Avaro s'est arrangé pour que votre attente ici se passe de façon tout aussi agréable.

Eh bien, au moins savait-elle comment on jouait à ce jeu. Cela faisait un petit moment que Leia n'avait pas eu l'occasion de s'asseoir et de discuter ainsi avec une autre femme, elle qui était en permanence entourée de mâles. Elles allaient prendre le thé, elles se livreraient à leurs petites danses diplomatiques et finiraient par aborder tranquillement le vif du sujet. C'était comme une partie de cartes, il était toujours plus sage de garder son jeu bien caché jusqu'à ce que vous en sachiez plus sur les intentions des autres joueurs.

Le thé fut servi. La conversation demeura parfaitement anodine. Quelque chose n'allait pourtant pas et Leia n'arrivait pas à mettre le doigt dessus. D'une certaine façon, Guri semblait curieuse. Elle était polie, avait des manières très distinguées, se montrait soucieuse de bien suivre Leia dans le petit jeu auquel elles se livraient et pourtant, en dépit de tout cela, Leia avait envie de se débarrasser de son invitée.

Mais qu'est-ce que ça pouvait bien être?

Jusqu'à présent, elles ne s'étaient même pas approchées des questions concernant Luke. Tôt ou tard, il faudrait que Leia oriente subtilement la conversation vers ce sujet mais ce n'était pas encore le moment. Pas avant qu'elle ne comprenne ce qui la gênait chez cette femme du Soleil Noir.

– Nous sommes plus que désireux de collaborer avec l'Alliance, dit Guri en se laissant aller contre le dossier de son siège. (Elle avait l'air si détendue. Bien plus que Leia.) Nous ne serions pas malheureux si l'Empire venait à perdre cette guerre et si l'Alliance accédait au pouvoir.

– L'Alliance pourrait bien être plus intransigeante que l'Empire pour les questions concernant les organisations criminelles, dit Leia.

Voyons comment elle réagit à cela.

Guri haussa les épaules.

– En vérité, le Soleil Noir est de moins en moins intéressé par les activités illégales. La plupart de nos revenus, aujourd'hui, proviennent d'investissements dans des industries licites et dans des opérations parfaitement régulières. Il y a beaucoup de membres de notre organisation qui souhaiteraient que tout devienne transparent, qu'il n'y ait plus de dessous de table. Un tel changement est trop difficile à opérer lorsqu'on subit le poids du joug impérial. Peut-être que sous la direction de l'Alliance la transition pourrait s'effectuer dans de meilleures conditions?

Très bonne réponse, pensa Leia.

– Et comme je l'ai déjà mentionné, nous avons de bonnes relations avec l'Alliance. Nous vous avons... aidés un certain nombre de fois. En fait, nous avons récemment permis à l'Alliance d'obtenir les plans d'un projet de construction impérial ultrasecret, par l'intermédiaire du réseau d'espionnage bothan.

– Vraiment? Je n'en ai pas entendu parler.

– C'est très récent. Je pense que la nouvelle n'a pas encore eu le temps d'arriver jusqu'ici.

Hum. Leia s'appuya contre son dossier, essayant d'imiter la position particulièrement détendue de Guri. Cela méritait une petite enquête. Elle était certaine que si le Soleil Noir avait fait don d'une information de très grande valeur à l'Alliance, il demanderait quelque chose en retour. Peut-être pas maintenant mais certainement plus tard.

Guri se pencha vers Leia.

– Je regrette d'avoir à vous demander cela mais nous serait-il possible de continuer cet entretien un peu plus tard ? J'ai une affaire urgente à régler sur l'un des satellites locaux et j'ai bien peur de rater ma fenêtre de lancement.

– Bien sûr, dit Leia.

Que Guri ait une affaire urgente à régler ou non n'était pas de la plus grande importance. Si, effectivement, c'était bien le cas, elle pouvait vaquer à ses occupations. En revanche, si ce n'était pas vrai, interrompre ainsi une entrevue était un coup de bluff très audacieux. Leia était prête à l'accepter pour voir jusqu'où cela les mènerait.

– Peut-être pourrions-nous nous revoir, disons, dans trois ou quatre jours ?

– J'en serai ravie, dit Leia en souriant.

Guri se leva avec la souplesse d'un acrobate au meilleur de sa forme. Elle sourit, adressa à Leia un signe de tête à peine moins rigide qu'un salut militaire et sortit.

Après son départ, Lando et Chewie revinrent dans la chambre.

– Qu'est-ce que vous en pensez ?

– Mince, c'est un sacré morceau, dit Lando. On pourrait lui empiler des cubes de glace sur la tête et je suis sûr qu'ils ne fondraient même pas. Elle n'était pas armée, enfin, à moins qu'elle ait caché une arme dans un endroit que je n'ai pas réussi à détecter. Très attirante aussi mais je lui trouve quelque chose d'un peu effrayant.

Leia hocha la tête. Elle était contente que Lando l'ait remarqué.

– Et toi C3 PO ?

– Je n'ai malheureusement pas été capable d'identifier son accent, dit-il. Ce qui est particulièrement surprenant étant donné mes connaissances étendues en matière de langage. Son basique était très fluide, ses inflexions très précises. J'ai bien peur de ne pas pouvoir vous dire quelle est sa planète d'origine.

Chewie grogna quelque chose.

Personne ne parla pendant un moment. Leia prit la parole.

– Bon, eh bien, personne ne peut me traduire ce qu'il a dit ?

C3 PO fut le premier à répondre.

– Chewbacca a dit que cette femme le rendait très nerveux.

– Il n'a pas dit « très », dit Lando. Juste « nerveux », tout simplement.

– Je vous prie de me pardonner, dit C3 PO. Je me suis permis d'insérer cette modification à cause du changement de ton dans sa voix. Le langage wookie autorise ce genre de nuance.

– T'es peut-être en train de me dire que je ne parle pas bien le wookie ? dit Lando.

– Vous n'allez pas recommencer, vous deux.

« Très » ou pas, peu de choses étaient capables de rendre un Wookie nerveux. Certainement pas une femme ordinaire. C'était une question à ne pas négliger.

La prochaine fois que cette ambassadrice du Soleil Noir viendrait leur rendre visite, ils auraient intérêt à ce que leur petite réception soit un peu mieux préparée.

20

La Princesse Leia s'appuya contre le dossier de sa chaise et sourit. Elle semblait détendue, très à l'aise, parfaitement maîtresse de la situation.

Guri se pencha vers elle et lui expliqua qu'elle devait interrompre leur entretien.

Leia ne sembla pas être plus déconcertée que cela.

– Bien sûr, dit-elle.

Encore une fois, le même petit sourire poli.

– Arrêtez ici, dit Xizor.

La projection holographique de Leia se figea, plus nette en image fixe qu'en mouvement. Peut-être ferait-il installer cette vue précise comme décoration holographique permanente sur l'un des murs de son alcôve. Cela aurait été probablement mieux si elle avait été nue mais cette image-là n'était déjà pas si mal. Elle semblait capturer l'essence de cette femme. Il serait toujours temps de se procurer une vue d'elle nue.

Sans quitter du regard l'image grandeur nature tridimensionnelle figée sur le sol devant lui, Xizor prit la parole.

– Qu'avez-vous pensé d'elle ?

Derrière lui se tenait Guri.

– Elle est experte dans l'art de la conversation futile, un talent que l'on trouve chez les diplomates les plus compétents. Elle n'a rien révélé de ce qu'elle voulait exactement sauf que cela pouvait impliquer des renseignements. Elle est physiquement très attirante pour les représentants de son espèce et pour les représentants des autres espèces humanoïdes. Elle est intelligente.

– Et... ?

– Et cela me semble une drôle de coïncidence que cette femme, que l'on sait proche de Luke Skywalker, se mette tout à coup à sonder le Soleil Noir.

Xizor abandonna la contemplation de l'image holographique et releva la tête pour regarder son lieutenant le plus fidèle. Voilà qui semblait à des années-lumière de la vérité. Un homme capable de croire qu'il s'agissait d'une pure coïncidence serait un idiot. Cependant, Leia – il commençait déjà à penser à elle en utilisant son prénom – semblait en avoir deviné beaucoup plus que ce qu'elle était supposée savoir. Malgré le soin qu'il avait pris pour ne pas être impliqué dans la tentative d'assassinat de Luke Skywalker, elle avait compris qu'il s'agissait d'une machination et que le Soleil Noir pouvait en être l'instigateur. Voilà qui n'était pas si bon pour lui mais qui avait quelque chose de stupéfiant. Un autre point en faveur de la Princesse.

– Votre suggestion?

– Tuez-la. Tuez son Wookie et son ami qui passe son temps à jouer. Faites effacer la mémoire du droïd de protocole et puis envoyez-le à la fonderie. Profitez-en pour faire éliminer Avaro, par mesure de sûreté. Ainsi que tous les gens dans le casino qui auraient pu la reconnaître.

Xizor sourit. Guri était sans pitié et très efficace, cela faisait partie de ses charmes. Si elle devait incendier un immeuble pour en chasser les termites, elle n'hésiterait pas à le faire. Si on lui laissait carte blanche, elle ferait exactement ce qu'elle venait de suggérer.

– Je ne pense pas, dit-il. Retournez là-bas et rencontrez-la de nouveau. Nous devons découvrir précisément tout ce qu'elle sait et quelles sont les personnes à qui elle aurait pu en parler, si de telles personnes existent.

– Je peux récupérer cette information avant de l'éliminer.

– Non, je préférerais mener ce petit interrogatoire moi-même. Je veux que vous me l'ameniez.

Guri demeura silencieuse.

– Allez-y, dites-moi donc le fond de votre pensée.

– Vous êtes attiré par cette femme de façon romantique.

– Et alors ?

– De telles attirances sont connues comme susceptibles d'obscurcir l'esprit, même chez les individus les plus rationnels.

Il éclata de rire, quelque chose qui ne lui arrivait que bien trop rarement. Personne d'autre que Guri n'osait lui parler ainsi. Un autre de ses traits les plus attachants.

– N'ayez donc crainte, ma chère Guri. Elle ne pourra jamais remplacer dans mon cœur l'affection que j'ai pour vous.

Guri ne dit rien. Il songea qu'une telle pensée n'avait pas pu lui traverser l'esprit. Pour autant qu'il le sache, elle n'était pas sujette à la jalousie. Guri était capable de rester debout sans broncher, insensible à ce qui pouvait se dérouler sous ses yeux, en tenant les vêtements de Xizor et de sa maîtresse pendant leurs ébats.

– La Princesse Leia sera certainement très utile pour nous aider à repérer Luke Skywalker, d'une façon ou d'une autre. Après cela vous pourrez en faire ce que vous voudrez.

Guri hocha la tête. Une seule fois.

– Allez.

Après son départ, Xizor réfléchit à ce qu'elle avait dit puis chassa le sujet de son esprit. Il avait choisi de tout traiter avec froideur. Ses passions étaient toujours sévèrement tenues en laisse. Jusqu'au jour où il décidait de les relâcher. Guri s'inquiétait ; cela faisait partie de son travail et sa programmation spécifiait bien qu'elle devait le protéger à tout prix même lorsque sa vie affective était en cause. Il sentait bien que là il n'aurait pas besoin de protection. Dans des cas pareils, un Falleen était tout à fait capable de se débrouiller tout seul.

Et dans ce cas précis, cela allait être, en plus, une vraie partie de plaisir.

L'aile-X de Luke jaillit de l'hyperespace dans les environs de la planète Kothlis. Ce monde était doté de trois lunes et il était le quatrième d'un système de sept planètes en orbite autour d'un soleil principal. Cette partie de l'espace ne semblait pas envahi par la Marine Impériale, du moins dans les parages où se trouvait Luke. Il passa à l'analyseur les différents canaux locaux de communication et capta les chaînes concernant le trafic spatial. Rien d'alarmant n'était annoncé.

– D2, calcule-moi un cap pour rejoindre le point de rendez-vous que nous a donné Melan.

D2 siffla une réponse affirmative.

Les espions de Dark Vador lui avaient dit que Xizor était retourné voir l'Empereur. L'homme devait être impliqué dans quelque chose de dangereux pour l'Empire, il en était persuadé. Mais il lui fallait en trouver la preuve avant d'aller en parler à l'Empereur. Xizor était apparemment en odeur de sainteté et si Vador voulait que cela cesse, il devait absolument découvrir ce que tramait le Prince Sombre. Il lui fallait en fournir la preuve irréfutable.

– Que l'on fasse venir l'un de mes droïds de combat, ordonna Vador à la cantonade. Non, attendez, faites-en venir deux.

L'escadron de chasseurs rebelles apparut, une douzaine d'ailes-Y menées par une simple aile-X, plus un grand vaisseau non identifié et très lourdement armé.

La cible de cette attaque exécuta une manœuvre d'échappée et ouvrit le feu.

Le combat fut très intense et se termina vite. Le pilote de l'aile-X plongea très rapidement sur sa cible et en détruisit les propulseurs principaux. Le cargo, qui venait de faire disparaître la moitié de ses attaquants, fut immobilisé.

– Je pense que nous en avons vu assez, dit l'Empereur.

L'enregistrement de l'attaque, pris depuis le cargo lui-même et privé de bande-son, disparut.

– A ce que je vois, tout s'est passé exactement comme nous l'avions prévu, dit Xizor. Ils ont dû se battre un peu pour gagner. On ne voulait pas que cela ait l'air trop facile.

Il y eut un long silence avant que l'Empereur ne réponde.

– J'espère que vous savez parfaitement ce que vous êtes en train de faire, Prince Xizor. J'ai donné mon accord pour que les plans de la nouvelle Etoile Noire tombent entre les mains des Rebelles en suivant vos conseils. Vous avez intérêt à ne pas vous tromper.

– Je le sais, mon Maître, dit Xizor. Une fois que les Rebelles auront découvert la valeur de ce qu'on leur a donné, leur confiance en moi sera très grande. Cela sera alors très facile d'attirer leurs chefs dans vos griffes. Je vous livre la Rébellion et vous pourrez l'écraser à votre convenance.

L'Empereur ne dit rien mais Xizor comprit la menace silencieuse : *Si vous avez tort, vous allez le regretter.*

Si une personne extérieure au débat avait assisté à la scène en ayant en tête certains des éléments détenus par Xizor, elle aurait pu penser que la situation du Prince était précaire. Le désastre semblait imminent, comme pour un jongleur qui exécuterait des figures avec une bonne demi-douzaine de balles. Mais Xizor était doué, très doué, et il avait la volonté de garder toutes les balles en l'air. Cela faisait partie du jeu. Et c'est cela qui le rendait si intéressant. N'importe qui pouvait jongler avec un tout petit nombre d'objets. Il fallait être un véritable expert pour se lancer dans une entreprise telle que la sienne.

– Tu es sûr que ce truc va marcher? demanda Leia.

Chewbacca, occupé à travailler sur l'encadrement de la porte avec une petite pince électrique, dit quelque chose d'un air sournois.

C3 PO traduisit rapidement :

– Il dit que si cela ne marche pas, ce ne sera pas à cause d'une mauvaise installation.

Leia se tourna pour regarder Lando. Celui-ci haussa les épaules.

– Le gars qui me l'a vendu m'a annoncé qu'il s'agissait d'un modèle haut de gamme. Il est équipé du dernier cri en matière de scanner doppraymagno, de palpeur haute densité. De plus, il possède un système de batterie interne qui lui permet de fonctionner une année durant. Ça a intérêt à marcher, étant donné le prix que ça m'a coûté.

– Je suis certaine que cela a dû à peine entamer vos gains, dit Leia.

– Oh que si, que ça les a entamés. Et j'espère que cela en valait la peine.

Et moi donc, pensa Leia.

Chewie grogna quelque chose.

– Il dit que tout est prêt pour faire un essai, traduisit C3 PO.

Leia marcha jusqu'au bureau et s'assit derrière. Le terminal intégré dans la table était éteint. Elle l'alluma.

– Les programmes pour lancer l'unité se trouvent dans le dossier « bioscan », dit Lando.

Leia mit le programme en marche. Un hologramme apparut au-dessus du bureau.

– Mode non holographique, dit-elle. Ecran standard uniquement.

L'image disparut. Elle regarda vers le terminal. Les mots « scanner hors service » se matérialisèrent sur l'écran. Parfait. Cela serait invisible depuis le siège situé en face du bureau.

– Mise en route bioscan.

L'écran s'illumina et des icônes représentant un œil, une oreille et un nez se dessinèrent. Comme c'était mignon.

– O.K., tout le monde dehors. On va faire l'essai.

C3 PO, Lando et Chewie sortirent dans le hall.

– Fermez la porte.

Ils s'exécutèrent.

– D'accord, hurla Leia. Lando, entrez le premier.

La porte s'ouvrit et Lando pénétra dans la pièce de façon très décontractée. Il se mit à marcher et à tourner sur lui-même à la manière d'un mannequin au cours d'un défilé.

– Me voilà, régalez-vous !

Leia sourit. Il était très attachant pour un bandit. Elle regarda son moniteur.

Le scanner installé dans le montant de la porte capta l'image de Lando et elle se matérialisa sur l'écran. Une colonne d'informations se mit à défiler sur le côté de l'image alors que les senseurs examinaient Lando et envoyaient les renseignements à l'ordinateur : Humain, mâle, armé d'un blaster et d'une vibrolame dans la poche gauche de son pantalon, pouls, respiration, index de tension musculaire, taille, poids, température du corps. Un indice de réfraction indiquait l'âge et le degré d'usure de sa peau à plus ou moins un an.

Lando, selon les renseignements fournis par l'appareil, était un peu plus vieux qu'il ne le paraissait.

Aucune bombe, fiole de gaz empoisonné ou matériel dangereux n'était caché sur lui. Pas d'holocaméra non plus ni de système d'enregistrement.

– Cela semble fonctionner sur vous. Chewie, à ton tour, entre.

Encore une fois, l'appareil analysa et fit son compte rendu. Leia ne savait pas quelles étaient les informations vitales habituelles pour un Wookie mais le programme qui accompagnait le scanner avait, lui, l'air de le savoir. Il lui signala que Chewie semblait dans les normes pour un représentant de son espèce.

Elle fut certaine que Chewie serait heureux de l'apprendre.

C3 PO fut le dernier à entrer. Le programme n'eut aucun mal à le reconnaître en tant que droïd.

– Eh bien, tout semble fonctionner parfaitement, dit-elle.

– Pourquoi ne le testerions-nous pas sur vous pendant qu'on y est? proposa Lando.

– Je ne pense pas que cela soit nécessaire, dit-elle. Vous étiez bien assez nombreux.

Le communicateur de Lando se mit à sonner. Il sortit le petit appareil de sa ceinture. Leia le regarda, intriguée.

– J'ai un indicateur au spatioport. (Il approcha le communicateur de son visage.) Oui, j'écoute?

– Un vaisseau vient d'arriver, annonça une petite voix. C'est l'*Outrider*, piloté par...

– ... Dash Rendar ? finit Leia. Mais qu'est-ce qu'il fait là ? Il devrait être en train de surveiller Luke !

– Merci, dit Lando dans son communicateur. (Il coupa la transmission et s'adressa à Leia.) On ferait peut-être bien d'aller voir.

Ils rencontrèrent Dash à mi-chemin. Il venait de sauter dans un taxi à la sortie du spatioport. Chewie fit faire demi-tour à leur véhicule de location, ils rattrapèrent le taxi en un rien de temps et lui firent signe de se ranger.

Dash avait très mauvaise mine.

– Est-ce que Luke va bien ? demanda immédiatement Leia.

– Ouais, il va bien.

– Qu'est-ce que vous faites là ? Vous devriez être en train de le protéger.

Dash la dévisagea.

– Il va très bien. Il n'a pas besoin de *mon* aide.

– Tu n'as pas l'air en forme, intervint Lando. Des ennuis ?

– C'est une longue histoire, dit Dash.

– Montez dans la landspeeder, dit Leia. Vous pourrez tout nous raconter sur le chemin du casino.

Lorsqu'il eut achevé son récit, Leia secoua la tête. Luke allait bien, c'était ce qui lui importait le plus. Et il semblait que Guri avait dit la vérité à propos de ces plans ultra-secrets.

– T'as une idée sur ce que peuvent être ces plans ? demanda Lando.

– Non. Les Bothans ont une équipe de superspécialistes sur Kothlis, ils vont réussir à voir ce qu'il y a dans l'ordinateur.

Sa voix était monotone, presque éteinte.

Lando reprit la parole :

– Hé, ressaisis-toi, Dash. Les choses peuvent devenir très dures au cours d'une bataille. Cela peut arriver à n'importe qui de manquer...

– Pas à moi ! Je ne manque jamais ma cible. J'aurais dû

épingler ce foutu missile! Des Bothans sont morts parce que j'ai manqué ma cible, tu comprends?

Leia resta silencieuse. Elle n'aimait pas Dash Rendar; c'était une grande gueule imbue de sa personne; mais au moins ressentait-il quelque chose pour les gens qui l'entouraient. C'était probablement parce que sa trop grande confiance en lui en avait pris un coup mais elle sentait bien qu'il avait été sérieusement ébranlé. Cela devait être terrible, après avoir été longtemps convaincu que vous étiez l'individu le plus habile qui ait jamais parcouru les cieux étoilés, de découvrir d'un seul coup que vous aviez un point faible dans votre belle carapace.

Personne ne dit mot pendant un bon moment.

Enfin. Dès que leurs affaires avec le Soleil Noir seraient réglées, ils pourraient partir retrouver Luke. Tôt ou tard, tout finirait par se décanter.

Luke laissa D2 surveiller l'aile-X et se dirigea vers le salon où il était supposé rejoindre Koth Melan.

Le Bothan l'y attendait.

– Des problèmes? demanda Melan.

– Du tout. Et maintenant, on fait quoi?

– Nous possédons un repaire secret, à quelques kilomètres, à la périphérie de la ville. L'ordinateur y est déjà et notre équipe travaille dessus. Nous allons nous y rendre et nous attendrons qu'ils aient fini.

– Combien de temps cela va-t-il prendre?

Melan haussa les épaules.

– Difficile à dire. Quelques heures, peut-être, si nous avons de la chance. Des jours, si nous n'en avons pas. Les membres de l'équipe sont très doués et ils ne prendront aucun risque inutile. Après le prix que nous avons eu à payer, ce serait terrible de commettre une maladresse et de perdre les informations.

– Ouais, effectivement.

– J'ai une landspeeder qui attend dehors.

– Montrez-moi le chemin, je vous suis, dit Luke.

A l'extérieur, l'air était chargé d'une drôle d'odeur. Il fallut quelques instants à Luke pour retrouver ce que c'était. Cela sentait le fromage chaud et moisi. Il sourit intérieurement. Il savait qu'il s'y habituerait très vite et qu'il n'y ferait bientôt plus attention. Voilà une chose qu'on ne mentionnait jamais dans les prospectus des agences de voyages, le fait que chaque planète avait son odeur caractéristique et ses sensations propres. La lumière était un tout petit peu plus rouge ici que sur Tatooine, il faisait un peu plus frais que sur Bothawui et puis, il y avait cette drôle d'odeur. Ce qu'il y avait d'étonnant avec les mondes étrangers – enfin, étrangers pour ceux qui n'y étaient pas nés – c'est que chacun d'entre eux était unique.

Le fromage moisi, ce n'était pas si terrible. Il avait senti bien pire.

Ils marchèrent jusqu'à la landspeeder de Melan et embarquèrent. Il était temps d'aller découvrir ce que l'Empire estimait si précieux.

21

Luke remarqua que le repaire était très astucieusement camouflé. Des alignements de vieux hangars et de bureaux délabrés au sein d'une zone industrielle cachaient tout autre chose derrière leurs façades. Une fois passé un poste de sécurité contrôlé par trois gardes très musclés et très bien armés, on découvrait un complexe ultramoderne d'unités préfabriquées reliées entre elles. Le dernier cri en matière d'ordinateurs y était installé et une armada de techniciens s'y affairaient. La plupart étaient des Bothans mais des représentants d'autres races les accompagnaient.

Un excellent camouflage. De l'extérieur, personne ne pouvait deviner tout cela.

– Par ici, dit Melan.

Luke suivit le maître-espion bothan le long d'un corridor parfaitement éclairé jusqu'à une salle dont la porte était surveillée par un autre garde. Melan montra son badge d'identification et on leur permit d'entrer.

A l'intérieur, une demi-douzaine de techniciens bothans étaient au travail. L'un d'entre eux s'appliquait à connecter des terminaisons dans les prises de l'ordinateur que Melan leur avait apporté. D'autres étaient assis à des consoles, tapaient des lignes de codes sur leurs claviers ou utilisaient leurs modules de reconnaissance vocale. Les informations dansaient dans les airs au fur et à mesure que des images holographiques apparaissaient ou disparaissaient.

– Il n'y a pas grand-chose à voir, j'en ai peur, dit Melan.

A moins que vous ne soyez expert en la matière, l'information ne ressemble pour l'instant qu'à un cafouillis de chiffres et de lettres.

Luke hocha la tête.

– Et qu'est-ce que ça signifie? demanda-t-il en désignant les écrans.

– Allez savoir. Je suis maître-espion. Mes connaissances en programmation pourraient être gravées sur une microdiode avec une épée émoussée.

Luke sourit.

– Hé, hé, hé! s'exclama l'un des techniciens bothans. Regardez-moi ça, les gars! Scannez le secteur Tango-Hector-Xénon?

Luke entendit le cliquetis des claviers et la succession de commandes vocales.

– Ouah! dit l'un des autres techniciens.

– Oh, mince, renchérit un autre. J'y crois pas!

– Quoi? fit Luke. Qu'est-ce que c'est?

Avant qu'on ait pu lui répondre, la porte explosa et quelqu'un fit irruption en tirant.

Leia sourit à Guri. Encore une fois, elles étaient installées dans la suite louée par Lando, assises de part et d'autre du même bureau. Ce sourire n'était en fait destiné qu'à masquer un étonnement certain.

Selon l'écran de l'ordinateur intégré dans le plateau de la table et le scanner qui fournissait toutes les informations, Guri n'était pas humaine.

Et ce qu'elle était, le programme d'analyses était incapable de le dire.

– Voulez-vous quelque chose à boire? demanda Leia.

– Du thé, ce serait parfait.

– C3 PO, préparez-nous donc deux tasses de cet excellent mélange d'arômes, je vous prie.

Leia détourna son regard du droïd et adressa de nouveau un sourire éclatant à Guri. Du coin de l'œil, elle consulta l'écran de l'ordinateur. Selon le scanner, la peau de Guri devait être âgée d'une dizaine d'années standard.

Voilà qui était vraiment intéressant.
– J'espère que vos rendez-vous se sont bien passés ?
– Oui, très bien.
Cela n'allait pas être trop dur de continuer à la faire parler jusqu'à ce que le « mélange d'arômes » préparé par C3 PO commence à faire son effet. La potion somnifère versée dans la tasse de Guri la mettrait hors circuit pendant une heure ou deux. Une période dont profiteraient Leia et ses compagnons pour examiner la représentante du Soleil Noir et ses effets personnels de plus près. C'était le plan sur lequel ils s'étaient mis d'accord en cas de défaillance du scanner. Après ces quelques heures, Guri se réveillerait et – si les effets de la potion étaient bien ceux qui étaient escomptés – elle ne se rappellerait pas s'être endormie. Peut-être pourraient-ils, pendant ce laps de temps, découvrir qui elle était ou ce qu'elle était. Les intuitions de Leia à propos de Guri s'avéraient, il y avait quelque chose de curieux chez cette femme. De très curieux.

C3 PO apporta le thé. Leia espéra que le droïd avait bien versé la potion dans la bonne tasse. Il serait fort gênant d'avoir à demander à Lando et à Chewie de prendre le relais si elle venait à piquer du nez.

C3 PO tourna le dos à Guri. Leia le regarda. La lumière de l'œil gauche du droïd s'éteignit puis se ralluma.

Leia prit sa tasse et sourit à nouveau.

Lorsqu'un homme vous fonce dessus en tirant, vous ne restez pas sur son chemin à vous poser des questions idiotes.

Luke décrocha prestement le sabrolaser de sa ceinture, l'activa et le leva en position de parade tout en glissant sur le côté.

Un rayon laser rebondit sur la lame en dégageant une gerbe d'étincelles orange et rouges. L'air fut soudain empli d'une odeur ozonée.

Les techniciens n'étaient pas armés et Luke vit que deux d'entre eux avaient été touchés et s'écroulaient. Les autres se précipitèrent pour se mettre à couvert.

Koth Melan dégaina une petite arme et se mit à riposter. Il toucha l'attaquant juste entre les deux yeux. L'homme tomba à la renverse.

D'autres arrivèrent derrière lui, se pressant par la porte défoncée.

Luke fit un bond en avant, exécuta un balayage horizontal avec son sabre et élimina l'homme qui se trouvait juste après le premier attaquant.

Melan fit feu. Le rayon crépita près de l'oreille gauche de Luke et alla frapper le troisième arrivant.

Au-delà, Luke aperçut au moins une douzaine d'autres assaillants en train de charger. Peut-être plus. L'heure n'était pas au calcul...

D'autres rayons d'énergie fusèrent, certains frôlèrent Luke et allèrent détruire des terminaux d'ordinateurs, tuant sur le coup les techniciens qui s'y étaient réfugiés.

– Ils sont trop nombreux ! hurla Melan. Venez par ici !

D'un coup de sabre, Luke créa un rideau de lumière solide autour de lui. Il dévia un certain nombre de tirs et fit ainsi reculer temporairement une partie des attaquants. Il fit un bon de côté, ce qui permit à Melan de tirer de façon répétée par l'ouverture pour la dégager.

– Allez !

Luke se retourna et se mit à courir. Ce n'était pas le moment de jouer les héros et s'effacer était la plus raisonnable des choses à faire. Mais qui étaient ces gars ? Ils portaient des vêtements noirs sans aucun insigne. Un nouveau type de section d'assaut impériale ? Des mercenaires ?

On s'en fout pour l'instant. Tu t'inquiéteras de savoir qui ils sont plus tard. La partie est finie, Luke, il est grand temps de détaler !

Luke accéléra le pas à la suite de Melan.

Après une bonne vingtaine de minutes de conversation sans intérêt, Leia se rendit compte que le somnifère n'allait être d'aucune utilité. Normalement, il se montrait efficace au bout de cinq minutes. Huit, tout au plus, si le sujet était de constitution robuste.

Guri continuait à enchaîner les formules diplomatiques usuelles et ne semblait apparemment pas affectée par le puissant narcotique.

Peut-être C3 PO s'était-il trompé d'une manière ou d'une autre ? Peut-être avait-il oublié de verser la potion dans la tasse de Guri ?

L'ordinateur était toujours en train d'analyser les informations et affichait régulièrement la progression de son travail sur l'écran que consultait Leia. La... personne assise en face d'elle respirait de l'air et son cœur battait en pompant du sang. Mais ses poumons n'étaient pas normaux, tout comme son cœur. Les muscles, sous cette peau supposée être âgée de dix ans, étaient faits de tissus que le scanner n'arrivait pas à reconnaître. La température de son corps était dix pour cent plus froide que la normale. Si un humain avait atteint une température aussi basse, il serait mort.

En apparence, Guri était une jeune femme d'une vingtaine d'années, parfaitement saine et très séduisante. Selon le scanner et l'ordinateur, elle n'avait rien d'humain mais elle n'avait également rien de commun avec les quatre-vingt-six mille espèces et races que la machine était à même de reconnaître. Elle ne correspondait pas non plus aux modèles standard de droïds. Elle était, de plus, totalement immunisée contre une potion soporifique qui aurait terrassé n'importe quel être humain.

Mais que se passait-il ?

Nul doute, il y avait un problème et il ne faisait pas partie de ceux que Leia avait pu anticiper.

Qu'allaient-ils bien pouvoir faire ?

Ce fut Guri qui les aida à résoudre la question.

– Bon d'accord, Leia Organa, je pense que ce petit jeu a assez duré.

– Pardon ?

Guri leva sa tasse vide devant elle. Sous le regard éberlué de Leia, elle broya le solide récipient de céramique d'une seule main. Son poing trembla bien un peu mais la tasse vola en mille morceaux. Elle sourit.

– Je peux faire la même chose avec votre tête si je veux.

Vous avez probablement une arme dissimulée quelque part et je suis certainement plus rapide que vous. Si vous essayez de la prendre, je peux aisément vous dépasser et la récupérer à votre place.

Leia joua le jeu.

– Admettons que je vous croie. Qu'est-ce que vous voulez ?

– Vous allez m'accompagner, nous allons sortir d'ici. Vous allez dire au Wookie posté dans le hall de ne pas bouger et de nous laisser partir. Vous avez intérêt à le convaincre, sinon il meurt.

– Et où allons-nous ?

– Ne vous préoccupez pas de cela. Faites ce que l'on vous dit et vous resterez en vie jusqu'à ce que nous soyons arrivées.

– Non, cela m'étonnerait, dit Leia. Qui que – ou quoi que – vous soyez, je suis prête à parier que vous n'êtes pas plus rapide qu'une décharge de blaster. Lando ? Dash ?

La porte de la chambre coulissa. Lando et Dash se tenaient debout juste derrière le panneau, l'arme au poing et tenant Guri en joue. Ils pénétrèrent dans la pièce.

– Il se peut bien que vous ayez tort, dit Guri.

La porte du hall coulissa à son tour et Chewie apparut, visant le dos de Guri avec son arbalète.

– Oui, c'est bien possible, répondit Leia. Mais il vous faudrait être incroyablement rapide pour éviter d'être touchée par trois rayons.

Guri tourna légèrement la tête pour regarder Chewie, puis reporta son regard sur Leia.

– Vous avez l'avantage, il me semble. Qu'est-ce que vous proposez ?

C'était une bonne question. Qu'est-ce qu'ils allaient bien pouvoir faire maintenant ?

L'un des techniciens bothans fit un bond, attrapa l'ordinateur et l'arracha de ses prises. L'écran, qui n'avait pas été touché, s'éteignit.

– Allez-y ! cria Melan au technicien. On vous couvre !

Le Bothan courut vers le fond de la pièce. Une section du mur coulissa, révélant une issue de secours dont l'emplacement n'était pas signalé. Le technicien chargé de l'ordinateur disparut dans l'ouverture.

Pendant ce temps, Melan vida le chargeur de son blaster sur la nouvelle vague d'assaillants. L'arme une fois vide, il la jeta de côté.

– Allez-y, foncez ! hurla-t-il.

Luke n'eut pas besoin de se faire prier. Mais avant qu'il ait pu faire un pas, un rayon d'énergie frappa Melan de plein fouet.

Le Bothan s'écroula.

Luke tomba à genoux à ses côtés.

– P-p-partez ! souffla Melan. Laissez-moi, tirez-vous !

Luke aperçut les attaquants vêtus de noir investir les lieux. On ne laisse pas un camarade blessé derrière soi. Il s'interposa entre Melan et leurs agresseurs.

– Idiot ! P-p-partez !

D'un coup de sabre, Luke arracha le blaster des mains du premier homme qui arrivait sur eux. Il se demanda très brièvement pourquoi l'homme ne leur avait pas tiré dessus. Il n'eut pas le temps de réfléchir à une réponse. Cinq ou six autres tireurs approchaient.

– Luke, articula Melan. Merci, je...

Luke baissa les yeux sur le Bothan. Le corps de Melan s'affaissa et ses yeux roulèrent dans leurs orbites, ne laissant apparaître que l'effrayante blancheur de ses globes oculaires. Le Bothan laissa échapper un dernier souffle irrégulier et ne bougea plus.

Mort.

Le nombre des hommes qui affluaient dans la salle ne cessait de croître. Il y en avait bien dix, peut-être quinze maintenant. Tous pointaient leurs blasters sur Luke mais ne tiraient pas. Qu'est-ce que... ?

– Eteignez votre sabre, commanda l'un d'entre eux d'une voix rude. Vous ne pouvez pas gagner.

Luke regarda l'homme qui venait de parler. Il se tenait dans l'ombre et il ne put distinguer ses traits que lorsque l'individu entra dans la lumière.

La créature reptilienne devait être de la taille de Luke. Elle était couverte d'écailles noires et sa bouche était pleine de petites dents pointues. Un carnivore, sans aucun doute. Il se dit qu'il pouvait bien appartenir à l'espèce des Barabels mais il n'en était pas sûr. Les Barabels ne quittaient pas souvent leur planète natale.

Luke comprit qu'il n'avait aucune chance, même en utilisant la Force. Il coupa l'alimentation de son sabrolaser.

– Sage décision, dit le Barabel. Mon peuple a un très grand respect pour les Chevaliers Jedi et je suis vraiment désolé d'avoir à accomplir ceci mais, que voulez-vous, les affaires sont les affaires. Prenez son arme.

L'un des hommes s'avança et prit le sabre des mains de Luke.

Luke releva la tête vers le Barabel.

– Qu'est-ce que vous voulez?

– Désolé, mais c'est vous que nous voulons, Skywalker.

Chewie prononça quelque chose. Il n'avait pas l'air très content.

– Chewbacca pense que ce n'est pas une si bonne idée que ça, traduisit Lando. Et je suis d'accord avec lui.

– Ecoute, dit Leia, je sais que tu as une dette envers Yan et que tu cherches absolument à me protéger mais il faut vraiment que je le fasse.

Dash était adossé au mur et pointait son blaster sur Guri. Cette dernière était attachée sur une chaise avec un câble d'acier et des bracelets d'entrave. Ils ne voulaient prendre aucun risque avec elle.

– Et vous allez faire un petit tour, mine de rien, au nez et à la barbe des Impériaux, juste comme ça? demanda Dash.

– J'ai quelques contacts sur Coruscant, dit Leia. C'est de là que vient notre amie ici présente. (Elle fit un signe de tête vers Guri qui ne répondit rien.) Quelqu'un est en train de jouer à un petit jeu qui ne me plaît pas beaucoup. Luke est en danger; cette... personne qui prétend représenter le Soleil Noir est notre seul lien avec l'organisation.

Lando prit la parole.

– Vous savez, il y a quelques années, des rumeurs ont circulé à propos de droïds imitant parfaitement les humains. Il me semble bien avoir entendu que quelqu'un avait perfectionné les systèmes. Les machines seraient donc suffisamment performantes pour qu'il soit impossible, à l'œil nu, de faire la différence entre un humain et une réplique robotisée. Ça doit dater de dix, douze ans. Ça correspondrait à l'âge que nous a donné l'ordinateur.

Il regarda Guri.

– Bon, c'est un droïd. Et après ? dit Dash. Ça t'avance à quoi de le savoir ?

Leia secoua la tête.

– Pas à grand-chose. Mais si nous réussissons à entrer en contact avec les personnes qui l'ont envoyée, peut-être que là, ça nous avancera. Je pense qu'elle doit avoir beaucoup de valeur pour eux.

Chewie grogna quelque chose.

– Chewbacca dit que si vous allez sur Coruscant, il vient avec vous, expliqua C3 PO.

Leia lui lança un regard noir.

– Ne me regardez pas comme ça, je n'y suis pour rien. Je me contente de traduire ses paroles.

– Soit. Tu peux venir. Lando, vous et Dash, vous attendez ici le retour de Luke. Nous, nous emmenons Guri. C'est elle qui nous servira de ticket d'entrée.

– Et comment comptez-vous y aller, sur Coruscant, hein ? Vous allez louer une cabine sur un transport ? Vous savez, ces vaisseaux sont inspectés de fond en comble à leur arrivée.

– Je vais contacter l'Alliance pour qu'on nous trouve un appareil plus discret.

– Je n'aime pas cela, dit Lando.

– Et pourquoi ne pas prendre son vaisseau ? demanda Dash en désignant Guri. Il doit avoir toutes les autorisations de circulation possibles et imaginables.

– Oui, et puis toutes les autorisations pour s'autodétruire et nous réduire en poussière spatiale. Nous avons déjà eu l'occasion de constater que cette personne n'est pas spécialement digne de confiance ! Est-ce que quelqu'un pourrait, comme ça, vous voler impunément votre vaisseau ?

Dash éclata de rire.

– Si jamais quelqu'un essayait, il n'irait pas bien loin.

– Je n'aime toujours pas ça, répéta Lando.

– Je ne vous demande pas d'aimer ça, je vous demande de faire ce qu'on vous dit.

Ce qui sembla mettre un point final à la conversation.

Leia essayait d'avoir l'air de maîtriser la situation comme si elle savait exactement ce qu'elle était en train de faire mais cela lui demandait beaucoup d'efforts. Si Guri était effectivement un droïd répliquant, elle devait avoir beaucoup de valeur pour son propriétaire. Cette personne était peut-être prête à négocier pour pouvoir récupérer son bien. La sagesse la plus élémentaire dictait souvent que les meilleurs plans étaient généralement les plus simples. Si on se fiait à ce principe, l'idée de la négociation était géniale.

Toute sagesse mise à part, Leia n'avait pas de meilleure idée à proposer. Elle essaierait donc de se tenir à celle-ci du mieux qu'elle le pourrait.

– Excusez-moi, dit Guri.

Leia se tourna vers elle.

– Quoi ?

– Il y a une méthode plus facile.

Leia jeta un rapide coup d'œil aux autres puis la regarda fixement.

– Qu'entendez-vous par là ?

– Vous voulez vous rendre à la Cité Impériale et rencontrer la direction du Soleil Noir, pas vrai ?

– C'est cela, grosso modo.

– C'est pour cela qu'on m'a envoyée ici. Pour vous servir d'escorte.

– Mais alors, pourquoi toutes ces menaces ?

– Ça, c'était la méthode rapide.

– Je ne lui ferais pas confiance à votre place, Leia, dit Lando.

– Je ne lui fais pas confiance mais je suis une personne raisonnable et j'écoute ce qu'elle a à me dire. Continuez.

– Cela pourrait être très risqué pour vous d'essayer de

passer en douce devant les postes de sécurité impériaux. Je peux contribuer à diminuer grandement ce risque.

– Sans vouloir vous offenser, Lando a tout de même raison, pourquoi devrions-nous vous croire ?

– Parce que je travaille pour le Prince Xizor.

Lando et Dash en eurent le souffle coupé.

Leia regarda dans leur direction.

– Ce Xizor, il est à la tête du Soleil Noir, dit Dash.

– Je peux m'arranger pour que vous lui parliez, si vous voulez.

Leia fronça les sourcils.

– Il est ici ?

– J'ai le code d'accès de son communicateur personnel.

– Je n'aime décidément pas cela, fit Lando en agitant son blaster.

Lando n'aimait pas beaucoup de choses ces derniers temps.

Chewie grogna et gronda.

Chewie non plus n'avait pas l'air d'aimer cela.

– Vous êtes recherchés par les Impériaux, vous et vos compagnons. Je peux vous trouver des déguisements, vous faire passer la douane et vous emmener directement jusqu'au Prince, suggéra Guri. Les risques seront minimes.

Leia soupira. Ça avait l'air raisonnable, malgré le fait que Guri ait essayé de la capturer.

– Entendu, on peut au moins aller écouter ce que votre maître a à dire.

Avant que les autres puissent dire quoi que ce soit, elle leur fit signe de rester silencieux.

– Puis-je me lever ? demanda Guri.

– Oui.

Guri se leva de sa chaise dans un mouvement très fluide.

– Dash, détachez ses liens, commanda Leia.

– Cela n'est pas nécessaire, dit Guri en souriant.

Elle plia les bras et les anneaux d'entrave autour de ses poignets se fendirent comme s'ils étaient en plastique bon marché. Elle prit ensuite une profonde inspiration et se contracta. Le câble enroulé autour de ses épaules émit une longue plainte métallique, s'étira et finit par claquer.

– Oh, mince, dit Lando.

Guri s'avança vers le communicateur de la chambre et passa sa main sur les commandes. Quelques secondes s'écoulèrent puis une voix masculine très grave répondit :

– Oui ?

– C'est Guri, Votre Altesse. J'ai la Princesse Leia Organa, ici, avec moi. Elle aimerait s'entretenir avec vous.

– Où est son image ? demanda Lando.

– Mon maître préfère ne pas la transmettre et rester en audio, même sur un canal protégé, expliqua Guri.

Elle se tourna vers Leia.

– Mes respects, Prince Xizor, dit Leia.

– Ah, Princesse Leia. C'est un plaisir de faire enfin votre connaissance.

Au moins sa voix était-elle séduisante.

– Votre... droïd m'a dit que vous souhaitiez me voir.

– En effet. Je détiens des informations susceptibles de vous intéresser.

– A propos de ?

– La tentative d'assassinat sur la personne de Luke Skywalker. C'est un ami à vous n'est-ce pas ?

Leia réprima avec peine le hoquet de surprise qui lui monta aux lèvres. Xizor était au courant du complot !

– Nous sommes en bons termes, c'est exact, répondit-elle. Mais dites-moi, comment savez-vous ce qui s'est passé pour Luke Skywalker ?

– Pas par communicateur. Nous devons discuter de cette question de visu. Demandez à Guri de vous escorter jusqu'à mes quartiers et je vous expliquerai tout cela.

Leia regarda autour d'elle. Ce rebondissement était plutôt inattendu. Qu'allait-elle pouvoir faire ?

22

Le bâtiment dans lequel on avait emmené Luke se trouvait tout au plus à une centaine de kilomètres du repaire secret des Bothans. Ce repaire n'était pas resté secret très longtemps en tout cas. Luke était maintenant enfermé dans une cellule très solidement renforcée. La technologie de l'endroit semblait beaucoup moins évoluée que celle des Bothans. Les murs étaient à l'état brut, faits d'un matériau extrêmement résistant et peints en gris neutre. La lourde porte avait été coulée en duracier et une minuscule ouverture, protégée par un grillage de métal dont les barreaux étaient aussi épais que le petit doigt, avait été percée à la hauteur des yeux. Un garde de près de deux mètres de haut et d'un bon mètre de large était posté de l'autre côté du hall avec un fusil-laser et ne quittait pas la porte du regard. Dans la cellule, on avait boulonné au sol une banquette en plastique très rigide sur laquelle on avait jeté un fin matelas et une couverture. L'éclairage très faible qui tombait du plafond projetait des ombres incertaines. Dans un coin le sol était légèrement en pente et, au centre de cette dépression, on avait percé un trou de la taille d'un poing. Luke en comprit très rapidement l'usage.

A part cela, il n'y avait rien d'autre dans le cachot.

Enfin, ça aurait pu être pire, il aurait pu y avoir de la vermine...

Luke s'assit sur la couchette. On lui avait pris son

communicateur et son sabrolaser mais on ne l'avait ni torturé ni violenté. Pour l'instant.

Qui étaient-ils ? Que voulaient-ils ?

Comme pour apporter une réponse, la serrure cliqueta et la porte de la cellule s'ouvrit en grand en se rabattant vers l'intérieur. Le Barabel apparut. Luke ne la distinguait pas très bien – il était à peu près sûr qu'il s'agissait d'une femme –, elle semblait à l'aise uniquement dans les zones les plus ténébreuses. Enfin, cela n'avait guère d'importance, il pouvait tout de même entendre ce qu'elle avait à dire.

– Je suppose que vous n'êtes pas ici pour me dire ce qui se passe...

La Barabel fit un geste que Luke interpréta comme un haussement d'épaules.

– Et pourquoi pas. Il n'y a aucune raison d'être impolie. De toute façon, vous ne pouvez rien tenter.

Voilà quelque chose qui était bien encourageant.

– Je m'appelle Skahtul. Je gagne ma vie en tant que chasseur de primes, comme les autres qui sont avec moi. Il semblerait qu'il y ait une grosse récompense – une très grosse récompense – offerte à qui pourra livrer Luke Skywalker, mort ou vif. Ayant compris que cela pouvait être une tâche difficile, un certain nombre d'entre nous ont décidé de faire cause commune et de travailler ensemble. Il vaut mieux récupérer la fraction d'une somme globale de crédits que pas de crédits du tout. Coup de chance pour nous, vous et ces sacrés Bothans avez éliminé quelques-uns de nos associés, faisant ainsi grossir les parts que vont gagner les survivants. C'est toujours le même gâteau mais nous sommes maintenant moins nombreux à le partager.

Avant que Luke ait pu dire quoi que ce soit, elle reprit :

– Ce qui est curieux, c'est qu'il y a une autre récompense offerte pour Luke Skywalker ; celle-ci pour le voir – pour vous voir – mort. Heureusement pour vous, la seconde somme n'est pas aussi importante que la première. Nous avons donc l'intention de vous garder en bonne santé jusqu'à ce que nous puissions être payés.

– Je vous propose une troisième option, dit Luke. Et si je

vous donnais plus que les deux autres récompenses pour me laisser partir ?

Skahtul se mit à rire, un son très dur qui rebondit contre les murs de la cellule.

– Oh, mais certainement, nous – mes collègues et moi-même – serions prêts à écouter votre offre.

Une chance se présentait à lui. Il pourrait probablement emprunter des crédits à Leia, il la rembourserait plus tard.

– De quelle somme parlons-nous exactement ?

Skahtul donna un chiffre.

– Ouah ! On pourrait s'acheter la moitié d'une ville avec autant de crédits !

– Oui, et il en resterait suffisamment pour que vous et six ou huit de vos amis puissiez prendre votre retraite et vivre confortablement, dit-elle. On a raté quelque chose pendant qu'on vous fouillait ? Vous avez une tablette de crédits avec un tel montant dans l'une de vos poches, peut-être ?

– J'aurais bien aimé.

Si Leia lui avançait une somme pareille – pour peu qu'elle dispose d'une somme pareille – il n'aurait pas assez de sa vie entière pour la rembourser, même en étant général. A moins qu'il ne trébuche, en se promenant, sur une montagne de platine n'appartenant à personne. Mais c'était du domaine de la pure hypothèse.

Skahtul éclata à nouveau de rire.

– C'est très bien de ne pas perdre votre sens de l'humour ! (Sa voix se fit soudain plus sérieuse.) Mais soyez prévenu. Toute tentative d'évasion trouvera en réponse une résistance maximale. Nous savons combien vous êtes doués, vous, les Chevaliers Jedi. Vivant, vous valez quelques milliers de crédits de plus que si vous êtes mort ; cependant, il vaut mieux ramasser la petite récompense plutôt que de tout perdre. Me suis-je bien fait comprendre ?

– Ouais, pigé.

– Parfait. Cela n'a rien de personnel, vous savez ? Plusieurs d'entre nous ont une certaine admiration pour ce que vous avez fait contre l'Empire, et leurs opinions iraient même dans le sens de l'Alliance mais, que voulez-vous, les affaires sont les affaires. Tenez-vous tranquille et il ne vous sera fait aucun mal. On va vous garder enfermé ici, on vous donnera à manger et vous serez bien traité. Jusqu'à ce que notre bienfaiteur nous verse la récompense et vienne vous chercher.

– Et peut-on vous demander qui est ce « bienfaiteur » ?

– Ne vous inquiétez pas, vous le découvrirez bien assez tôt.

Sur ces mots, Skahtul glissa de façon très reptilienne vers la porte, sortit et verrouilla derrière elle.

Luke ne quitta pas la porte des yeux. Voilà qui était génial. Capturé par une bande de chasseurs de primes et vendu au plus offrant. Encore heureux que celui qui voulait sa mort – et qui cela pouvait-il bien être ? – n'ait pas été aussi généreux que celui qui voulait le capturer vivant. Vu la somme d'argent qui avait été mentionnée, Luke n'avait aucune idée quant à l'identité de cette dernière personne.

Dark Vador était bien capable de jeter autant de crédits par les fenêtres sans plus s'en inquiéter, si les rumeurs étaient vraies. D'après ce qu'on lui avait raconté, si la fortune personnelle de Vador devait être changée en pièces de monnaie et enterrée dans un même endroit, on pourrait passer le reste de son existence à creuser sans jamais toucher le fond.

C'était évident, Leia n'avait pas autant d'argent. L'Alliance tout entière n'avait pas autant d'argent.

Il lui fallait trouver rapidement quelque chose. Il se dit que s'il devait de nouveau se retrouver face à Vador – cette fois-ci sans arme – il aurait très peu de chances de survivre à cette rencontre.

Bonne idée, Luke. Trouve donc quelque chose.

Oui, mais quoi ?

Le droïd qui se faisait passer pour une femme avait caché son vaisseau spatial dans une petite clairière au centre d'une vaste forêt tropicale située à environ deux cents kilomètres du casino d'Avaro. Le trajet en landspeeder ne prit pas longtemps et seuls Guri, Leia et Chewbacca étaient du voyage.

Des nuages d'orage, aux teintes gris et violet, commencèrent à s'amonceler dans le ciel. Le grondement du tonnerre se fit entendre très peu de temps après que les premiers violents éclairs de la foudre eurent fait leur apparition. L'air était chargé de cette odeur d'humidité entêtante qui précédait les grosses ondées.

Leia et Chewie regardèrent le vaisseau.

C'était un appareil très élégant, qui avait presque quelque chose de féminin. Sa forme évoquait vaguement celle d'un huit couché sur le côté, il était hérissé de canons à l'avant et au milieu et quatre puissants moteurs équipaient l'arrière.

– Mon appareil, le *Frelon*.

– Très joli.

– C'est mon maître qui l'a baptisé ainsi, expliqua Guri. Le nom est très approprié.

– On ferait mieux de monter à bord avant l'arrivée de la tornade, remarqua Leia.

Le trio se dirigea vers le vaisseau.

Dash et Lando n'avaient pas été très contents d'être écartés de l'expédition. Leia ne voulait pas risquer la vie de plus de personnes que nécessaire. La présence de Chewie suffisait. Si tout se passait comme Guri et le mystérieux Xizor le prétendaient, tout irait bien. En espérant qu'ils arrivent à passer les points de contrôle autour de Coruscant et le poste de douane installé sur la planète. Si cela tournait mal, il n'y avait aucune raison pour que Rendar et Calrissian aient, eux aussi, des ennuis.

Enfin, plus d'ennuis qu'ils n'en avaient déjà.

La pluie se mit à tomber pour de bon et ils coururent vers le vaisseau. Ils furent trempés jusqu'aux os le temps d'y arriver.

Il s'était bien passé quelques jours. Luke avait perdu le cours du temps. Sa seule source d'éclairage était la faible lumière électrique de sa cellule, aucune fenêtre de transparacier ne s'ouvrait sur l'extérieur.

Il était en train de s'entraîner à la lévitation, flottant à quelques centimètres au-dessus de la couchette, lorsqu'il entendit des pas approcher dans le couloir. Il se laissa retomber sur le lit. Il ne voulait pas leur révéler qu'il savait faire ça. Il n'avait détecté aucune holocaméra dans la cellule et les gardes restaient en général de l'autre côté du couloir.

La serrure cliqueta et Skahtul se glissa silencieusement dans la pièce.

– Alors, est-ce que mon acheteur a payé ?

– Pas exactement.

Luke pivota sur le lit et se releva pour faire face à la Barabel qui était un peu plus petite que lui.

– Qu'est-ce que ça veut dire ?

– Ça veut dire qu'après une longue discussion avec mes... collègues, nous avons réalisé que vous aviez certainement plus de valeur que nous le pensions.

– Plus de valeur ? Ben voyons...

– Il y a deux personnes, deux factions, qui en veulent après vous. Il a donc été suggéré de pousser un peu les prix pour les faire jouer l'une contre l'autre.

Luke cligna des yeux.

– Vous allez me mettre aux enchères ! Comme si j'étais un esclave ?

– Quelque chose comme ça, oui.

– Mais enfin, qui sont ces gens ?

Skahtul eut un geste d'impuissance.

– Pour être honnête, nous n'en savons rien. Nos contacts sont très, heu, comment dire, indirects. Des agents d'agents qui connaissent d'autres agents, ce genre de chose...

Luke resta coi, incapable d'articuler un mot.

– Bien entendu, nous devons être, heu, prudents au cours de nos différentes transactions. Nos acheteurs potentiels, s'ils disposent d'autant d'argent doivent être des gens très puissants. La moindre erreur pourrait être dangereuse, voire fatale.

– Donc vous leur demandez de surenchérir. Qu'est-ce qui se passera si celui qui veut ma mort finit par vous proposer plus de crédits que la partie adverse ?

– Comme je vous l'ai déjà dit, il n'y a rien de personnel contre vous, il ne s'agit que de business.
Luke dévisagea la Barabel.
– Vous voudrez bien m'excuser mais moi, je le prends comme une attaque personnelle.
Il parlait maintenant d'un ton très sec.
Parce qu'il se sentait soudain déshydraté.

Dans son repaire, Xizor sourit. Guri tenait la Princesse et elles étaient en route pour venir le voir. Parfait.
Il se laissa aller dans son fauteuil et croisa les doigts. C'était parfois décevant de constater combien il lui était facile d'arriver à ses fins. Cela faisait du bien d'avoir un petit défi à relever une fois de temps en temps. Un peu comme autrefois, lorsqu'il n'était pas à la tête de tant de choses. Lorsqu'il devait travailler pour obtenir ce qu'il désirait.
Enfin, il était préférable de gagner facilement que de perdre.

L'Empereur était assis sur son trône favori, celui qui se trouvait à un mètre au-dessus du reste de la pièce. Vador entra et mit un genou à terre.
– Mon Maître.
– Relevez-vous, Seigneur Vador.
Vador obéit. Il espérait en son for intérieur que ce que l'Empereur aurait à lui demander serait facile et que cela ne lui prendrait pas trop de temps. Il venait de recevoir des informations de ses agents. Luke avait été repéré. Ses ravisseurs formaient une bande hétéroclite de chasseurs de primes qui faisaient monter le prix de la rançon. Les agents de Vador savaient qui ils étaient mais ignoraient exactement où ils se cachaient. De plus, quelqu'un d'autre s'intéressait apparemment à Luke. Vador allait ordonner à ses agents d'offrir tous les crédits possibles. L'argent n'était rien comparé au Côté Obscur et Vador avait la ferme intention de convertir le jeune garçon. Il pensa un instant à

aller lui-même chercher Luke, à se rendre sur Kothlis, le lieu présumé de sa détention, mais quitter la Cité Impériale à ce moment précis pouvait être dangereux. Il devait rester ici pour surveiller Xizor. Les plans machiavéliques du criminel avaient bien embobiné l'Empereur et s'éloigner maintenant pourrait être une erreur fatale...

– Vous allez vous rendre sur Kothlis, dit l'Empereur. Allez chercher le jeune Skywalker.

Encore une fois, Vador se réjouit de porter un masque. Voilà une phrase à laquelle il ne s'attendait pas du tout. Comment l'Empereur pouvait-il savoir ? Qui donc, dans l'organisation de Vador, avait pu trahir ? Il n'y avait aucune raison pour que l'Empereur soit au courant d'un tel secret, pas encore. Seule une poignée d'agents travaillant pour Vador était dans la confidence.

A moins... A moins que l'Empereur soit l'autre personne qui fasse monter les prix.

Non. Cela n'avait aucun sens. L'Empereur venait de confier à Vador le soin de récupérer Luke ; il n'allait pas se lancer dans des enchères contre lui-même.

– J'ai déjà envoyé mes agents à sa recherche, argua Vador.

– Les agents ne sont pas dignes de confiance. Chaque jour, Skywalker maîtrise la Force de mieux en mieux. Je vous rappelle qu'il porte en lui le pouvoir de nous détruire. Vous seul êtes capable de le capturer.

– Oui, mon Maître.

Cela ne valait même pas la peine d'essayer de discuter avec l'Empereur quand il avait décidé de quelque chose.

Cet infect Prince Xizor devait être impliqué dans cette histoire. Cela ne serait pas très malin de poser cet argument sur le tapis. L'Empereur avait été très clair à ce sujet : il s'occupait lui-même du Prince Sombre. Ce ne serait pas une bonne idée de révéler que Vador avait des plans bien à lui en ce qui concernait Xizor.

– Il y a une autre raison pour que vous vous y rendiez personnellement. Vous êtes au courant que la machination conçue par Xizor visant à faire tomber les plans de la nouvelle Etoile Noire entre les mains des Rebelles a été mise en application.

– Oui, mon Maître. Mais je me permets de vous rappeler que cette idée n'a pas reçu mon approbation.

– Et vos objections ont bien été notées, Seigneur Vador. En fait, les plans ont été volés à bord du cargo près de Bothawui et transportés jusqu'à Kothlis. Une belle coïncidence, non? Qu'en pensez-vous?

Que Luke et les éléments du plan alambiqué de Xizor soient sur la même planète, au même moment, une coïncidence? Douteux...

– Nous devons faire croire que nous voulons absolument récupérer ces plans, poursuivit l'Empereur. Il faut convaincre les Rebelles qu'ils sont authentiques et que leur perte nous contrarie beaucoup. Ainsi, votre voyage sera doublement utile. Vous pouvez aller chercher Skywalker et, pendant que vous y êtes, faire bombarder une partie de la région, pour persuader les Rebelles que nous sommes particulièrement soucieux de recouvrer notre bien.

Vador estima qu'il devait se lancer.

– N'importe lequel de nos amiraux pourrait s'acquitter de cette mission, agiter l'étendard et commander le tir des canons. J'ai, ici-même, des affaires pressantes et...

– Plus pressantes que mes ordres, Seigneur Vador?

Non, finalement, il était inutile de dire quoi que ce soit.

– Non, mon Maître.

– C'est bien ce que je pensais. Je veux que Skywalker se joigne à nous ou soit éliminé. Le plus tôt sera le mieux. La fin de cette Rébellion est proche. Si vous dirigez personnellement cette attaque, les Rebelles seront convaincus que nous attachons une très grande importance à ces plans.

– Oui, mon Maître.

Vador quitta la salle d'audience. Encore une fois, la colère montait en lui, prête à le submerger. Les interventions de Xizor ressemblaient à un épais brouillard nocturne : noir, lourd, humide s'infiltrant jusque dans les moindres recoins pour tout refroidir et tout détremper. Encore une fois, il avait réussi à manœuvrer l'Empereur pour que son rival soit écarté. Pendant que Vador serait sur Kothlis, qui sait quel type de toile cette araignée répugnante allait tisser autour de l'Empereur?

Vador décida d'en finir très rapidement avec cette expédition.

L'appel leur parvint de la ligne de défense constituée de superdestroyers et de frégates postés en orbite autour de la planète.

– Code d'entrée? leur demanda une voix chargée d'ennui.

A l'intérieur du *Frelon*, Guri tapa son code.

Un moment s'écoula.

– Vous pouvez passer. Mettez-vous en phase avec les systèmes d'aide à l'atterrissage et basculez sur automatique.

Guri manœuvra le vaisseau avec une maestria très impressionnante. Quand elle appuya sur les commandes, ses mains semblaient danser au-dessus des contrôles.

Leia et Chewie échangèrent un regard.

– Ils vont nous fouiller à la douane, pour voir si nous passons des marchandises en contrebande, dit Guri comme si elle venait de lire dans l'esprit de Leia. Le Soleil Noir y a, bien entendu, des contacts mais il n'est pas nécessaire d'attirer l'attention sur le fait que vous êtes maintenant sous notre protection. Il est temps d'aller vous changer.

Chewie dit quelque chose. Il n'avait pas l'air très content.

– C'est toi qui as voulu venir, répondit Leia.

Il n'aimait pas beaucoup cela mais il dut s'y résoudre. Il se leva et se rendit à la salle de bains.

Le vaisseau était maintenant en pilotage automatique. Guri sortit d'une armoire des vêtements et un casque intégral doté d'un respirateur qu'elle tendit à Leia.

– Tenez, mettez cela.

Les vêtements empestaient. Leia fronça le nez.

– Ils appartenaient à Boushh, un chasseur de primes ubain, dit Guri. Boushh était vraiment doué pour les affaires. Il a pas mal travaillé sous contrat pour le Soleil Noir. Il a... pris sa retraite récemment.

– Ça tombe bien, je parle un peu le langage ubain, dit Leia.

– Nous le savons. Ce costume n'est pas une coïncidence.

Leia regarda les vêtements.

– Qu'est-il arrivé à Boushh ? Vous dites qu'il a pris sa retraite ?

– Oui, très soudainement. Il a essayé d'arnaquer le Soleil Noir d'une jolie somme de crédits pour un contrat de livraison dont les termes avaient déjà été clairement établis. Cela n'a pas été... très malin de sa part.

Le ton de cette dernière phrase fit froid dans le dos de Leia. Elle commença à enfiler les vêtements tout en ayant l'impression que ce Boushh n'en aurait certainement plus jamais besoin.

Quand Chewie refit son apparition, quelques minutes plus tard, Leia eut le plus grand mal à conserver son sérieux. La fourrure du Wookie, normalement brun et gris, était maintenant constellée de larges taches noires. Ses yeux cerclés de noir lui donnaient de faux airs de raton laveur. Sa fourrure, sur le sommet de sa tête, avait été taillée en une brosse très courte. Leia se tourna vers Guri. Celle-ci prit la parole.

– Je vous présente Snoova, le célèbre chasseur de primes wookie.

Chewie n'était pas content et cela transpira clairement dans ce qu'il finit par dire.

– Arrête de te plaindre, dit Leia. La teinture, ça se lave. Et puis ta fourrure, eh bien, elle repoussera. D'ici quelques semaines, tout sera redevenu comme avant.

Leia mit son casque et testa le brouilleur vocal intégré. Lorsqu'elle parla, sa voix fut électroniquement altérée. Elle connaissait assez le langage pour faire illusion. Tout irait bien tant qu'elle ne rencontrerait aucun Ubain. Ses propres mots grinçaient et cliquetaient dans ses oreilles comme s'ils avaient été réellement prononcés par une gorge étrangère.

Chewie grogna et gémit. Guri hocha la tête.

– Oui. Ça ira. Nous allons bientôt atterrir.

Leia hocha la tête à son tour et retira le casque. Elle espéra que Guri savait ce qu'elle faisait.

23

Un homme très mince apportait, deux fois par jour, à manger et à boire à Luke. Celui-ci avait déjà goûté à pire mais il avait fait aussi de meilleurs repas. Quand venait l'heure du petit déjeuner ou du souper le manège était toujours le même : l'homme très mince apportait son plateau jusqu'à la cellule, le garde déverrouillait la porte et levait son arme vers Luke pour le faire s'appuyer contre la couchette ; l'homme très mince posait son plateau sur le sol, juste à l'entrée, et repartait avec le garde.

Cette fois-ci, Luke lui demanda l'heure.

– Qu'est-ce t'en as à foutre ?

– Qu'est-ce que ça peut vous foutre, à vous, que je puisse en avoir à foutre quelque chose, hein ? rétorqua Luke.

L'homme renifla avec dédain, lui donna l'heure et s'en alla.

C'était donc le repas du soir, comme Luke le supposait.

La raison de cette question était très simple. Il avait fermement l'intention de décamper et comptait profiter du couvert de l'obscurité. Une fois à l'extérieur du bâtiment, il avait tout intérêt à ne pas se faire repérer et la nuit lui servirait de camouflage.

Luke mangea son repas. Le liquide qu'on lui avait servi était douceâtre, brunâtre et vaguement pétillant. La nourriture, elle, était insipide : des côtelettes de viande reconstituée accompagnées d'une espèce de légume orangé et d'un autre truc vert et croustillant. Il était déconseillé d'essayer de s'échapper avec le ventre vide ! Après avoir regagné son aile-X, après avoir décollé et s'être enfui de cette planète, qui pouvait lui dire quand il aurait la possibilité de manger à nouveau ?

Après avoir regagné son aile-X...

Il sourit en avalant une pleine bouchée de substance verte. Comme si regagner l'appareil était la partie la plus facile de son plan.

Il était sage qu'on ne les voie pas ensemble, avait dit Guri à Leia.

– Après avoir passé la douane, venez me retrouver à ces coordonnées.

Leia et Chewie acquiescèrent.

Il y eut quelques petits moments de tension en passant le poste de contrôle.

Un douanier examina longuement la carte d'identité holographique qui indiquait que Leia était Boushh. Il garda le document entre les doigts et en tapota le dessus de la table devant lui.

– Le but de votre visite ici ?

– Affaires, dit Leia en ubain.

Sa voix cliquetait à travers le module vocal du casque.

– Je vois ici que vous avez un permis pour cette arme mais je vous signale que nous n'apprécions guère la présence de gens armés à la Cité Impériale.

Leia ne répondit pas.

– Et puis il va falloir ôter ce casque. Simplement pour vérifier que votre visage est bien le même que sur l'hologramme. (Il fit de nouveau rebondir la carte d'identité sur le bureau.) On n'est jamais trop prudent.

– Je risque de graves lésions pulmonaires si je respire cet air sans mon masque filtrant.

– Je peux me débrouiller pour vous faire conduire dans une salle à atmosphère adaptable... commença-t-il.

Il s'arrêta subitement.

Chewbacca, qui venait de se rapprocher de Leia et du garde, marmonna quelque chose.

La Princesse réalisa combien elle s'était habituée à lui, même affublé de cet accoutrement. C'était bien le même vieux Chewie, fiable comme le soleil qui se lève chaque matin, d'une loyauté presque maladive.

– Vous avez un problème? interrogea le garde.

Chewie émit quelques grondements qui semblaient exprimer une certaine colère.

– Je me moque que vous soyez en retard pour un rendez-vous.

Mais la file de gens qui attendaient pour passer la douane commençait à s'allonger, aussi tendit-il prestement sa carte à Leia.

– Allez, circulez, chasseur de primes. J'ai encore pas mal de monde à contrôler.

Peu après, Chewie rejoignit Leia. Ils quittèrent la zone le plus rapidement possible.

– Bon, maintenant on peut aller voir mon contact. Cette section de passages souterrains est relativement sûre, dit-elle. Mais attention, il s'agit tout de même de rester sur nos gardes.

Chewie hocha la tête, tapota la crosse de son arbalète et quelque chose.

– Si tu me demandes pourquoi nous n'allons pas directement retrouver Guri, je te répondrais que je veux simplement voir si je ne peux pas mettre un peu plus d'atouts dans notre jeu.

Une fois à bord de l'*Executor*, Vador se mit à songer à sa future rencontre avec Luke. Depuis leur affrontement, le garçon avait eu largement le temps de se faire à ce qui lui avait été dit. Quelque part en lui, il devait savoir que c'était la vérité, que Vador était bien son père. Bien entendu, cela remontait à une vie antérieure, à une époque où Vador était encore Anakin Skywalker, mais le lien était bien là.

Il allait le convertir. Il savait qu'il en était capable car il avait senti le Côté Obscur gronder dans les entrailles de

Luke, il avait senti la puissance de sa colère. Le garçon avait laissé son instinct prendre le dessus, une fois. Vador s'arrangerait pour que cela se reproduise. Encore et encore. Et à chaque fois, cela deviendrait beaucoup plus facile. Le Côté Obscur était un chemin qui s'élargissait et qui se creusait au fur et à mesure que vous avanciez dessus. Bientôt, Luke n'aurait plus à faire un seul effort pour laisser le Côté Obscur dicter ses actes.

Et l'Empereur avait raison. Luke avait une telle puissance en lui. Une puissance brute, non canalisée, non travaillée mais une puissance immense. Le potentiel de Luke était plus grand que celui de l'Empereur. Plus grand aussi que celui de Vador.

Mais c'était toujours du potentiel, pas de l'énergie bien canalisée et bien maîtrisée. Lors de leur prochaine rencontre, Vador serait toujours le plus fort, toujours le maître. Il vaincrait le garçon et l'entraînerait vers le Côté Obscur. Ils seraient alors en phase. Tel père, tel fils.

Et lorsque cela arriverait, rien dans la galaxie ne pourrait les arrêter. Personne n'oserait s'opposer à eux. Tous s'inclineraient sur leur passage. Les mondes trembleraient à leur approche.

Sous son masque, Vador sourit.

Comme on le lui avait appris, Luke respira plusieurs fois à fond pour bien s'oxygéner tout en essayant de faire le vide dans son esprit. Ben – Obi-wan – arrivait à implanter des suggestions dans le cerveau d'un soldat de choc sans trop d'effort apparent. Ce n'était, en revanche, pas si facile pour Luke. Une ou deux fois, il y était arrivé mais invoquer la Force nécessaire lui avait demandé énormément de concentration. Il ne fallait absolument pas s'inquiéter de savoir si cela allait marcher ou pas, encore moins essayer d'imaginer ce qui se passerait si l'opération échouait en cours de route. Il était impossible de concentrer son esprit sur autre chose – enfin, Luke, lui, en était incapable – et cela pouvait sérieusement compliquer la situation. Si cela ne marchait pas ou s'il abandonnait en plein effort, il pourrait bien en mourir.

Non, allez, chasse ces pensées. Souviens-toi que la Force est avec toi. Tu peux y arriver.

Il respira de nouveau à fond. Puis il laissa tout doucement échapper la moitié de l'air qu'il venait d'inspirer pour permettre à la Force de le faire communiquer avec l'esprit du garde de l'autre côté de la porte.

La sensation était étrange, comme toujours. Ce n'était pas exactement comme s'il se trouvait dans deux endroits différents au même moment mais plutôt comme si une partie de son esprit s'était déconnectée du reste de son corps, comme si elle ne faisait plus partie de lui. Un sentiment qui laissait dans un état de confusion profonde.

Luke prit conscience que le garde avait mal aux pieds, qu'il avait besoin de prendre une douche, qu'il en avait assez de rester planté dans ce couloir, son blaster à la main, à surveiller une porte blindée que personne ne pouvait franchir...

– Ouvrez la porte.

– Hein ? Quoi ? Qui est là ?

– Vous devez ouvrir la porte.

– Je... dois ouvrir la porte.

– Vous devez poser votre arme sur le sol et aller ouvrir la porte. Maintenant.

– Je dois... poser mon arme sur le sol. Ouvrir la porte maintenant.

Luke observa le garde à travers les barreaux, le vit poser son blaster sur le sol.

Je te tiens ! Luke sourit. C'était une erreur.

– Quoi ?

Zut, je l'ai perdu. Concentre-toi, Luke !

– Ouvrez la porte.

Luke chassa les pensées de victoire et de défaite qui venaient de lui traverser l'esprit. La seule chose qui devait compter, c'était le garde.

– Ouvrez la porte.

– Oui. Ouvrir... la... porte...

La carte magnétique du garde glissa dans la fente de la serrure. Le mécanisme cliqueta.

Le son le plus agréable que Luke ait jamais entendu. Il ne s'étendit pas sur le sujet.

– Vous êtes très fatigué. Vous avez besoin d'entrer, de vous allonger sur la couchette et de faire un petit somme.

– Couchette. Faire un petit somme...

Le garde pénétra à l'intérieur de la cellule, passa devant Luke. Ce dernier lui prit la clef magnétique des mains. Il jeta un coup d'œil dans le couloir. Personne en vue. Il sortit du cachot, ferma la porte avec précaution, jeta la carte au sol et ramassa le blaster. Il regarda par l'ouverture : le garde dormait profondément sur la couchette.

Voilà. C'était tout de même bien mieux comme ça.

Il entreprit de remonter le couloir. Il se sentait plutôt confiant. Ce gardien-ci avait été plus facile à contrôler que celui qui surveillait le chapiteau quand, quelque temps plus tôt, il avait voulu s'entraîner à marcher sur une corde raide. Il devrait donc être capable de se débarrasser de ceux qu'il pourrait rencontrer, soit en utilisant la Force, soit en utilisant l'arme. Il avait intérêt à se diriger vers la sortie la plus proche et à détaler le plus vite possible. Avec un peu de chance, il pourrait s'écouler pas mal d'heures avant qu'on ne constate sa disparition.

Mais, avant toute chose, il lui fallait voir s'il pouvait retrouver son sabrolaser. Il avait tout de même passé beaucoup de temps à le fabriquer. Puisqu'il avait été si facile de sortir de la cellule, Luke était relativement sûr de pouvoir récupérer son arme de Chevalier Jedi et de parvenir à s'éclipser tout aussi facilement. La Force était avec lui, il pouvait y arriver.

Il en était persuadé.

Leia et Chewie se frayaient tant bien que mal un passage dans l'un des plus sombres et des plus tortueux boyaux du réseau sud de souterrains. La Princesse secoua la tête. Comparé au complexe de casinos situé sur Rodia, Mos Esley était un endroit chic. C'était étonnant de constater que si un lieu paraissait épouvantable, on finissait toujours par en trouver un autre qui, lui, était bien pire.

Quant au réseau sud de souterrains, il faisait passer le complexe de casinos pour un club de vacances paradisiaque.

Partout, des mendiants vêtus de haillons, l'air misérable, faisaient la manche. Ils avaient dû tomber bien bas pour que leur seul choix consiste à hanter les souterrains de la cité.

Alors que Leia et Chewie progressaient dans le dédale de tunnels, on leur fit toutes sortes de propositions malhonnêtes. Les individus qui rôdaient dans les couloirs étaient prêts à leur vendre tout et n'importe quoi. A chaque fois que l'un d'eux s'approchait, l'estomac de Leia se serrait.

Oui, des gens comme ça, il y en avait partout, ils avaient toujours existé. L'avènement de l'Empire avait considérablement augmenté leur nombre. Ce qui n'avait été jadis qu'un simple point noir sur le visage joyeux de la République était aujourd'hui une affreuse plaque d'eczéma sur le corps boursouflé de l'Empire.

Chewie grogna à l'adresse d'une femme court vêtue qui souriait à leur approche. Elle recula prestement.

Le corridor qu'ils empruntaient était à peine éclairé, les murs étaient constellés de graffitis écrits en une bonne demi-douzaine de langages et de pictogrammes connus. Les parois ruisselaient de liquide comme si elles avaient transpiré.

Une planète entièrement couverte de constructions se devait de posséder d'énormes fondations. En certains endroits, le réseau de tunnels et de cavernes artificielles s'étendait jusqu'à un kilomètre de profondeur. A d'autres, il pouvait s'enfoncer encore bien davantage. Voilà des lieux qui n'étaient jamais touchés par les rayons du soleil ; où la moisissure, d'un bleu-gris, pouvait atteindre sur certains murs et plafonds, jusqu'à dix centimètres d'épaisseur ; où l'air très lourd, humide et froid, était chargé de l'odeur puante de la décomposition en permanence, quand ce n'était pas pire.

Une silhouette tout encapuchonnée de noir surgit des ténèbres sous le halo hasardeux d'un bâtonnet lumineux. Une main verte, pourvue de quatre doigts, se tendit pour mendier.

Chewie dit quelque chose et la silhouette disparut. Une

vague d'effluves, provenant du corps sale de la créature, se mélangea aux relents ambiants.

Chewie plissa le nez.

L'odeur était encore plus nauséabonde que celle du broyeur à ordures dans lequel Leia, Yan, Chewie et Luke s'étaient retrouvés lors de leur première rencontre.

Heureusement pour Leia, son déguisement de chasseur de primes était doté d'un masque qui filtrait les pires senteurs. Elle espéra que l'endroit où ils se rendaient serait équipé d'un bon système de filtrage, d'un générateur d'ozone ou d'un aérateur.

Devant eux, un bâtonnet lumineux crépita, peignit les murs du sombre corridor avec des éclairs de lumière chancelante avant de s'éteindre définitivement.

Quelque part derrière eux, quelqu'un – ou quelque chose – poussa un hurlement. Le cri se transforma en un râle écœurant.

Leia garda la main sur son blaster.

– Combien de temps encore, avant que nous ne quittions l'hyperespace ? demanda Vador.

– Quelques heures, mon Seigneur, dit le capitaine.

– Je serai dans mes quartiers. Envoyez quelqu'un me prévenir dès que nous approcherons du Système.

– Oui, mon Seigneur.

J'arriverai bientôt, mon fils.

C'était presque trop facile, pensa Luke en ramassant son sabrolaser qui traînait sur une table. La petite remise était vide ; personne ne semblait debout ou sur le point de se réveiller. Il ramassa son communicateur. Il allait appeler D2, lui demanderait de faire chauffer les moteurs de l'aile-X et d'envoyer un signal pour qu'il puisse repérer l'appareil. Une fois en vol, il y avait fort à parier que ces crétins ne pourraient jamais le rattraper.

– Qui va là ? Un pas de plus et je fais feu !

Oh oh...

Loin dans les profondeurs des souterrains du réseau sud, le corridor s'ouvrait sur une impressionnante salle hémisphérique, aussi vaste que la grand-place de n'importe quelle ville, au plafond très haut, dotée d'un éclairage très correct, avec une rangée de magasins sur tout le pourtour. Ici, l'odeur écœurante était beaucoup plus ténue. Des humains et toutes sortes de créatures étrangères allaient et venaient. Des gardes armés, vêtus de ce qui ressemblait à un uniforme, surveillaient tout ce joli monde et tentaient de maintenir un semblant d'ordre. Cet endroit aurait très bien pu être la zone commerçante de n'importe quelle petite ville sur n'importe quelle planète civilisée de la galaxie.

Autour du cercle étaient installés une boulangerie, une armurerie, un magasin de chaussures, le kiosque d'un tailleur et des distributeurs électroniques. Il y avait aussi un restaurant, une cantina et, un peu plus loin, un pépiniériste. Leia poussa un soupir de soulagement. Cela avait changé depuis la dernière fois qu'elle était venue mais le but de leur périple souterrain était bien à sa place.

– C'est là.

L'intérieur de la pépinière sentait merveilleusement bon et dans cet environnement, c'était une vraie bénédiction. Il y avait de longues jardinières de mousses végétales grises, des plantes grimpantes en pots, des fleurs de toutes variétés dont les coloris allaient du rouge au pourpre et d'épaisses cascades de plantes fongiques décoratives jaunes recouvraient les murs et le plafond. Cette espèce de plante produisait de l'oxygène sans avoir besoin de la lumière solaire et était donc particulièrement adaptée aux habitats souterrains. La quantité d'oxygène dans l'air ambiant était si importante que Leia, à force de respirer, sentit la tête lui tourner.

Le plafond était à quatre mètres. C'était nécessaire car le propriétaire était un vieil Ho'Din du nom de Spero. Un Ho'Din mesurait, en général, trois mètres, en comptant l'impressionnante chevelure qui ressemblait à s'y méprendre à un nid de serpents couverts d'écailles rouges et violettes.

Leia regarda autour d'elle et repéra la grande et grêle créature qui arrivait de derrière un présentoir d'arbres plumeaux dont les feuilles balayaient le plafond. Le vieux Spero était toujours en vie. Encore un signe de chance...

– Je suis fort aise de vous rencontrer, dit-il. Comment puis-je vous être d'une quelconque assistance ?

Leia prit la parole.

– Nous sommes ici pour collecter une dette, Maître Jardinier.

La plupart des Ho'Dins étant reconnus pour la qualité de leur travail écologique, en particulier avec les plantes, l'appellation « Maître Jardinier » était considérée comme un titre hautement honorifique. Spero avait gagné ce titre en créant la race de plante fongique jaune qui pendait aux murs et que l'on retrouvait aux quatre coins de la galaxie.

– Ma foi, je ne me rappelle pas devoir quelque chose à quelqu'un, répondit le vieil Ho'Din. Encore moins à un étranger.

Il prit un air amusé.

– Et à la Princesse Leia Organa ?

Il eut un large sourire.

– Ah, oui. La Princesse. Je lui dois la vie, et celle de ma famille tout entière.

– Elle aurait souhaité que vous nous aidiez.

– Et comment savoir que vous venez bien de la part de la Princesse Organa ?

– Comment serais-je au courant de votre dette autrement ?

Il hocha la tête.

– Cela me paraît raisonnable. Que me voulez-vous ?

– Nous voulons obtenir des renseignements sur le Soleil Noir. Qui le dirige et de quelle façon on peut les contacter.

Spero soupira.

– J'allais préparer du thé. En voudrez-vous une tasse ?

– Non, merci, une autre fois peut-être.

– Soit. Le Soleil Noir est dirigé par ce Falleen. Xizor. On l'appelle aussi le Prince Sombre et, parfois, le Seigneur de la Pègre. Il est aussi le propriétaire, et le président, de XTS – Xizor Transports Systèmes – une entreprise plus ou moins légitime qui brasse à elle seule des milliards. Il ne quitte que très rarement Coruscant et possède un palais qui peut sans problème concurrencer celui de l'Empereur ou celui de Dark Vador. (Spero tendit un doigt vers le plafond.) A la surface, bien sûr, mais de larges portions s'étendent profondément sous terre.

Leia et Chewie échangèrent un regard. Cela confirmait ce que lui avait dit Guri. C'était tout ce qu'elle avait besoin de savoir. Leia hocha la tête et tourna les talons.

– Merci, Maître Jardinier.

– De rien... Princesse.

Leia se retourna pour regarder le vieux pépiniériste.

– Je vous demande pardon?

– Les Ho'Dins ne se contentent pas d'utiliser leurs yeux et leurs oreilles, Princesse. (Ses « cheveux » se mirent à onduler sur le dessus de sa tête comme des créatures vivantes, reflétant les lumières vives du magasin.) Nous avons une excellente mémoire et nous n'oublions jamais nos amis.

Leia s'inclina.

– Considérez alors que nous sommes quittes, que la dette est effacée.

Le Ho'Din s'inclina en retour.

– Sottises. Les petits-enfants de mes petits-enfants ne vivraient même pas assez longtemps pour pouvoir vous rembourser. Mais je suis heureux d'avoir pu vous rendre ce service. Soyez très prudente, Princesse, le Soleil Noir est un ennemi redoutable.

– Je vous le promets. Merci encore, Maître Spero.

Dehors, sur la grand-place, Leia fit un signe de tête à Chewie.

– Eh bien, il semblerait que l'histoire de Guri soit vraie. En route, il est temps d'aller la retrouver.

Chewie grogna. Leia ne fut pas sûre de comprendre s'il lui exprimait, ou non, son approbation.

24

Luke tenait toujours son sabrolaser du bout des doigts de la main droite. Il empoigna l'arme plus fermement, posa le pouce sur le bouton d'activation et se retourna doucement pour faire face au propriétaire de la voix qui avait résonné derrière lui.

– Désolé, je cherchais les toilettes, fit-il.

Ça valait le coup d'essayer.

La créature qui se tenait devant lui était un Nikto, que sa petite phrase avait quelque peu décontenancé. Mais ce léger désarroi ne dura guère. Les yeux cernés de piquants s'écarquillèrent lorsqu'il reconnut Luke. Avec vivacité, il dégaina son blaster.

Luke activa son sabre. La lame brillante projeta ses éclats dans la pièce faiblement éclairée.

Le Nikto fit feu ; un rayon d'énergie rouge fusa vers Luke. Celui-ci laissa la Force l'envahir ; le rayon rebondit alors sur la lame, repartit en sens inverse et alla frapper le tireur au pied. Le Nikto laissa tomber son arme, attrapa à deux mains son pied blessé et se mit à sautiller sur une jambe en criant.

La situation n'aurait-elle pas été si dangereuse qu'elle aurait pu être drôle.

Enfin, pour ce qui était de s'éclipser discrètement, c'était raté.

Luke se précipita sur le tireur, lui balança un coup d'épaule au passage et l'envoya rouler au sol.

Tout comme les pilotes de swoops, ce Nikto était beaucoup plus doué pour les injures que pour le tir.

Des portes s'ouvrirent dans le hall et des chasseurs de primes en armes, la plupart presque nus ou en pyjama, accoururent.

Ce coup-ci, Luke n'avait plus le choix.

Il fit fouetter son sabrolaser et entreprit de se frayer un chemin vers la liberté.

Leia et Chewie se rendaient au point de rendez-vous avec Guri. Il s'agissait d'un jardin public en surface, une petite tache de verdure entourée de plastique, d'acier et de béton.

– Cela vous a pris plus de temps que prévu, remarqua Guri en les voyant arriver.

– On s'est arrêtés pour admirer le paysage, répliqua Leia.

Guri la dévisagea et Leia sentit clairement que cette femme – ou plutôt ce droïd – ne l'aimait pas beaucoup.

– Suivez-moi, dit Guri.

Une grêle horizontale de rayons d'énergie fonça vers Luke.

La Force lui permit de se déplacer beaucoup plus rapidement qu'il ne l'aurait cru possible et il se créa un bouclier de défense en faisant tournoyer son sabrolaser, renvoyant tous les rayons mortels qui allèrent ricocher un peu partout et percèrent des trous dans les murs, le sol, le plafond et les chasseurs de primes. L'endroit devenait dangereux, quel que soit le camp auquel on appartenait.

Stupéfié par sa propre rapidité et son aptitude à manier l'arme, Luke réalisa que c'était trop beau pour durer. S'il manquait une cible, ne serait-ce que d'un iota, il était cuit. Tôt ou tard, ils finiraient bien par l'avoir.

Il progressa rapidement dans le hall tandis que les tireurs qui se trouvaient devant lui battaient en retraite sous le feu de leurs propres rayons que Luke leur renvoyait.

Au fracas de la fusillade s'ajoutait une véritable cacophonie de cris et de jurons :

– ... Attention, espèce de crétin... !
– ... Le voilà ! Chopez-le !
– ... Faites gaffe ! Faites gaffe...
– ... Je suis touché !
Il n'arrivait pas à estimer la distance qui lui restait à parcourir avant d'atteindre la sortie et finit par se dire que si elle était encore loin, il ne donnait pas cher de sa peau.
Luke laissa la Force couler en lui et diriger ses gestes ; il frappa, para, dévia les rayons, trancha la chair et les membres des chasseurs de primes qui essayaient de l'arrêter. Il n'y avait guère d'options, il n'avait pas le temps de se poser une minute pour réfléchir à la situation.
Devant lui, sur sa gauche, le mur implosa soudainement puis vola en éclats.
Des débris fumants fusèrent dans toutes les directions, certains chasseurs de primes furent terrassés par l'implosion, d'autres prirent la fuite. De la fumée envahit le corridor, des vapeurs âcres irritèrent les narines de Luke.
Le chaos général augmenta.
Mais qu'est-ce que...
– Luke ?
Il connaissait cette voix.
– Lando ? Par ici !
Un nouveau blaster entra dans la danse. Celui-ci, en revanche, n'était pas pointé sur Luke. Les chasseurs de primes se mirent à tomber comme des mouches.
– Regroupez-vous ! hurla quelqu'un. Nous sommes attaqués !
La confusion atteignit son comble.
Luke aperçut Lando courir à grandes enjambées dans la fumée et les vapeurs nauséabondes. Il le vit tirer avec une précision effarante, éliminant les chasseurs de primes qui cherchaient à comprendre ce qui se passait.
– C'est aussi facile que de dégommer des serpents dans une boîte à chaussures ! fit Lando avec un sourire. C'est toi qui as appelé un taxi ?
– Moi ? Qu'est-ce qui peut te faire croire que je veuille m'en aller d'ici ? Je m'amuse bien.
Luke pivota et, d'un coup, trancha le canon d'un blaster

pointé sur lui. L'arme se mit à siffler, des étincelles jaillirent. Son propriétaire, médusé, la jeta à terre et détala à toutes jambes.

– Ben voyons. Allez, par ici la sortie.

Lando lui ouvrit le chemin, blaster au poing. Luke lui emboîta le pas, protégeant leur retraite en bloquant les rayons qui arrivaient par-derrière.

Ils passèrent par le trou béant du mur et disparurent dans la nuit.

Il était évident qu'il ne faudrait pas beaucoup de temps aux chasseurs de primes pour se ressaisir. Mieux valait que Luke et Lando soient le plus loin possible à ce moment-là.

– J'ai... heu... je suis venu dans une landspeeder que j'ai... heu... empruntée, dit Lando. Elle est garée un peu plus loin. (Il fit une pause, se retourna et tira vers les bâtiments.) Ça te dirait de faire un petit tour ?

Quelqu'un qui venait de passer par la brèche dans le mur poussa un cri de surprise et de douleur en prenant de plein fouet un rayon tiré par Lando.

– Le *Faucon* est posé dans un jardin public à cinq minutes d'ici. C3 PO monte la garde.

– C3 PO ? Mais où sont Leia et Chewie ?

– C'est une longue histoire. Je te la raconterai une fois à bord.

– Comment as-tu deviné où j'étais ?

– Dash m'a indiqué la planète. Alors, j'ai pointé mon nez et j'ai laissé traîner mes oreilles. Il ne m'a pas fallu longtemps pour entendre parler de ce raid sur le repaire bothan. Comme quelques autochtones me devaient des petits services, ils m'ont renseigné sur ces guignols et sur l'endroit qu'ils avaient choisi pour base.

Lando se baissa brusquement. Un rayon crépita à deux bons mètres au-dessus de sa tête.

– Dis, on pourrait peut-être y aller. On jouera à « Questions pour un Corellien » un peu plus tard.

– Bonne idée.

Ils accélérèrent le pas.

Derrière eux, les chasseurs de primes tiraient toujours.

Xizor examina d'un œil critique les branches les plus basses de son arbre épineux miniature âgé de six cents ans. La petite plante était un cadeau d'un ancien rival qui avait cherché à faire la paix avec le Soleil Noir à la suite d'un... désaccord. D'une cinquantaine de centimètres, le petit arbre était la réplique parfaite des épineux, hauts de plus de cent mètres, qui ne poussaient que dans un bosquet bien précis de la forêt tropicale d'Irujian, sur la planète Abbaji. L'arbre nain était resté dans la famille de l'ancien rival pendant près de dix générations et était, pour ceux qui en connaissaient la valeur, extrêmement précieux. Même si un jour il venait à perdre toute sa fortune, Xizor se refuserait à mettre le petit arbre en vente, dût-on lui en offrir un décamillion de crédits.

Certains seraient prêts à en offrir une telle somme, voire plus. Des arbres comme celui-ci étaient chargés d'histoire.

Il manipula les petits ciseaux mécaniques avec une très grande précision, glissa entre les lames une branche aussi fine qu'un cheveu... coupa...

Ah. Parfait. Cet unique coup de ciseaux serait la seule taille nécessaire cette année.

A la saison prochaine, peut-être ôterait-il cette ramification à l'angle obtus qui dépassait de la branche située juste au-dessus de la nouvelle coupe. Il avait une année tout entière pour y penser. Il retira les ciseaux avec délicatesse et observa l'épineux. Magnifique. Il était magnifique. Suffisamment pour faire oublier les erreurs de son ancien propriétaire. L'homme avait commis quelques erreurs de jugement mais ce cadeau prouvait qu'il était un homme de goût et d'esprit. Ce qui justifiait qu'on lui pardonne ses erreurs. Après tout Xizor était un être civilisé, et non une brute impulsive.

Il laisserait à la Princesse Leia la possibilité de découvrir cette facette de sa personnalité. Tout comme il la laisserait en découvrir d'autres. Beaucoup plus intimes, celles-ci...

– Comme c'est agréable de constater que vous êtes sain et sauf, Maître Luke.

– Je suis content de te voir, moi aussi, C3 PO, répondit Luke.

Lando passa en courant devant eux et se dirigea vers le poste de pilotage du *Faucon*.

– Secoue-toi, Luke, cria Lando sans se retourner. Non seulement nous avons à nous débarrasser de ces chasseurs de primes mais il y a un convoi impérial qui se dirige par ici. Ils viennent de sortir de l'hyperespace et approchent du Système.

Luke se précipita vers le siège du copilote, s'assit et boucla les sangles de sécurité.

– Ah ouais? C'est quelqu'un qu'on connaît?

Sa main était déjà en train de voler au-dessus des commandes de préparation au vol.

– Je ne me suis pas approché suffisamment pour pouvoir lire leurs plaques d'immatriculation mais le vaisseau de tête est un superdestroyer.

– Classe *Victory*?

– Plus gros que ça.

– Classe *Impériale*?

– Allez, essaye encore...

Luke releva la tête des commandes et regarda Lando en écarquillant les yeux.

– Non...

– Et ouais, mon pote. Classe *Super*.

– Est-ce que c'est... l'*Executor*?

– Comme je te l'ai dit, je ne suis pas passé assez près. Mais combien y en a-t-il de ce type? Ils ne sortent pas ce genre de joujou simplement pour les promenades de santé.

Le regard de Luke se perdit dans l'infini. Etait-ce Dark Vador? Qu'est-ce qu'il pouvait bien faire à cet endroit?

– Bon, finissons-en rapidement avec les contrôles de routine, dit Lando. Je ne me sens pas de rester plus longtemps dans ce coin.

– Je te comprends. Attends! D2 est dans mon aile-X.

– Je sais. Je l'ai repéré. Je lui ai déjà préparé un petit rayon tracteur de derrière les fagots. On va passer au-dessus de l'aile-X et je le prendrai en remorque, ensuite on pourra l'amarrer au *Faucon* avec les pinces situées sur la coque. (Lando tendit le doigt vers l'écran de contrôle.) On décolle fissa et on passe en vitesse lumière le plus rapidement possible. Même si ce n'est pas Vador qui est à bord de ce monstre, je ne veux pas me trouver en travers de son chemin.

Luke hocha la tête et enclencha les commandes.

– Où allons-nous ?

– On retourne sur Tatooine. C'est là que Leia veut que nous l'attendions.

– Et où est-elle ?

– On parlera de tout ça plus tard, d'accord ?

Lando posa les mains sur les commandes et écouta le ronronnement des moteurs qui se mettaient en route.

– Hé, Bâton d'Or, j'espère que t'es bien assis et bien attaché, cria Lando à C3 PO. On va pas tarder à filer !

25

Une centaine de soldats de choc entouraient le bâtiment. Tous tenaient leur blaster en position de tir et étaient prêts à faire feu si quiconque bougeait.

Dark Vador, debout dans les ténèbres, observait la brèche percée dans le mur. Des insectes nocturnes bourdonnaient et l'air était empli d'une odeur de plastique carbonisé. Vador n'eut pas besoin de pénétrer à l'intérieur pour deviner que Luke n'était plus là. Si le garçon s'était trouvé où que ce soit dans un rayon de cinquante kilomètres, il aurait certainement senti sa présence.

Ces chasseurs de primes avaient réussi à le capturer puis à le perdre.

Vador n'était pas content du tout.

Le commandant des troupes de choc attendait anxieusement à proximité qu'on lui donne un ordre.

Ce que fit Vador.

– Faites venir le survivant qui vous semble le plus gradé.

– Tout de suite, mon Seigneur.

Le commandant fit un signe et un peloton entra dans le bâtiment. Des coups de feu furent tirés. Le temps passa.

Deux soldats ressortirent en traînant un homme derrière eux. Ils l'amenèrent jusqu'à l'endroit où Vador attendait et le lâchèrent. Le prisonnier tituba mais parvint à rester sur ses pieds.

– Savez-vous qui je suis ?

– C-c-certainement, Seigneur Vador.

– Très bien. Où est Skywalker?

– Il s-s-s'est échappé.

Vador serra le poing. L'homme porta les mains à sa gorge.

– Je sais qu'il s'est échappé, espèce d'imbécile.

L'homme suffoqua, ses yeux s'écarquillèrent. Vador attendit quelques secondes puis rouvrit le poing.

L'homme haleta, essayant de retrouver son souffle.

– Je... d-d-dormais, mon Seigneur. J'ai été réveillé par le bruit des blasters. Je suis sorti de ma chambre et j'ai vu Skywalker dans le hall. Ce... C'était comme irréel. Une douzaine d'entre nous étaient en train de tirer sur lui et lui, il agitait son sabrolaser dans tous les sens et bloquait tous les rayons!

En dépit de sa colère, Vador fut heureux de constater que le pouvoir et les talents du garçon semblaient se développer considérablement.

– Continuez...

– D'autres hommes sont venus en renfort. On était presque sûrs d'avoir raison de lui lorsque le mur a explosé. Nous avons été attaqués. Je ne pourrais pas vous dire combien ils étaient, quinze, peut-être vingt. On s'est retrouvés très inférieurs en nombre. Lorsque le combat a pris fin, Skywalker avait disparu.

Vador regarda vers l'espace. Il était prêt à parier que le garçon avait également quitté la planète. Il allait reprendre sa navette jusqu'à l'*Executor*. Peut-être était-il encore temps de le rattraper.

Il reporta les yeux sur le chasseur de primes.

– Je crois savoir que quelqu'un d'autre était intéressé par la capture de Skywalker. Qui?

– Je... je n'en sais rien, Seigneur Vador...

Vador leva de nouveau la main et commença à plier les doigts pour fermer le poing.

– Non! Attendez! Je vous en prie! Je ne sais vraiment pas. Nous sommes en contact uniquement avec des agents.

Le Seigneur de Sith dévisagea l'homme et sentit qu'il cachait quelque chose.

– Vous avez des soupçons, dit Vador.

Il ne s'agissait pas d'une question.

– Je... Enfin, certains d'entre nous ont entendu des rumeurs. J'ignore si elles sont fondées.

– Dites-moi.

– Nous avons... nous avons cru entendre que c'était le... Soleil Noir.

Vador fixa l'homme droit dans les yeux. Bien sûr.

– Et cette autre... personne. Est-ce qu'elle voulait Skywalker vivant ?

– N-n-non, mon Seigneur. Elle le voulait mort.

Vador se tourna brusquement et se désintéressa de son prisonnier. Bien sûr. Son inconscient le lui soufflait depuis le début. Maintenant que cela apparaissait au grand jour, tout prenait un sens. Xizor cherchait à contrecarrer de façon systématique chacune des actions de Vador. Il voulait le contrarier de toutes les façons imaginables. Et quel meilleur moyen que de tuer son propre fils ? Ce faisant, il l'humilierait devant l'Empereur.

– Retournons à la navette, dit-il au commandant.

– Qu'est-ce qu'on fait de cette racaille ? demanda l'officier en faisant un signe vers le bâtiment et les prisonniers.

– Laissez-les. Ils ne valent rien.

Vador s'éloignait déjà.

Le *Faucon* se maintenait sur une orbite très élevée, prêt à accélérer. D2 était à bord et l'aile-X de Luke était correctement amarrée. Luke ne faisait pas follement confiance au système de fixation douteux qui maintenait son chasseur accroché au vaisseau mais c'était censé le garder hors du périmètre de tir des canons et tenir le coup. Enfin, normalement.

– D2 ! Je ne pensais jamais te revoir ! se réjouit C3 PO.

D2 émit quelques sifflements en guise de réponse.

– Mais oui, figure-toi que, nous aussi, nous avons eu notre quote-part d'aventures. Je dois avouer que je ne suis pas un grand amateur de chahut. Crois-tu que nous pourrions nous trouver une petite planète bien calme et y prendre quelques vacances ? Un endroit chaud, où nous plonger dans des bons bains de lubrifiant ?

Luke sourit. D2 et C3 PO l'amusaient toujours autant.

Lando quitta l'orbite et mit le cap sur l'espace interplanétaire.

– Combien de temps avant que nous puissions passer en hyperespace, Maître Lando ?

– Quelques minutes. Et qu'est-ce que vous pensez de ce petit revirement de la chance ? Il n'y a pas un seul vaisseau impérial à nos trousses. Il était temps que quelque chose de sympa nous arrive, non ?

Luke hocha la tête. Alors que Lando faisait les derniers réglages avant de lancer l'hyperpropulsion, il prit la parole.

– Et comment va Dash ? Il était plutôt bouleversé après le coup qu'il a pris pendant l'attaque sur le cargo.

– Pas terrible. Plutôt déprimé. Il n'arrive pas à croire qu'il a manqué son coup. Ça devait arriver tôt ou tard, mais l'échec est une notion qui lui est étrangère.

– Ouais. Ce genre de truc arrive en temps de guerre, dit Luke. On a de grosses déceptions.

Comme lui-même avait été déçu par Dash. Dommage.

– Ouais, je comprends. Et qu'est-ce qu'il y avait de si important dans cet ordinateur, hein ?

Luke haussa les épaules.

– Je n'en sais rien. Les Bothans venaient juste de réussir à l'ouvrir quand les chasseurs de primes ont attaqué.

– Et les chasseurs de primes, ils ont piqué l'ordinateur ?

– Je ne pense pas. Je crois qu'ils ne savaient même pas que nous l'avions. C'est après moi qu'ils en avaient. Il me semble avoir vu l'un des techniciens bothans avec l'ordinateur. Je suppose qu'il a réussi à s'échapper et à l'emporter avec lui.

– Si c'est le cas, les Bothans vont le livrer à l'Alliance, remarqua Lando. On peut vraiment leur faire confiance. On finira bien par savoir ce qu'il y a dedans de toute façon.

– Ouais.

– Allez. Tenez-vous prêts pour le saut dans l'hyperespace.

Lando appuya sur la manette.

Rien ne se produisit.

Luke le regarda avec étonnement.

– Oh, Seigneur, dit C3 PO. Il semblerait qu'il y ait encore un problème.

– Ça doit être une des modifications à la noix de Yan ! s'exclama Lando. Mes techniciens sont censés avoir tout réparé lorsqu'on était encore sur Bespin ! C'est pas ma faute !

– D'accord, d'accord. Et maintenant, on fait quoi ?

– On trouve un endroit pour se planquer et on répare en vitesse avant de tomber sur la Marine Impériale.

– Voilà qui me paraît être comme une excellente idée, dit C3 PO.

D2 siffla son approbation.

Guri emmena Leia et Chewie encore plus loin dans les souterrains. Ils marchèrent pendant des heures, suivant les méandres et les circonvolutions de couloirs de plus en plus étroits. Ils finirent par arriver devant une énorme porte fermée que Guri déverrouilla. Elle la referma derrière eux et ils se retrouvèrent sur le quai d'une gare où devaient s'arrêter des trains montés sur répulseurs.

Un homme les y attendait. Il était trapu, courtaud et chauve, un physique que l'on retrouvait chez les manutentionnaires travaillant sur des cargos ou des mondes à la gravité très élevée. Il portait une combinaison grise et un blaster pendait à sa hanche gauche. Il sourit, révélant une rangée de dents qui semblaient avoir été refaites avec un matériau ressemblant à du chrome noirci.

– Allez avec lui, leur dit Guri.

– Mais vous, où allez-vous ?

– Cela ne vous regarde pas. Faites ce qu'on vous dit et vous rencontrerez rapidement le Prince Xizor.

Elle tourna les talons et s'en alla sans un mot.

Le chauve se posta devant Leia.

– Par ici.

Il les conduisit jusqu'à un petit chariot motorisé garé à l'extérieur de la gare, à peine assez vaste pour eux trois. Heureusement le véhicule était doté d'un toit amovible et, une fois celui-ci replié, Chewie fut en mesure de s'asseoir sans se cogner la tête. Ils s'engagèrent dans un tunnel qui contournait la place où se trouvaient les magasins. Le chauve pressa un bouton sur le tableau de bord du chariot et un lourd panneau de métal gris coulissa dans le plafond, révélant l'entrée d'un autre tunnel. A l'intérieur de ce nouveau boyau tout était bien entretenu, bien éclairé, il n'y avait ni mousse ni graffiti sur les murs, le sol était d'une propreté irréprochable.

Ils voyagèrent à bord du chariot pendant un bon moment et durent parcourir entre dix et douze kilomètres. Le tunnel déboucha sur une large salle au milieu de laquelle attendait un monorail ultrarapide. Les répulseurs magnétiques du véhicule le maintenaient en suspension au-dessus du rail unique.

Quel que soit l'endroit où ils allaient, cela devait se trouver extrêmement loin. Ce type de voiture à lévitation magnétique permettait de couvrir des distances à des vitesses variant entre trois et quatre cents kilomètres-heure, particulièrement dans des tunnels spécialement aménagés comme c'était le cas ici. Cela ne valait pas le coup d'utiliser ce genre d'engin si on n'avait pas une très grande distance à parcourir.

Chewie et Leia suivirent le chauve à bord de la voiture.

Lorsqu'ils furent assis et attachés, Crâne d'œuf se contenta de dire :

– En route.

La voiture rapide sortit en douceur de la grande salle et s'engagea dans un tunnel très sombre. Elle prit de la vitesse très rapidement. De petites lumières de service étaient installées, à intervalles réguliers, en arcade le long de la voûte du tunnel. Il ne fallut pas longtemps avant que le cercle lumineux jaune semble se mettre à clignoter furieusement et en continu au-dessus du véhicule.

Quelle que soit leur destination, ils l'atteindraient très rapidement, même si leur voyage devait les conduire à l'autre bout de la planète.

Leia jeta un coup d'œil à Chewie. Elle aurait tellement aimé pouvoir mieux comprendre ses expressions. Il avait l'air calme. Bien plus qu'elle.

Elle se demanda si elle avait fait le bon choix en venant jusqu'ici. Il était cependant un peu tard pour s'en préoccuper.

– Alors? Où est le problème? dit Luke.

Provenant du fond du puits de maintenance situé juste en dessous de lui, la réponse de Lando lui sembla plus qu'irritée.

– Le problème c'est que Yan et Chewie ont complètement refait, réaménagé, recâblé et... rétamé ce foutu vaisseau! Je suis actuellement en face d'un véritable enchevêtrement de fils, on dirait un nid de serpents. Normalement, à la place de ce méli-mélo, il devrait y avoir un circuit imprimé extractible! Même un schéma ne servirait à rien!

– Et tu crois que tu peux réparer?

– C'est ce que j'essaye de faire, figure-toi! Tiens, passe-moi la clé de multidérivation.

L'instrument ressemblait à une barre de métal terminée par deux longues tiges très fines formant un V. Luke dut se coucher au bord du puits pour pouvoir atteindre Lando.

Ce dernier émit quelques réflexions hautes en couleur sur la famille de Yan et sur le fait que tout laissait à désirer à bord de l'appareil.

En dépit du caractère d'urgence de la situation, Luke ne put s'empêcher de sourire.

– Tiens, demande donc à D2 de venir jeter un coup d'œil. Peut-être que lui sait à quoi ce fil bleu peut bien servir.

D2 roula jusqu'à la trappe du puits de maintenance, se « pencha » par-dessus bord et observa. Puis il se mit à siffler et à couiner.

– Aïe! cria Lando.

– Il vaut mieux que tu ne touches pas ce fil!

– C'est maintenant que tu me le signales? Et celui-là, le jaune?

D2 sifflota.

Tel que c'était parti, ils allaient rester coincés là un bon moment, se dit Luke.

Ils avaient découvert les restes d'une petite lune – ou, peut-être, d'un très gros astéroïde – qui décrivaient une orbite parabolique autour de la planète. Ils avaient emmené le *Faucon* parmi les roches les plus grosses pour l'y cacher, en adaptant la vitesse du vaisseau à celle des aérolithes. De loin, avec la majorité de ses systèmes coupés, l'appareil pouvait passer pour l'un de ces énormes amas rocheux. La progression des corps célestes le long de leur orbite était incohérente car la gravité n'était pas suffisante pour les retenir. Ils représentaient un danger latent pour les vaisseaux en approche et, en général, on les évitait de très loin. Même un superdestroyer de classe *Super* n'avait aucun intérêt à voir des rochers gros comme des immeubles venir heurter ses écrans déflecteurs à cette vitesse. Cela représenterait une considérable perte d'énergie cinétique pour le vaisseau.

Du moins, c'est ce que Luke et Lando espéraient.

– Passe-moi les tenailles, dit Lando.

Luke s'exécuta.

– Tu as besoin que je descende t'aider? Tu sais, je suis plutôt adroit avec les outils.

– Et moi, je suis l'ancien propriétaire de ce vaisseau, rétorqua Lando. Je vais bien trouver un moyen de contourner tous les bricolages de Yan. Ce mec devrait avoir honte!

– Je le lui dirai. Dès qu'on l'aura sorti de la carbonite, dit Luke.

– Et comment. Moi aussi, je lui dirai. Je le lui dirai sans mâcher mes mots et de façon répétée.

Le véhicule se mit à ralentir. Les anneaux de lumière jaune clignotèrent à intervalles plus lents. La voiture finit par s'immobiliser à l'intérieur d'un vaste hall, plus grand qu'une salle de congrès. Sur le quai le long duquel ils se rangèrent se tenaient six gardes. Tous étaient de grande taille, portaient une armure grise et étaient équipés d'un fusil-laser. Le chauve s'extirpa de l'habitacle et leur adressa son étonnant sourire noir et brillant.

– Par ici.

Deux des soldats sortirent du rang et vinrent se poster derrière Leia et Chewie.

– Enlevez votre casque, dit Crâne d'œuf à Leia. Vous n'en aurez plus besoin.

Il les conduisit jusqu'à une porte aussi épaisse que celle d'un coffre de banque. Après avoir exercé une pression de la paume sur un palpeur, la serrure cliqueta et le panneau s'ouvrit. Il les précéda dans un couloir au plafond très haut et voûté. Le passage était assez large pour que douze hommes puissent marcher de front sans se gêner. La lourde porte se rabattit derrière eux. Il faisait très froid, suffisamment froid pour que leur respiration dégage des nuages de vapeur.

A peu de distance de là se trouvait une autre porte. Six soldats en armure montaient la garde devant. Cette porte n'était pas aussi épaisse que la précédente mais semblait tout de même très solide et était également équipée d'un palpeur. Derrière cette porte se tenait une nouvelle escouade de soldats.

Le maître des lieux ne semblait pas apprécier qu'on débarque chez lui à l'improviste.

Ils arrivèrent devant une colonne de quatre turbo-élévateurs. Le chauve composa un code sur le clavier de commande et la porte de l'ascenseur de gauche coulissa. Le trio pénétra dans la cabine. Les deux gardes restèrent à l'extérieur.

Pendant que l'ascenseur commençait sa progression, Leia prit la parole.

– Ça y est, on nous fait déjà confiance? dit-elle en montrant d'un signe de tête les deux soldats qu'ils venaient d'abandonner.

Crâne d'œuf sourit. Les portes du turbo-élévateur s'ouvrirent. Deux autres gardes les attendaient derrière.

Bon. Finalement, peut-être ne leur faisait-on pas si confiance que cela.

De nombreux corridors partaient des ascenseurs. Le chauve s'engagea dans un couloir qui reliait un véritable dédale de coursives. Leia essaya de mémoriser tous les tournants et toutes les intersections – en général, elle avait une assez bonne mémoire pour ce genre d'exercice – mais au bout d'une série très longue et très complexe de virages à gauche et à droite, la lumière s'éteignit.

– Continuez d'avancer, leur fit le chauve. Je vous dirai quand tourner.

Ils avancèrent dans l'obscurité pendant cinq minutes. De temps en temps, Crâne d'œuf leur aboyait une indication. « A gauche. » « A droite. » « Faites cinq pas vers la gauche selon un angle de quarante-cinq degrés par rapport à notre direction actuelle puis prenez à droite. »

Lorsque la lumière revint – mais comment avait-il réussi à les guider ? – Leia dut admettre qu'elle était complètement perdue.

S'il y avait une grosse araignée au centre de cette toile compliquée de couloirs et passages, elle ne voulait certainement pas qu'on la dérange.

Le chauve finit par les conduire dans un hall terminé par deux lourdes portes de bois sculpté. Deux autres gardes s'y trouvaient en faction. Ceux-ci ne portaient pas d'armure, n'avaient pas de fusils mais des pistolets passés à la ceinture qu'ils portaient assez bas sur la hanche. Ces hommes étaient d'une impressionnante corpulence et la taille de leurs mains indiquait clairement qu'ils savaient s'en servir. L'un d'eux attrapa les poignées et ouvrit la porte à l'approche des visiteurs.

– Allez, entrez, leur dit le chauve.

Puis il tourna les talons et s'en alla.

Leia regarda Chewie. Elle se rendit compte que son cœur battait la chamade et qu'elle avait un nœud au creux de l'estomac. Elle prit une profonde inspiration puis expira tout doucement.

Elle pénétra dans la pièce suivie de Chewie.

Un homme de grande taille – non, pas un homme, une créature humanoïde d'aspect très exotique – se leva de derrière un bureau et se mit à sourire.

– Ah, dit-il. La Princesse Leia Organa et Chewbacca. Soyez les bienvenus. Je suis Xizor.

C'était bien la voix qu'elle avait entendue lors de la communication audio établie depuis son hôtel sur Rodia.

Le pouls de Leia s'accéléra plus encore. Elle sentit sa tête tourner comme si son cerveau s'était tout à coup embrumé. Enfin, elle se trouvait face à face avec le dirigeant de la plus grande organisation criminelle de toute la galaxie. La situation était déjà suffisamment étrange, mais ce qui l'était encore plus, c'est qu'il se dégageait de ce fameux dirigeant une beauté... extraordinaire !

26

– Comment ça va, en bas? demanda Luke.

– J'préférerais que tu ne me demandes pas... lui répondit Lando.

– J'vais voir dans la cambuse si je ne peux pas nous faire un petit truc à manger. Tu veux quelque chose?

– Ouais, j'aurais besoin d'un bon cocktail d'acide de batterie et d'insecticide.

Luke secoua la tête, se releva du bord du puits et se dirigea vers la cuisine.

Il s'arrêta brusquement, comme s'il venait d'être retenu par une main glacée.

– Maître Luke? Tout va bien?

Luke ignora la question de C3 PO. Il venait d'y avoir une grande perturbation dans la Force, un point noir dans sa perfection immaculée. La sensation était curieusement familière...

Oh oh...

Luke se retourna et se précipita vers la colonne de maintenance.

– Lando, faudrait réparer. Et vite.

– Pourquoi, qu'est-ce qui presse?

– On ne va pas tarder à avoir de la visite, je crois.

La tête de Lando jaillit par le puits des entrailles du vaisseau.

– Quoi? Mais attends, c'est impossible qu'on nous repère ici...

– Ah ouais ? Tu veux parier ?

– Oh, mon pote, surtout ne me dis pas ce que tu es en train de penser, ne prononce pas cette phrase, dit Lando.

– Hein ?

– Ne me dis pas : « J'ai un très mauvais pressentiment à propos de tout ça. »

Luke le regarda fixement.

Lando disparut à nouveau dans le conduit de service.

– O.K., je me dépêche, je me dépêche !

Luke se rendit dans le poste de pilotage pour vérifier les senseurs à longue portée. S'il s'agissait bien de la personne à laquelle il pensait, se cacher au milieu d'un amas de rochers ne servirait à rien. On pouvait toujours courir dans certains cas mais on ne pouvait pas toujours se cacher.

Xizor était ravi. La jeune femme assise en face de lui, flanquée de son garde du corps à fourrure, était en tout point aussi délicieuse qu'il l'espérait, voire plus. Jusqu'à présent, ils n'avaient parlé que de choses banales, ils n'avaient échangé que des généralités. Il prétendait être très honoré par la visite d'un haut dignitaire de l'Alliance. Elle prétendait ne pas être gênée par le fait qu'il était un criminel. Du reste, ce qu'elle pensait n'avait aucune espèce d'importance, maintenant qu'elle était tombée entre ses griffes.

Non. Ce qui comptait à présent, c'était comment s'y prendre au mieux pour la courtiser, si tel était le terme le mieux adapté à la situation.

Il avait déjà laissé quelques-unes de ses phéromones les plus efficaces se propager dans l'air autour de lui. Il avait dû réellement se retenir pour empêcher sa peau de changer de couleur de façon drastique mais son épiderme semblait déjà émettre une sorte de rayonnement chaleureux. Le Wookie n'avait, apparemment, rien remarqué mais Leia semblait bien réagir aux substances chimiques de séduction qui émanaient de lui. Elle se sentait attirée. Il pouvait déterminer cela grâce à la longue expérience qu'il avait des femmes. Il était plutôt bien de sa personne et, en raison du leurre créé par ses puissantes hormones, seule une femelle humanoïde très forte et très déterminée pouvait lui résister.

Quand il était jeune homme, il avait ressenti la même attirance que ressentait Leia. Les femmes falleens possédaient, elles aussi, des atouts chimiques qu'il était difficile d'ignorer lorsqu'elles les... utilisaient sur vous. Comme une fleur propageant sa fragrance dans les airs, les phéromones falleens ondulaient et enveloppaient n'importe quelle personne se trouvant à portée de leur étreinte empressée. Une étreinte plus forte encore que celle d'un étau en duracier...

Si Leia avait ne serait-ce que la plus petite once de sensualité, elle ne pourrait qu'essayer de prétendre qu'il ne l'attirait pas. C'est d'ailleurs ce qu'elle tentait de faire. Il ne pouvait pas lui retirer cela. Elle n'avait pas vraiment choisi de ressentir ce qu'elle ressentait. Mais le rose qui lui montait aux joues, sa respiration qui s'accélérait légèrement, son... désir évident, tout cela représentait des signes certains pour quelqu'un qui les avait vus un bon millier de fois auparavant. Pour quelqu'un qui savait repérer ces signes et en tirer parti. Pour quelqu'un comme Xizor, qui n'allait pas se gêner pour les utiliser à son avantage...

– Votre voyage a dû être très fatigant, dit Xizor. Vous devriez aller vous rafraîchir, vous changer, vous détendre un peu avant que nous n'abordions des sujets plus sérieux.

– Je vous avouerai que je ne voyage pas avec toute ma garde-robe.

Xizor fit un signe et lui adressa un sourire rayonnant, comme s'il commandait à la galaxie tout entière.

– Voilà un problème auquel je peux très facilement remédier. Je vais dire à Howzmin de vous montrer vos appartements. Nous avons des visiteurs de temps en temps et tout hôte qui se respecte se doit de veiller aux besoins de ses invités. Peut-être trouverez-vous dans votre chambre quelques parures à votre goût. Il y a des affaires très importantes qui requièrent ma présence. Allez vous détendre et retrouvez-moi d'ici deux heures.

Leia jeta un coup d'œil à son garde du corps puis regarda de nouveau Xizor.

Ce dernier lui adressa son sourire le plus enjôleur.

Elle eut l'air troublée.

– Oui, c'est vrai. Nous sommes un peu fatigués.

Xizor déplaça son pied sous le bureau. Là, un senseur caché envoya une impulsion à un récepteur implanté dans la tête d'Howzmin. La porte s'ouvrit et le serviteur chauve fit son entrée dans la pièce.

– Conduisez la Princesse Leia et Chewbacca à leurs chambres.

– Tout de suite, Prince Xizor.

Après leur départ, Xizor resta assis, respirant doucement et profondément pour profiter pleinement de cette sensation de victoire. Avant leur prochaine rencontre, il ferait un peu de méditation et d'exercice pour que toutes ses essences hormonales soient au summum de leur efficacité. Un Falleen excité qui lâchait tout son arsenal phéromonal était irrésistible pour tout représentant du sexe opposé. Peu importait l'opinion de la femme sur les rapports de couple ou qu'elle ait pu être une partenaire fidèle pendant des années. Tout cela ne pesait pas lourd dans la balance. Les phéromones falleens étaient bien plus fortes que les plus relevées des épices. Dans son esprit, Leia voudrait peut-être lui résister mais son corps brûlerait de désir. Il allait apprécier au plus haut point d'éteindre cet incendie...

Leia se sentait perturbée. Tandis qu'Howzmin les conduisait jusqu'à leurs appartements par une autre série de couloirs, elle était obligée de prendre de grandes goulées d'air pour se calmer. Mais qu'est-ce qui avait bien pu se passer? Ce... cette attirance, ce raz de marée émotionnel qui l'avait retournée, qu'est-ce que cela signifiait? Bien sûr, Xizor avait un certain charme exotique mais elle n'était pas du genre à admirer bêtement un beau visage. Ce qu'elle avait ressenti, ce qu'elle avait voulu faire, eh bien, cela ne lui correspondait absolument pas. Et puis, elle était amoureuse de Yan. Ce n'était pas le genre de sentiment dont elle pouvait se débarrasser chaque fois qu'un homme séduisant – voire un Falleen séduisant – se présentait à elle.

Elle ne pouvait cependant pas nier ce qu'elle avait ressenti. D'une certaine façon l'individu l'attirait à lui. Cela faisait exactement comme un coup de poing au plexus solaire. Il avait réussi à lui couper le souffle.

Enfin. Tant pis. Tout semblait être redevenu normal à présent. Il fallait qu'elle reste concentrée. Elle était venue jusqu'ici pour aider Luke. Dès qu'elle aurait réglé ce problème, ils partiraient au secours de Yan. Elle fournirait donc tous les efforts nécessaires pour se débarrasser des sensations que ce mystérieux Xizor avait pu implanter dans son esprit et ferait en sorte de ne plus jamais y penser.

Cette partie d'elle-même qui était enfouie dans un coin de sa tête et qui observait, écoutait et refusait d'entendre autre chose que la vérité se mit à rire : *Ah oui ? Vraiment ? Il se pourrait aussi que tu ne fasses rien à ce sujet, ma vieille. Il est possible que tu ne l'oublies pas de sitôt.*

La ferme ! dit-elle mentalement à la petite voix qui résonnait dans son esprit. *Je n'ai vraiment pas besoin de ça maintenant !*

Peut-être pas, ma vieille, peut-être pas, mais cela n'empêche pas le problème d'exister.

– Voici vos appartements, dit Howzmin. Le Wookie occupera la suite qui se trouve juste à côté.

Leia se secoua pour échapper au dialogue intérieur qui était en train de tourner à l'obsession. Elle hocha la tête à l'adresse d'Howzmin.

Chewie grogna quelque chose qui ressemblait à s'y méprendre à une question.

– Ne t'inquiète pas. Je serai très bien ici. Si Xizor voulait nous faire du mal, il l'aurait fait depuis bien longtemps. Allez, va. Va donc te débarrasser de cette teinture, tu n'en as plus besoin. Viens me retrouver dès que tu auras terminé.

Chewie hocha la tête et suivit Howzmin jusqu'à la porte suivante.

Le panneau coulissa à l'approche de Leia et elle pénétra dans sa chambre.

La pièce incarnait un modèle de luxe et de raffinement. Le tapis était si épais qu'elle s'enfonça dedans presque jusqu'aux chevilles. Du neocel noir, songea-t-elle, un véritable cauchemar à entretenir. Il y avait un grand canapé de cuir blanc – du cuir d'animal cloné, probablement – qui contrastait avec le tapis. Un lit rond, garni de draps et de coussins noirs, reposait sous un ciel d'un blanc presque translucide tenu par six montants de bois sculpté. Dans une alcôve près du lit était niché un bureau blanc sur lequel était installé un ordinateur; on y avait rangé une chaise noire.

Simple, élégant et probablement aussi cher que la suite d'un Grand Moff dans n'importe quel hôtel de la galaxie.

Leia ressentit le besoin pressant d'ôter ses bottes et de marcher pieds nus sur le tapis. La moquette semblait naturellement chaude ou bien il existait un système de chauffage, dissimulé quelque part, qui la maintenait à une température idéale. Quoi qu'il en soit, la sensation sous ses pieds nus était particulièrement agréable.

Il y avait une salle de bains cachée derrière un panneau. Tout y était également noir et blanc : les carreaux, le lavabo, la baignoire. Tous les éléments du décor possédaient des formes arrondies et harmonieuses.

Dans la pièce principale elle découvrit la porte d'un placard qu'elle ouvrit.

Il y avait effectivement quelques habits dans cette armoire. A l'opposé de la chambre elle-même, les vêtements étaient de toutes les couleurs de l'arc-en-ciel : des robes, des chemisiers, des pantalons, des vestes, des combinaisons... Leia empoigna un cintre auquel était accrochée une robe diaphane, presque transparente, faite d'un matériau vert si léger qu'elle ne pesait presque rien. Elle observa la robe. La toucha. Elle n'était pas du genre à dépenser tout son argent dans les vêtements mais elle savait reconnaître une pièce de qualité lorsqu'elle en voyait une, même sans l'étiquette susceptible de le confirmer. Cette robe était une création originale de Melanani, faite avec la soie que tissaient naturellement les papillons de Loveti. Son prix pouvait aisément vous permettre d'acheter une landspeeder neuve et dernier cri.

Une inspection rapide des autres vêtements révéla qu'il n'y avait que des pièces originales de grande qualité. Effectivement, Xizor savait pourvoir aux besoins de ses visiteurs. Il devait y avoir suffisamment de crédits dans cette armoire pour acheter et meubler des tas de maisons sur quantité de planètes. Et il resterait encore assez d'argent pour engager les cuisiniers et les jardiniers pour aller avec.

Leia commença à fermer la porte de l'armoire puis se ravisa. Elle tendit la main à l'intérieur pour attraper l'étiquette de la première robe qu'elle avait vue.

Mince. Voyez-vous ça. Exactement sa taille.

Une pensée soudaine lui traversa l'esprit et elle entreprit de vérifier les autres étiquettes.

Tous les vêtements étaient à sa taille.

Elle cilla et regarda fixement l'intérieur du placard. Est-ce que ça pouvait être une coïncidence ? Le dirigeant du Soleil Noir pouvait-il, comme ça, disposer d'une armoire pleine de vêtements à sa taille ?

Non, probablement pas. Peut-être Howzmin avait-il réussi à prendre ses mesures grâce à un détecteur lors de leur voyage jusqu'ici ? Il aurait ensuite battu le record du monde de vitesse pour faire les magasins ? Xizor avait des crédits à revendre. Peut-être y avait-il une douzaine de chambres similaires, toutes équipées d'une armoire mais correspondant à des tailles différentes selon les visiteurs ? Peu probable mais possible.

Xizor savait qu'elle venait le voir, après tout. Peut-être était-il simplement un hôte attentionné.

Elle secoua la tête. Elle était fatiguée. Elle allait commencer par prendre un bon bain pour se détendre. Et pour les vêtements chic ? Eh bien, puisqu'il s'était donné cette peine, autant ne pas chercher d'explication. S'il trouvait ce genre de parure à son goût, il serait peut-être judicieux de se glisser dans l'une de ces robes et d'exploiter la situation à son avantage. Cela serait un bon moyen de le déstabiliser. S'il passait son temps à la dévorer du regard, il serait peut-être plus facilement en mesure de lâcher quelque chose d'utile.

Et la petite voix reprit la parole : *Vraiment, ma vieille ? Mais tu crois berner qui, là ? Tu veux juste te faire belle rien que pour lui, admets-le.*

Ouais, c'est ça, d'accord. Et après? Elle n'était pas mariée. Ce n'était pas interdit par la loi de flirter un peu, non? Elle n'allait tout de même pas se jeter à corps perdu dans les bras du dirigeant d'une organisation criminelle, pas vrai? Il n'y avait aucun mal à s'habiller un peu. Elle n'en avait pas souvent eu l'occasion depuis qu'elle avait rejoint l'Alliance. Cela lui manquait beaucoup mais étant donné la situation, cela ne ferait de mal à personne.

Fais gaffe, ma vieille. Ce sont des eaux dangereuses. Attention aux serpents de mer.

Oh, je t'en prie, arrête tes salades. Je suis une grande fille, je suis capable de me débrouiller.

Elle se dirigea vers la baignoire et ouvrit le robinet d'eau chaude.

– Je pense que c'est bon, dit Lando en remontant du puits de maintenance.

– Tu le penses?

– On ne sera pas certains tant qu'on n'aura pas mis en route les propulseurs.

– Maître Lando! Maître Lando!

C3 PO arriva précipitamment en agitant les bras. Son revêtement doré jetait des éclats lumineux dans toutes les directions.

– Quoi?

– Les détecteurs indiquent un vaisseau en approche! Un très grand vaisseau! Un énorme vaisseau!

Lando regarda Luke.

– Je me demande qui c'est.

– J'espère simplement que tu as réparé les propulseurs, remarqua Luke. Sans ça, nous serons renseignés assez tôt.

Les deux hommes foncèrent vers le cockpit.

En courant, Luke sentit ce contact glacé qui essayait de le toucher au travers de la Force. Il savait qui c'était. La seule question était : Dark Vador pouvait-il, lui aussi, sentir sa présence?

– Seigneur Vador?

Vador observait, par une baie, les amas rocheux qui flottaient au-devant de son vaisseau. Il ne prit pas la peine de se tourner vers le capitaine.

– Qu'y a-t-il?

– Nous approchons du champ d'astéroïdes.

Vador se tourna vers le capitaine et demanda en désignant la baie d'observation :

– Vous voulez parler de ce champ d'astéroïdes qui se trouve juste en face de nous?

Le capitaine, troublé, continua malgré tout de s'enfoncer.

– Oui, Seigneur. Nos capteurs n'ont détecté la présence d'aucun appareil dans les environs.

– Peu importe, je suis sûr qu'il y a quelque chose dans ce champ, dit Vador. Je ne peux pas le repérer précisément mais il y a, au milieu de ces rochers, une perturbation dans la Force et j'ai bien l'intention d'en découvrir l'origine.

– Certainement, Seigneur Vador. Heu... Puis-je me permettre de suggérer d'envoyer un escadron de chasseurs? Si nous pénétrons dans ce champ d'astéroïdes en tenant le cap que nous suivons actuellement, cela risque d'endommager fortement les écrans déflecteurs du vaisseau.

– Très bien. Dites aux appareils de faire particulièrement attention, qu'ils inspectent tout ce qui ne leur paraît pas naturel. J'ai bien dit tout. S'ils découvrent quelque chose, qu'ils n'attaquent pas, qu'ils reviennent ici immédiatement pour faire leur rapport.

– Oui, mon Seigneur, je les dépêche tout de suite.

Vador se tourna de nouveau vers la baie. Etait-ce Luke? Il ne pouvait pas encore en être sûr. Le Côté Obscur n'avait pas de limites mais le Seigneur Noir, lui, en avait. Tout ce qu'il pouvait distinguer à cette distance c'était une perturbation dans la Force dont le cœur se trouvait quelque part au milieu des amas rocheux qui flottaient devant eux. Il ne pouvait pas croire que cela puisse être quelqu'un d'autre que Luke mais il n'en était pas certain. Il devait procéder avec précaution. Avec Xizor en train d'empoisonner l'eau du puits, allant de manipulation en conspiration à la Cité Impériale, il était plus important que jamais d'attraper Luke vivant. En s'approchant des rochers, le trouble se dissiperait. Il était bien trop près du but, il ne perdrait pas son fils une nouvelle fois. Tôt ou tard il le capturerait et il le convertirait au Côté Obscur. Il en était persuadé. Il était Dark Vador, il avait su exterminer les derniers Jedi de ses propres mains. Tous avaient disparu à l'exception du plus fort : son propre fils.

Il faudrait bien qu'il affronte ce dernier Jedi en devenir. D'une façon ou d'une autre, il faudrait bien qu'il trouve un moyen de le prendre en main.

Leia utilisa le souffleur électrique intégral pour se sécher à la sortie du bain. Elle coiffa ses cheveux et dut admettre qu'il y avait fort longtemps qu'elle ne s'était pas sentie aussi bien. L'occasion de se prélasser dans un bain chaud était plutôt rare par les temps qui couraient. Dans la plupart des endroits où elle avait séjourné, sur tous les vaisseaux à bord desquels elle avait voyagé, elle s'était souvent estimée heureuse d'avoir assez d'eau recyclée grisâtre pour prendre une douche tiédasse qu'un minuteur automatique déclenchait et arrêtait pour vous. Nul n'avait le loisir de laisser l'eau couler longuement. Certes, c'était mieux que rien mais cela ne se comparait pas avec le fait de se détendre dans une gigantesque vasque de marbre noir, remplie d'une eau tellement chaude que la peau en était écarlate. C'était probablement l'un des plus grands plaisirs que pouvait offrir la civilisation.

Elle alla jusqu'au placard et l'ouvrit. Elle remarqua qu'un petit tiroir était installé dans le mur du fond et y découvrit de la lingerie. Eh bien, Xizor pensait vraiment à tout.

Bon, laquelle de ces robes allait-elle choisir ?

Xizor fixait le point où, en règle générale, s'animaient les projections holographiques lorsque l'appareil était branché. Des holocaméras étaient cachées dans tout le château, bien sûr, et pratiquement dans toutes les pièces.

Dont la chambre dans laquelle Leia était installée.

Il caressa l'idée de mettre le projecteur en marche pour voir si elle avait profité de tous les avantages que la chambre offrait.

Mais... Non. Il ne voulait rien gâcher. Il la verrait de plus près un peu plus tard.

De bien plus près.

27

Le *Faucon Millenium* quitta le champ d'astéroïdes par le côté opposé à celui par lequel arrivait l'énorme vaisseau. Il était prêt à faire le saut dans l'hyperespace.

Luke jeta un coup d'œil aux senseurs.

– Chasseurs Tie en approche. A vue de nez, je dirais trois douzaines. C'est quand tu veux, Lando.

– C'est parti, dit Lando. Si tu crois à la chance, prie pour qu'elle soit de notre côté.

Il empoigna la manette. Enclencha le contact des propulseurs...

Rien ne se passa.

Lando poussa un juron. Une série de phrases particulièrement colorées, ponctuées d'allusions relativement imagées – voire improbables – constituant une liste détaillée des choses qu'on pouvait se mettre quelque part.

– Ouais, ben je ferais bien de me poster aux canons, fit Luke en se levant.

– Non, attends !

– On n'a pas le temps d'attendre ! Dans dix secondes on va être complètement engloutis dans le flot de Tie...

Lando appuya sur une commande, effectua un autre réglage.

– Maintenant !

Le *Faucon Millenium* fit un bond en avant. L'espace devint flou et se mit à s'étirer tout autour du cargo, détails caractéristiques au saut dans l'hyperespace.

– Ha ! Ha ! s'exclama Lando.

Luke, déjà à moitié debout, fut précipité brutalement dans son siège. Lorsqu'il eut retrouvé son équilibre, il dévisagea Lando.

– Dis donc, c'était moins une, ce coup-ci.

Lando haussa les épaules.

– Hé, si tu voulais une petite vie pépère et ennuyeuse, fallait rester sur Tatooine, claironna-t-il, très content de lui. Je savais bien que j'arriverais à le réparer.

Luke secoua la tête et se sentit obligé de sourire en retour. Ils étaient saufs, du moins pour le moment. Qui pouvait se soucier de ce qui avait failli arriver ? Cela ne comptait pour ainsi dire pas.

– Bon, et maintenant, si l'une des autres modifications spéciales à la sauce Yan Solo ne nous envoie pas au milieu d'une étoile, notre prochain arrêt devrait être Tatooine. Dès que Leia et Chewie en auront fini avec leurs affaires, nous pourrons partir à la rescousse de Yan.

– Moi, ça me va, dit Luke. Ils n'ont toujours pas fini ce qu'ils avaient à faire ?

Ils ont été obligés de faire un petit détour.

Luke eut l'impression que Lando ne lui disait pas tout ce qu'il savait mais n'insista pas. Il était fatigué. Il avait besoin de se reposer, de manger quelque chose. Il pourrait reprendre cette conversation plus tard.

Vador scrutait l'espace. Le capitaine prit la parole avec nervosité.

– S-s-seigneur Vador...

Vador se retint de soupirer.

– Inutile de me le dire, Capitaine. Vos pilotes ont perdu leur cible, c'est cela ?

– L'appareil a quitté le champ d'astéroïdes et est passé en vitesse lumière au moment même où les chasseurs approchaient. Il n'y avait plus rien à faire.

– Et vos pilotes ont-ils tout de même réussi à identifier ce vaisseau ?

– C'était un petit cargo corellien.

Vador ne dit rien. Le vaisseau de Solo, le *Faucon Millenium*, sans aucun doute, certainement piloté par Luke.

Peut-être avait-il cette jeune Princesse à ses côtés, ainsi que ce joueur, ce traître de Calrissian.

– Mettez le cap sur la Cité Impériale, Capitaine.

– Mais nous étions supposés...

– Laissez-moi me préoccuper de cela, l'interrompit-il.

Le capitaine avait raison. L'Empereur avait dépêché cette mission jusqu'ici pour d'autres raisons que la capture de Luke.

– Très bien, reprit Vador. Nous soupçonnons l'existence d'une base rebelle sur une lune de Kothlisian.

– Je n'ai jamais entendu parler d'une telle base, mon Seigneur...

– Comme je viens de vous le dire, nous soupçonnons l'existence d'une base rebelle sur une lune. Avant de retourner, nous allons donner la possibilité à vos artilleurs de nous montrer de quoi ils sont capables, nous allons voir s'ils sont à même de bombarder cette base avec précision.

– Oui, mon Seigneur.

Luke était parti. Il ne pouvait pas savoir où. Xizor continuait ses petites machinations sous les yeux de l'Empereur. Vador retrouverait son fils plus tard. En attendant, il valait mieux qu'il retourne là où il pourrait surveiller le Prince Sombre. Un vieux proverbe sith disait : « Même lorsque tu combats le grand fauve aux dents de sabre, il est préférable de ne pas tourner le dos au petit serpent. » Une morsure d'un petit animal peut vous terrasser aussi bien que les crocs longs comme le bras du prédateur géant. Qui plus est le baiser du serpent vous confronte à une mort beaucoup plus lente et beaucoup plus douloureuse.

– Pressez-vous, Capitaine, je ne souhaite pas qu'on me fasse attendre.

– Bien sûr, mon Seigneur.

Leia enfila une combinaison moulante très sombre avant de se glisser dans la robe verte presque transparente. Ce n'était probablement pas dans les intentions du créateur de la robe que quelqu'un porte ce type de sous-vêtements. Cela éliminait l'effet de transparence. Elle n'avait cependant pas l'intention de dévoiler l'intégralité de sa personne aux regards de Xizor.

Il lui semblait vaguement décadent de porter l'équivalent de plusieurs milliers de crédits sur le dos. Cela ne lui était pas arrivé depuis son enfance sur Alderaan.

Elle passa dans la salle de bains et se regarda dans le miroir. Elle avait su tirer le meilleur parti des produits de maquillage mis à sa disposition. Juste une touche très discrète. Elle avait tressé sa chevelure et l'avait attachée pour qu'elle ne ressemble plus à la paillasse d'un animal enragé. Au moins ses cheveux étaient-ils propres. Elle essaya de sourire.

Chewie serait là d'un moment à l'autre.

Elle alla jusqu'à la porte de la chambre et fronça les sourcils lorsque celle-ci refusa de s'ouvrir automatiquement. Elle dénicha la commande d'ouverture manuelle mais, lorsqu'elle l'actionna, la porte ne bougea pas davantage.

Ah. Cela signifiait donc que le Seigneur Xizor ne souhaitait pas que ses invités se promènent librement dans son château.

Lorsqu'elle tourna les talons, le panneau s'ouvrit et coulissa dans le mur. Chewie se tenait sur le pas de la porte. Il avait nettoyé la teinture qui lui avait servi de déguisement. La tonte, sur le dessus de sa tête, semblait toujours un peu curieuse mais, débarrassé des taches sombres sur sa fourrure, le Wookie avait un air plus familier.

Howzmin se tenait juste derrière lui.

Leia voulait dire à Chewie qu'elle avait besoin de voir Xizor seul à seul.

– Vous voulez bien nous excuser un moment ? dit Leia à Howzmin.

Le serviteur hocha la tête. Un geste brusque, presque militaire.

Chewie entra dans la chambre et la porte se referma derrière lui.

Il regarda Leia puis il tourna la tête sur le côté, de façon moqueuse.

– Eh bien, quoi ? Qu'est-ce que tu regardes ? Je me suis habillée, c'est tout.

Chewie ne dit rien.

Leia sentit une pointe de culpabilité lui serrer la gorge. Chewie et Yan étaient comme deux frères. Elle n'avait rien fait de mal mais elle eut soudain l'impression du contraire. Elle essaya alors de s'expliquer :

– Ecoute, nous avons besoin de l'aide de Xizor. Je ne vois pas pourquoi je ne pourrais pas m'habiller un peu ; peut-être que cela le déstabilisera.

Toujours silencieux, Chewie se contenta d'arquer les sourcils.

Leia se sentit rougir.

– Qui c'est le diplomate ici, de toute façon, hein ? Je ne te donne pas mon avis sur ta façon de piloter et tu ne me dis pas comment je dois diriger un entretien.

Le Wookie finit par dire quelque chose. Il ponctua sa phrase en faisant un grand geste de la main en direction de la porte puis vers Leia. Elle ne comprit pas vraiment le commentaire qu'il venait de faire mais devina plus ou moins le sens de ses mimiques : Chewie n'était pas d'accord. Est-ce que Yan le serait, lui ?

Aux yeux d'un Gamorréen, il le serait.

– Et puis, ma façon de m'habiller ne te regarde pas ! dit-elle.

Cette phrase était peut-être un peu plus cassante que prévu. Elle voulut s'excuser puis se ravisa. Après tout, elle et Yan n'étaient pas mariés ; ils n'avaient pas vraiment eu le temps de se promettre quoi que ce soit. Certes, elle l'aimait et elle pensait sincèrement qu'il l'aimait aussi mais il ne l'avait jamais dit. Lorsqu'il en avait eu l'occasion, il avait simplement dit : « Je sais. » A quel genre d'engagement cela pouvait-il bien correspondre ? Deux mots au lieu de trois ? Etait-ce si difficile de dire un simple petit mot de plus ?

Il n'y avait rien de mal à vouloir paraître belle pour un homme séduisant. Et plus encore pour un homme qui pouvait l'aider à sauver la vie de Luke. Ce n'était pas comme si ils allaient commettre un acte répréhensible ! Qu'est-ce qui arrivait à Chewie ? Pourquoi était-il si rigide d'un seul coup ? Elle n'avait pas à avoir honte de quoi que ce soit !

Alors, explique-moi pourquoi tu te sens si coupable, ma vieille...

Dans la pièce la plus reculée de ses appartements privés, Xizor était assis, seul sur un tapis, dans une salle dénuée de tout mobilier. Il avait les yeux fermés. Ses mains étaient croisées sur ses genoux. Sa respiration était profonde et régulière, son esprit parfaitement clair. Il commença à se concentrer pour aiguiser toutes ses aptitudes hormonales.

Les effluves attirants qu'il avait en lui se mirent à émaner par tous les pores de sa peau. Ses phéromones entrèrent en action. Elles étaient sans couleur, sans odeur, seules les femelles humanoïdes étaient capables de les percevoir. Quiconque était doté de ces minuscules palpeurs cachés de façon invisible au milieu de ses récepteurs olfactifs serait bientôt subjugué par les effluves. Ceux-ci déclencheraient alors des désirs incontrôlables, plus forts qu'un ordre donné sous hypnose.

Il était maintenant impossible d'empêcher sa peau de virer au rouge. Cela n'avait plus d'importance. Elle se moquerait bien de sa couleur dès qu'elle aurait senti la puissance de son appel.

Il ne lui avait donné qu'un avant-goût de ses émanations passionnées. Maintenant il était fin prêt pour lui en offrir un véritable festin. Un festin qu'il lui serait impossible de refuser.

Il prit une profonde inspiration, expira tout doucement. La froideur était toujours présente mais bientôt, très bientôt... sa passion serait enfin libérée.

Il se mit à sourire.

D2 et C3 PO discutaient calmement dans la cabine principale. Luke, qui se rendait à la cambuse pour se mettre au repas que, jusqu'à présent, il n'avait pas eu l'occasion de préparer, s'arrêta et regarda les deux droïds.

– Du nouveau ?

– D2 se fait un peu de souci pour la Princesse Leia, répondit C3 PO. Je m'évertue à lui dire qu'elle n'est jamais à court d'idées. Je suis persuadé qu'elle va très bien.

Luke haussa les épaules et poursuivit son chemin jusqu'à la cambuse. A ce moment précis, il eut l'impression que, où qu'elle puisse se trouver, Leia courait un très grand danger.

Sa faim disparut soudainement. Il n'avait plus envie de manger. Peut-être valait-il mieux qu'il ait dès maintenant cette petite conversation avec Lando.

Dans le cockpit, Lando lui répondit :

– Désolé mon pote, je ne suis pas censé te le dire...

– Me dire quoi ?

– La Princesse veut que tu sois sur Tatooine et elle a bien dit que, au cas où tu poserais la question, elle était bien capable de se débrouiller toute seule. Elle se débrouillait avant de te rencontrer et elle peut très bien se passer de toi.

Luke lui lança un regard noir.

– En plus, Chewie est avec elle. Il est évident qu'il fera en sorte que rien ne lui arrive, ça tu le sais.

– Ouais, peut-être bien...

– Ecoute, si ça se trouve, elle arrivera sur Tatooine avant nous. Et puis, c'est elle qui commande, tu te rappelles ?

Luke hocha la tête. Il n'aimait pas cela. Quelque chose clochait.

Lorsque la porte du sanctuaire de Xizor s'ouvrit, Leia faillit s'étrangler. Le Seigneur du Crime portait une longue tunique très ample dont les multiples nuances de rouge semblaient coordonnées à la couleur de sa peau. Cette tunique aurait très bien pu être conçue par le même styliste que celui qui avait dessiné la robe de Leia. Lui ne semblait pas porter de combinaison en dessous. Il paraissait si fort sous la finesse du tissu, si dur, si musculeux. S'il existait une différence corporelle visible entre lui et n'importe quel humain, Leia était bien incapable de la distinguer.

Il lui sourit.

– Je vous en prie, Princesse, entrez.

Derrière elle, Chewie dit quelque chose. Xizor dut certainement le comprendre car son sourire s'estompa l'espace d'un instant avant de réapparaître.

– Peut-être votre ami souhaiterait-il en profiter pour dîner pendant que nous entamons les négociations ?

D'après le ton de Chewie, il était clair que ce n'était pas le cas du tout.

Leia avait oublié de lui parler de cela pendant qu'ils étaient encore dans sa chambre. Elle s'était laissée emporter par la discussion sur les vêtements qu'elle portait.

– Chewie, attends dehors.

Il n'aimait vraiment pas ça.

Elle se tourna pour faire face au Wookie.

– Yan me ferait confiance. Tu devrais en faire de même...

Chewie n'en était pas si sûr mais il ne dit rien. Il fit un pas en arrière et faillit renverser Howzmin.

– Ne t'inquiète pas, tout ira bien.

La porte se referma en glissant entre eux deux.

Elle fit volte-face. Xizor s'était dirigé vers un petit bar niché derrière le canapé en cuir.

– Quelque chose à boire peut-être ? Cognac luranien ? Champagne vert ?

– Du thé serait parfait, Votre Altesse.

Il était hors de question qu'elle boive en sa présence quelque chose qui risquerait de lui monter à la tête.

– Appelez-moi Xizor, je vous en prie. Nous pouvons faire abstraction des titres maintenant que nous sommes seuls.

Leia observa Xizor qui lui servait un thé. Il semblait presque... briller et cela lui fit tourner la tête. Elle alla jusqu'au canapé et s'assit à l'une des extrémités. Elle essaya d'avoir l'air détendue mais une étrange tension s'était emparée d'elle.

Lorsqu'il contourna le canapé pour lui donner sa boisson, sa hanche frôla l'arrière de sa tête.

Cela lui causa comme une décharge électrique, une sensation assez proche de la chute libre ; elle eut soudain comme des fourmis dans les lèvres.

Xizor lui tendit la tasse de thé et alla s'asseoir à l'autre bout du canapé.

Leia sentit poindre une légère déception parce qu'il ne s'était pas assis plus près d'elle.

A cette pensée, elle ressentit également une pointe d'inquiétude. Qu'était-elle en train de faire?

Elle essaya de faire apparaître l'image de Yan dans son esprit. Mais pendant un long moment elle n'y arriva pas. C'était comme si elle avait oublié à quoi il pouvait bien ressembler...

Assez!

Xizor prit la parole :

– Alors, l'Alliance serait donc intéressée à l'idée de traiter avec le Soleil Noir?

Il but une gorgée de la boisson qu'il s'était servie.

En le regardant boire, Leia se dit qu'il avait une allure absolument fascinante.

Elle frissonna, comme pour rassembler ses pensées.

– Heu, oui, en fait, l'Alliance... Nous avons envisagé une telle alliance.

L'Alliance considérant une alliance? Ça ne va pas Leia? Tu as perdu la raison?

Xizor ne sembla pas se soucier de la pauvreté du vocabulaire de sa phrase.

– Eh bien, oui, certainement. Il y aurait pas mal d'avantages dans une telle... liaison, dit-il.

Leia sentit tout à coup des bouffées de chaleur. Elle regretta d'avoir enfilé la combinaison sous la robe. Elle eut envie de s'excuser, de trouver un cabinet de toilette et d'enlever les sous-vêtements. Le contact du tissu de la robe serait tellement agréable sur sa peau nue.

Et les mains de Xizor? Comment serait leur contact sur sa peau nue?

Elle secoua la tête pour s'éclaircir les idées. C'était de la folie! Elle ne le connaissait même pas! Mais il avait ce, ce... ce *quelque chose*!

– Je... Nous... Enfin, l'Alliance, nous pensons que même si les intentions du Soleil Noir ne sont pas les mêmes que les nôtres, nous avons l'Empire comme ennemi commun.

– Oui, c'est vrai, la guerre crée souvent de curieux accouplements.

De curieux accouplements...

– Tenez, laissez-moi réchauffer votre thé, dit-il.

– Non, non, il est très bien...

Il était déjà debout. Il s'approcha d'elle, se pencha, souleva sa main avec l'une des siennes et prit la tasse.

A ce contact, elle ressentit une décharge, comme si elle avait pris un chargeur à haute tension à bras-le-corps. Elle en eut le souffle coupé.

Encore une fois, il parut ne pas y prêter attention.

Le temps semblait s'enliser dans une épaisse couche de boue. Xizor s'éloigna tout doucement ; les sons semblèrent s'assourdir ; Leia sentit la chaleur monter en elle. Quelque chose allait de travers. Elle se sentait bien, trop bien. C'était comme si se trouver en cet endroit était la meilleure chose qui puisse lui arriver dans tout l'univers. Enfin, presque la meilleure chose. Il fallait absolument que Xizor oublie cette tasse de thé et revienne auprès d'elle le plus vite possible ; alors, la meilleure chose pourrait commencer...

Leia ! Qu'est-ce qui t'arrive ?

Des ennuis, ma vieille, de gros ennuis. Il faudrait que tu files d'ici. Et vite.

Mais filer était certainement la dernière des choses qu'elle avait envie de faire.

Vador mit à profit son voyage dans l'hyperespace pour réfléchir à ce qu'il allait bien pouvoir faire. Il était arrivé trop tard pour capturer Luke mais il avait agité le drapeau impérial et fait sauter un petit spatioport. Cela n'avait aucune espèce d'importance que le port ait eu – ou non – un réel rapport avec les Rebelles. Seul comptait le fait que ces derniers pensent que Dark Vador le croyait. Cela leur donnerait ainsi l'impression que l'ordinateur qu'ils avaient volé était important aux yeux de l'Empire.

Une moitié de sa mission était accomplie mais, dans son esprit, il ne s'agissait pas de la plus importante.

Il ne détenait aucune preuve contre Xizor. Ce dont il disposait n'était que spéculations et rumeurs. Une information de troisième main délivrée par un chasseur de primes sur le point d'être exécuté. Ce n'était guère suffisant pour inculper l'un des individus les plus puissants de la galaxie. Lui, Vador, était convaincu mais convaincre l'Empereur ne serait pas si facile. Il avait besoin de bien plus avant de lancer son offensive sur le Prince Sombre.

Enfin. S'il fallait collecter davantage d'éléments, il en collecterait davantage. Maintenant qu'il savait exactement ce qu'il cherchait.

Xizor se pencha et embrassa Leia. Tout doucement, d'abord, il frôla ses lèvres.

Délicieux. Etonnant. Elle eut l'impression de le boire. Son contact la plongea en extase.

Il exerça une pression plus importante.

Leia se sentit répondre au baiser. Et elle se laissa aller...

Puis elle se ravisa.

– Non, cela ne va pas.

Mais elle avait gardé une main sur l'épaule de Xizor. Cette épaule... était forte, puissante, chaude sous ses doigts. Non, cela n'allait vraiment pas.

– Je suis venue... pour parler... de Luke Skywalker!

– Bien sûr, mais chaque chose en son temps. Nous avons des détails plus importants à régler d'abord.

Il se pencha de nouveau sur elle et l'embrassa. Elle sentit son désir aussi brûlant que le feu.

Leia passa ses deux bras autour de Xizor et mêla son désir au sien. Serait-ce si mal? De le laisser continuer? Si c'était pour sauver Luke?

Xizor abandonna la bouche de Leia et fit glisser ses lèvres sur son cou, jusqu'à son épaule. La bretelle de la robe tomba.

Non, pas pour sauver Luke. Pour profiter au mieux de cet instant. C'était bien ça qu'elle voulait?

Non. Ce n'était pas cela.

Tout en le voulant quand même.

Les mains de Xizor entreprirent de la caresser. Oh, oui...

28

Xizor pressa ses lèvres contre l'épaule nue de Leia et il la sentit frissonner de plaisir. Il la possédait à présent. Elle était sienne, même si son esprit et sa volonté n'étaient pas là, son corps lui appartenait. Il était légèrement déçu. Cela avait été un petit peu trop facile. Enfin...

Il remonta la main jusqu'à la glissière de la robe...

On frappa à la porte.

Quoi ? *Qui osait ?*

Leia fit un bond, se dégagea de l'étreinte de Xizor et rajusta sa mise. Elle respirait vite et le rouge lui était monté aux joues.

Quelqu'un semblait braire à l'extérieur. Les coups sur la porte redoublèrent.

Ce satané Wookie ! Pourquoi était-il là ? Comment Howzmin avait-il pu le laisser venir jusqu'ici ?

Troublée, Leia dit :

– Je... Je ferais mieux de voir ce qu'il veut.

– Restez. Je vais me débarrasser de lui.

Xizor commença de se lever.

– N-non. Je vais m'en occuper.

Xizor sourit. Il sentit qu'elle avait encore envie de lui.

– Comme il vous plaira.

Il la regarda se dresser sur ses pieds. Elle tituba un peu en marchant jusqu'à la porte. Ce n'était qu'une pause toute temporaire. Elle allait chasser le Wookie puis elle reviendrait auprès de lui. Quand une femme tombait sous son charme, elle lui appartenait pour toujours.

Leia passa la main sur le contrôle d'ouverture de la porte – Xizor les avait enfermés – et le panneau coulissa.

Chewbacca grogna. La connaissance de Xizor du langage wookie était imparfaite mais il réussit à saisir ce que voulait la grande créature à fourrure. Le Wookie voulait que Leia vienne avec lui sur-le-champ.

– C'est que... Je suis en plein milieu d'une... d'une discussion très délicate, dit-elle. Cela ne peut pas attendre?

Xizor sourit.

Le Wookie grogna de plus belle. Peut-être était-il plus malin qu'il ne le semblait; il devait certainement comprendre que quelque chose la menaçait, sans pour autant savoir précisément quoi. Un humain aurait deviné rien qu'en jetant un coup d'œil à Leia. Enfin, un humain un peu malin...

Leia se tourna et regarda Xizor.

– Il a l'air énervé. Je derais peut-être aller voir ce qu'il veut.

Maintenant qu'il la tenait sous sa coupe, Xizor pouvait faire ce qu'il voulait d'elle et caressa l'idée de lui ordonner de fermer la porte et d'enlever ses vêtements avant de revenir sur le canapé. Mais... non. Il avait tellement confiance en son pouvoir qu'il se contenta de hausser les épaules.

– Comme il vous plaira. Je vous attendrai ici. (Il marqua une pause bien calculée.) Pendant quelque temps encore.

C'était pour lui laisser croire qu'il pourrait très bien s'en aller si elle ne se dépêchait pas. C'était un peu cruel mais il s'agissait d'une assez bonne démonstration de son autorité. *Je pourrais très bien partir, est-ce que c'est vraiment ça que tu veux?*

– Je... Je vais...

Elle s'interrompit et secoua la tête comme pour essayer de s'arracher à son influence.

On ne se débarrasse pas comme ça de mes petits tours de magie chimiques, ma chère enfant.

Il lui fit signe de partir.

Elle allait revenir.

Dans le hall à l'extérieur du sanctuaire de Xizor, Leia regarda fixement Chewie. Celui-ci la regarda fixement à son tour.

– Bien, t'as intérêt à ce que cela vaille le coup...

Howzmin gisait recroquevillé sur le sol. Inconscient ou mort, elle était incapable de le dire. Chewie l'attrapa par le bras et la tira dans le hall.

– Mais enfin, lâche-moi, espèce de peluche surdimensionnée !

Chewie ne fit pas attention à ses paroles et poussa Leia dans une petite alcôve percée dans le mur non loin de là. Puis il entra derrière elle.

– Tu vas regretter ce que tu...

Il lui appliqua une grosse patte poilue sur la bouche et, de l'autre lui montra le plafond.

Leia leva les yeux. Un petit microphone parabolique était encastré dans le plafond.

– On nous écoute ? chuchota-t-elle.

Il hocha la tête.

– Est-ce qu'on nous observe aussi ?

Chewie secoua la tête. C'était la raison pour laquelle il l'avait amenée jusqu'ici. L'endroit devait échapper à toute surveillance visuelle. Il savait ce que Xizor et elle avaient fait ; il l'avait parfaitement compris. Il devait donc la protéger. Et ainsi, protéger Yan.

Le désir intense qu'elle avait ressenti s'évanouit. La honte l'envahit.

Comment avait-elle pu laisser une chose pareille arriver ? Elle aimait Yan. Elle venait à peine de rencontrer Xizor. Elle n'avait rien ressenti de semblable auparavant. Non seulement ce n'était pas bien mais en plus cela n'avait rien de naturel. Cela ne lui ressemblait pas : jamais elle ne se comportait ainsi. A plus forte raison avec un étranger !

Est-ce qu'il utilisait une drogue ? Dans le thé, peut-être ? Cela expliquerait beaucoup de choses. C'était donc ça, il voulait la séduire.

C'était terrible. Et, en même temps, cette explication la

rassurait. Au moins existait-il une raison pour la passion qu'elle venait de ressentir, une excuse pour son comportement. Elle avait échappé de peu au désastre. Et Luke, dans tout cela ?

Tout à coup, tout devint clair. Non, ce n'était pas Vador qui souhaitait sa mort...

– Il nous faut quelque peu modifier nos plans, dit-elle. Chewie, voilà ce que tu vas faire...

L'*Executor* atteignit son Système d'arrivée. Vador trépignait d'impatience, tellement il avait hâte d'être de retour. La patience n'avait jamais été son fort et il voulait très vite assembler les pièces de son dossier contre Xizor.

Tandis que l'énorme vaisseau se mettait en position d'approche, Vador réfléchit à ce qu'il allait faire. Il pesa le pour et le contre, se demandant s'il devait aller parler à l'Empereur. Xizor occupait actuellement une place assez élevée dans l'estime impériale. Tout commentaire désobligeant pourrait donc être interprété comme de la jalousie pure et simple, même si l'Empereur aurait dû être au-dessus de ce genre de réaction. D'un autre côté, si Vador ne parlait pas, l'Empereur pourrait plus tard lui reprocher de lui avoir caché la vérité. L'Empereur voulait tout savoir sur tout le monde... sauf lorsqu'il ne voulait rien entendre.

Comme Vador s'y attendait, l'Empereur n'eut pas l'air convaincu.

– Vous me décevez, Seigneur Vador, j'ai l'intime conviction que votre jugement est ici obscurci par quelque chose... de plus... personnel.

– Non, mon Maître. Je suis simplement préoccupé par la possible traîtrise de ce criminel. En fait, il essaye de tuer Skywalker...

L'Empereur lui coupa la parole.

– Vraiment, Seigneur Vador ? Il me faudrait des preuves bien plus convaincantes qu'une simple rumeur rapportée par je ne sais quel chasseur de primes pour faire quoi que ce soit contre un allié de cette valeur. Ne nous a-t-il pas révélé l'emplacement de cette base rebelle ? N'a-t-il pas mis sa gigantesque flotte à notre disposition ?

– Je n'ai pas oublié cela, acquiesça Vador en essayant de conserver un ton égal. Tout comme je n'ai pas oublié ma promesse de convertir Skywalker au Côté Obscur. Une fois avec nous, Skywalker serait un allié beaucoup plus précieux pour l'Empire que Xizor.

– En effet, il le serait... Si, je dis bien si, vous arrivez à le convertir.

– Je le peux, mon Maître. Mais pas s'il se fait assassiner avant que je puisse l'atteindre.

– Le jeune Skywalker a réussi à rester en vie pendant tout ce temps. Si la Force est avec lui autant que nous le supposons, il restera en vie le temps que vous le retrouviez, vous ne croyez pas ? Et s'il ne s'avère pas aussi puissant que nous le pensons, eh bien il ne sera d'aucune utilité pour nous.

Vador serra les dents. C'était à peu près ce qu'il avait pensé la dernière fois qu'il avait rencontré Luke. Si on pouvait le détruire aussi facilement, cela signifiait qu'il ne valait pas la peine de le convertir au Côté Obscur. Cependant, il détestait l'idée qu'on puisse utiliser cet argument contre lui.

Rien de tout cela n'était inattendu mais ça n'en était pas moins irritant. Que l'Empereur mette autant de foi dans le Prince Sombre, l'individu le plus sournois et le plus immoral qui soit, causait à Vador le plus grand trouble.

– Puisque cela vous semble si important, je vous donne quartier libre pour partir à la recherche de Skywalker. Mais pas longtemps car il y a d'autres tâches que j'aimerais vous confier. Cela vous paraît-il satisfaisant?

Non, cela ne l'était pas, mais que pouvait-il y faire?

– Oui, mon Maître.

Il voulait retrouver son fils et il lui fallait également rassembler des preuves contre Xizor. Tout cela combiné lui demanderait énormément d'attention. Mener les deux de front ne serait pas chose facile.

Mais il était le Seigneur Noir de Sith et le Côté Obscur de la Force était son allié. Il y arriverait.

Leia respira profondément et ouvrit la porte de la chambre de Xizor.

Le dirigeant du Soleil Noir était toujours assis sur le canapé, là où elle l'avait laissé. Il avait un verre à la main. Il se mit à sourire.

– Je commençais à me faire du souci à votre sujet.

Elle lui rendit son sourire en espérant qu'il ne semblait pas trop forcé. Elle pouvait toujours ressentir le charisme qui émanait de lui mais, maintenant, elle savait qu'elle pourrait y résister. Elle était incapable de dire comment mais elle venait de se découvrir une sorte de volonté qu'elle n'avait jamais remarquée auparavant. Sa colère s'était peut-être transformée en bouclier contre lequel s'écraseraient ses tentatives de séduction. La drogue avait peut-être cessé de faire de l'effet. Quelle qu'en soit la raison, cela n'avait guère d'importance, tant que cela pouvait durer.

Il fallait maintenant qu'elle arrive à occuper Xizor suffisamment longtemps pour que Chewie réussisse à s'échapper. Ou, tout au moins, pour lui laisser assez d'avance. Chewbacca n'aimait pas cette idée mais elle était parvenue à le convaincre que le meilleur moyen de lui rendre service était qu'il s'échappe et aille chercher de l'aide.

– Approchez, venez vous asseoir à côté de moi, dit Xizor.

Ce n'était pas une demande, c'était un ordre. Il ne semblait pas plus curieux que cela de savoir pourquoi Chewie avait tant tenu à la voir.

Leia n'obéit pas et se dirigea plutôt vers le bar.

– Attendez, je vais d'abord me préparer une tasse de thé. J'ai l'impression qu'il fait drôlement chaud et j'ai très soif.

Elle remarqua, en l'observant du coin de l'œil, qu'une série d'émotions se succédaient avec rapidité sur son visage. Il semblait furieux qu'elle ne lui ait pas obéi immédiatement – ses sourcils s'étaient froncés très légèrement – mais il paraissait également satisfait de la voir si perturbée. Il devait attribuer son trouble à l'excitation. Les lèvres de Xizor se tordirent imperceptiblement en un sourire qui ne dura qu'une seconde, mais qui indiquait clairement qu'il optait pour cette hypothèse.

Elle prit tout son temps pour préparer le thé. Lorsque la boisson fut prête, elle en but une gorgée mais ne fit aucun mouvement pour s'approcher de lui.

– Venez ici, dit-il.

Il s'agissait réellement d'un ordre.

Leia posa sa tasse de thé et s'avança vers lui.

Il se remit à sourire. Il pensait l'avoir de nouveau sous son contrôle.

– Vous dites que vous avez chaud. Pourquoi ne pas... enlever vos vêtements pour vous mettre plus à l'aise ?

Elle s'approcha doucement.

– J'ai un peu moins chaud maintenant, dit-elle.

– Ce n'est pas grave, enlevez vos vêtements, de toute façon. (Le ton était donné, les mots étaient en acier trempé.) Cela me fera plaisir. Vous voulez me faire plaisir, n'est-ce pas ?

Non, ce que je veux vraiment, c'est laisser à Chewie encore quelques minutes d'avance.

Elle s'arrêta, leva un pied et ôta sa pantoufle. Elle sourit à l'adresse de Xizor et jeta sa pantoufle sur le côté de la pointe du pied. Elle reposa son pied nu et leva l'autre pied. Elle ôta la seconde pantoufle et la lança de la même façon.

Il se mit à sourire de nouveau avant de boire une gorgée de sa boisson, un breuvage vert dont elle ne connaissait pas le nom.

La main de Leia remonta jusqu'à la fermeture de sa robe. Elle la secoua, la tordit et fronça les sourcils en essayant de la détacher.

– Qu'est-ce que vous faites ?

– C'est coincé, dit-elle.

Il se pencha en avant.

– Approchez, je vais m'en occuper.

– Attendez. Ça y est.

Elle décrocha l'attache. Elle portait toujours la combinaison. Enlever la robe transparente n'allait pas l'exposer beaucoup plus mais cela lui donnait un peu plus de temps.

Xizor s'enfonça plus profondément dans le canapé.

Elle ralentit ses mouvements le plus possible avant de laisser tomber la robe sur le sol autour de ses chevilles. Jusqu'à présent, les seules parties du corps de la Princesse qu'il avait eu l'occasion de voir étaient ses pieds.

– Allez, enlevez tout le reste, maintenant, dit-il en agitant son verre.

Elle espéra que Chewie avait disposé d'assez de temps parce qu'elle ne pouvait pas se permettre d'aller beaucoup plus loin dans ce petit jeu.

– Non, je ne le souhaite pas, dit-elle.

Il posa son verre et se leva prestement.

– Quoi?

– Cela ne se fait pas d'enlever ses habits devant un étranger, répondit-elle.

Il s'avança, la prit par les épaules et la secoua. Aussi proche de lui, elle sentit son charme chimique rejaillir sur elle. C'était quelque chose qui lui venait de l'intérieur, une substance attirante qu'il produisait. Elle semblait bien plus puissante mais, à présent, Leia savait ce dont il s'agissait et elle pouvait lui résister. Son corps, effectivement, réclamait quelque chose de précis mais elle était une femme civilisée, son esprit et sa raison lui dictaient son comportement, pas ses hormones.

Il se pencha pour l'embrasser.

Elle lui administra un violent coup de genou entre les jambes.

Il se mit à gémir et la repoussa. Il tituba et fit un pas en arrière.

Leia resta plantée devant lui à l'observer. Elle se mit à sourire tendrement. *Tu n'aimes pas ça, hein?*

Lorsqu'il se redressa, son visage était froid, sans expression. S'il avait ressenti une quelconque douleur, il ne le montrait plus. S'il ressentait une quelconque colère, il ne le montrait pas non plus. Soit sa passion s'était évanouie, soit il la dissimulait parfaitement.

Elle finit par remarquer qu'il semblait également avoir changé de couleur. Il avait l'air plus pâle, plus froid, d'un vert presque blême.

– Alors, vous me résistez.

– On ne peut rien vous cacher.

Il hocha la tête.

– Le Wookie vous a dit quelque chose.

Il ne s'agissait pas d'une question.

Elle sourit.

– De temps en temps, les Wookies sont très malins. Et en plus, ils sont toujours loyaux.

Il secoua la tête.

– Ah. C'est bien le problème avec les femmes intelligentes et fortes. De temps en temps, elles sont intelligentes et fortes au moment où vous ne voudriez pas qu'elles le soient. (Il s'inclina.) Vous êtes une adversaire de grande valeur. Guri !

Un panneau coulissa dans le mur derrière lui. Le droïd répliquant fit un pas et pénétra dans la pièce.

Leia lui adressa un hochement de tête quasi militaire en guise de salut.

– Il semble que vous ayez raison, dit Xizor à Guri. Ramenez-la jusqu'à sa chambre et enfermez-la à double tour. Vous et moi, nous finirons cette petite conversation plus tard. A terme, je crois que vous admettrez que je ne suis pas de si mauvaise compagnie.

– N'y comptez pas, répondit Leia.

Guri quitta son poste et prit le bras de Leia. Sa main était douce mais sa prise était comme un étau d'acier.

Leia se mit à espérer que Chewie possédait maintenant suffisamment d'avance.

29

Après le départ de Guri et de Leia, Xizor dégusta tranquillement une autre coupe de champagne vert. L'alcool contribuerait peut-être à calmer la douleur qu'il ressentait à l'entrejambe.

Au bout d'un moment, il appela son chef de la sécurité.

– Le Wookie s'est-il échappé ?

– Oui, Votre Altesse.

– Vous ne lui avez pas laissé croire que c'était trop facile, j'espère...

– Il a éliminé cinq de nos soldats, mon Prince. Nous lui avons roussi le poil à coups de blaster pendant qu'il détalait dans le hall. Non, il doit bel et bien penser que cela n'a pas été facile.

– Parfait.

Xizor coupa la communication et sourit à sa coupe de liquide vert et pétillant. L'équipe qui tenait le Wookie sous étroite surveillance lui avait immédiatement signalé son évasion. Bien avant que Leia ne vienne le rejoindre, il avait déjà mis son second plan à exécution. C'était bien dans ses intentions de laisser le Wookie s'en aller mais il ne s'attendait pas à ce que cela arrive si tôt. Enfin. Peu importe. Le Wookie finirait bien par contacter Skywalker et le garçon accourrait ventre à terre pour essayer de sauver la Princesse. Les agents de Xizor pourraient probablement le capturer avant même qu'il n'approche du château.

C'était si facile. Les gens au sang chaud étaient si prévisibles.

Un message prioritaire en provenance de l'espace fut annoncé sur son canal privé. A cet instant précis, il n'avait pas spécialement envie de parler à qui que ce soit mais seule une poignée de personnes avait accès à ce canal direct. Si l'une d'entre elles prenait la peine de l'utiliser, c'était certainement pour lui faire part de quelque chose qu'il avait tout intérêt à ne pas ignorer.

La connexion se fit uniquement en audio, aucune image de l'interlocuteur ne s'afficha. C'était compréhensible, étant donné les risques que prenaient certains de ses agents. Lui-même n'appréciait guère de transmettre son image. Un petit caprice tout personnel. On pouvait toujours coder une transmission mais, sur le terrain, la paranoïa avait les pleins pouvoirs. La plupart des agents secrets pensaient que s'il était possible de pirater un conduit blindé, on pouvait décoder une transmission sans trop de difficulté. Il valait mieux que l'image de l'interlocuteur ne soit pas rattachée à la communication.

L'ordinateur personnel de Xizor avait bien entendu identifié l'empreinte vocale de la personne qui appelait. Sans cela, il n'aurait jamais passé la communication au Prince Sombre.

– Oui ?

– Mon Prince, des nouvelles de Skywalker.

– Quelles sont-elles ?

– Apparemment, il aurait été capturé par une bande de chasseurs de primes. Il n'a pas été précisé de qui il s'agissait mais nous avons réussi à déterminer qu'ils se trouvaient sur Kothlis. Nous attendons des informations complémentaires d'un moment à l'autre. Il y a un problème, cependant.

– Je vois. Et ce problème, c'est... ?

– On dit que quelqu'un d'autre a proposé de payer la rançon pour le prisonnier. Il semblerait que son offre dépasse la nôtre et que cette personne pourrait avoir... des liens avec l'Empire.

Hum. Vador revenait justement d'une opération dans ce

secteur, conduite pour rendre plus crédible cette histoire de vol d'ordinateur. Il fallait tout de même se poser la question suivante : qui donc, dans la galaxie, pouvait souhaiter capturer Skywalker autant que Xizor? Vador, bien entendu. Mais Vador était de retour sur la planète. Il s'était déjà entretenu avec l'Empereur et rien n'indiquait qu'il avait ramené Skywalker avec lui. Peut-être l'information lui était-elle parvenue trop tard pour qu'il puisse prendre ses dispositions. Peut-être l'information ne lui était-elle pas parvenue du tout.

Bien. Tout ce stratagème avec la Princesse n'allait peut-être pas se révéler nécessaire.

– Dites-leur que nous offrirons systématiquement le double de ce que la partie adverse aura à proposer.

– Altesse, si nous lançons des enchères contre l'Empire, nous risquons de ne pas pouvoir faire le poids.

– Je le sais bien. Cela n'a aucune importance puisque nous ne serons jamais obligés de payer une telle somme. Dès que nous aurons découvert où ils le détiennent prisonnier, nous enverrons un commando qui nous ramènera Skywalker gratuitement. Inutile qu'il respire toujours, son cadavre me suffira.

– Très bien, Votre Altesse... Un instant... Je vous demande pardon : je reçois un appel de l'un de nos agents à ce sujet. Cela pourrait bien être les coordonnées dont nous avons besoin...

Xizor laissa son interlocuteur répondre à l'appel et en profita pour méditer sur le temps, ces « instants » qu'il avait perdus à attendre qu'on le rappelle tout au long de sa vie. Des mois perdus, probablement, peut-être plus. Bien sûr, cela lui arrivait beaucoup moins maintenant...

Lorsque son agent reprit la ligne, sa voix était chevrotante et il déglutissait sans arrêt.

– M-m-mon Prince, il y a une petite... complication.

La terreur semblait maintenant rôder dans chacun des mots de l'agent, comme un charognard du désert tournant autour d'un animal moribond.

– Une complication, répéta Xizor.

– Il... Il semble que Skywalker se soit échappé. Et que

Dark Vador soit maintenant personnellement impliqué. On l'a vu près du lieu de l'évasion quelques heures à peine après l'événement.

En tant que porteur de très mauvaises nouvelles, l'agent avait de bonnes raisons de craindre pour sa vie. Certains avaient déjà trouvé la mort dans les mêmes circonstances. L'agent le savait bien. Il savait bien que son employeur s'appliquait souvent à régler ce genre de détails lui-même. Il avait dû aussi, sans aucun doute, entendre parler de l'affaire de la trahison de Green.

Xizor éclata de rire.

– M-mon Prince ?

Enfin des bonnes nouvelles. Vador venait de rater Skywalker. Le garçon était libre et, tant que Leia resterait tranquillement au château, les chances de le voir se présenter à la porte de Xizor resteraient les mêmes. Ce que lui raconterait le Wookie ne ferait qu'aviver son désir de sauver la Princesse.

– Ne vous préoccupez donc pas de l'évasion de Skywalker, dit le Prince Sombre. La situation est déjà en de bonnes mains.

Peut-être un jour donnerait-il l'autorisation que cette histoire soit rendue publique. Dès qu'il aurait le contrôle de la galaxie.

Ah, diraient alors les gens, *ce Prince Sombre, regardez comme il est machiavélique. Méfiez-vous !*

Oui, c'est cela. Soyez très méfiants.

Leia essaya de nouveau d'ouvrir la porte de sa chambre, sans succès. Elle se mit à explorer la pièce. Le précédent occupant n'avait malheureusement pas oublié son blaster dans le tiroir de la table de nuit. Il n'y avait nul outil susceptible d'ouvrir la porte et elle ne découvrit aucune issue secrète. Elle ne parvint pas non plus à repérer l'endroit où était dissimulée la caméra holographique. Elle était pourtant certaine que la chambre était équipée d'un système de surveillance, compte tenu de ce qu'elle savait maintenant de la topographie des lieux. Si elle devait rester assez longtemps pour devoir se déshabiller, elle le ferait dans l'obscurité. En espérant que l'objectif de la caméra ne soit pas doté d'un filtre pour prises de vues dans le noir. Il était cependant un peu tard pour faire montre de pudeur.

Elle soupira et se prit à espérer que Chewie ait réussi à s'enfuir. Pour l'instant, cela ne lui était d'aucun réconfort mais si le Wookie atteignait son but, il pourrait prévenir Luke et Lando. Luke pourrait alors être soustrait aux recherches du Soleil Noir et emmené le plus loin possible. Bien entendu, il voudrait se porter à son secours sur-le-champ mais Lando était un homme réaliste : il réussirait probablement à convaincre le jeune garçon du contraire. Il fallait qu'ils soient libres pour pouvoir sauver Yan. C'était ça l'important.

Pardonne-moi, Yan, pour ce que j'ai failli faire. C'est à cause de la drogue, je le sais. Je suis désolée d'avoir fait preuve de tant de faiblesse.

Lorsqu'elle le reverrait – si jamais elle devait le revoir un jour – peut-être lui raconterait-elle toute l'histoire. Tout bien réfléchi, peut-être pas. Inutile de lui faire de la peine, pas vrai ?

A l'idée de revoir Yan, elle se sentit légèrement mieux, même en sachant que, à cet instant précis, ses chances étaient minimes.

Elle s'assit sur le lit et étudia les options qui s'offraient à elle. Elle n'en avait pas beaucoup.

Elle s'allongea et s'étira. Une chose qu'elle avait apprise en travaillant avec le personnel militaire de l'Alliance, c'était qu'une petite sieste s'imposait en cas de doute. On ne pouvait jamais savoir quand se représenterait une nouvelle occasion de se reposer.

Elle savait qu'avec tous ces événements, elle ne pourrait pas trouver le sommeil mais elle allait rester étendue un moment pour se relaxer.

Elle se surprit elle-même en sombrant presque instantanément dans un profond sommeil.

Lando ne voulait pas s'arrêter mais Luke insista avec véhémence.

– Ecoute, je fais confiance à la Force et elle me dit que Leia est en danger. Envoyons un message pour voir si tout va bien, d'accord ?

– Ça ne peut pas attendre qu'on soit sur Tatooine ?

– Non.

Lando soupira.

– Bon, d'accord. Mais t'as intérêt à te souvenir que je fais ça pour toi. A charge de revanche.

Lando pilota le *Faucon* hors de l'hyperespace.

– Et comment on fait pour appeler ? demanda Luke.

Lando sourit.

– J'ai une petite surprise pour toi. Figure-toi que Yan n'est pas le seul à bricoler le *Faucon*.

– Comment cela ?

Lando engagea le pilotage automatique du vaisseau et emmena Luke jusqu'à la soute arrière. Il lui montra un appareil accroché à l'une des parois.

– On dirait une unité de communication.

– Il est malin, ce p'tit ! Vas-y, passe ton coup de fil.

Luke composa les codes que lui fournit Lando. Ce dernier connecta la carte électronique d'une unité de brouillage au communicateur. Il se mit ensuite à changer en permanence les paramètres d'émission pendant l'appel pour être sûr que la communication ne soit pas piratée.

Dash ne répondit pas mais une autre réponse enregistrée dans l'ordinateur attendait d'être décryptée.

Luke se tourna vers Lando.

– On a le code pour lire ce genre de message ?

– Bien sûr.

L'image qui se matérialisa devant eux les surprit. Un Wookie avec une épouvantable coupe de cheveux. Luke ne le reconnut pas de prime abord, jusqu'à ce qu'il se mette à parler. Ou plutôt, à hurler.

Chewie !

– Quoi ? fit Lando d'un air horrifié.

– Qu'est-ce qu'il y a ? s'inquiéta Luke.

– Oh, non !

– Lando !

Celui-ci se mit à traduire :

– Leia est retenue prisonnière sur Coruscant par le Soleil Noir. Ils ont essayé de tuer Chewie mais il a réussi à s'échapper. La Princesse l'a forcé à partir. Ce n'était pas son idée...

La transmission s'interrompit brusquement.

– Qu'est-ce qui s'est passé?

– J'sais pas, mes codes sont devenus inopérants d'un seul coup. Quelqu'un a certainement signalé la « disparition » de son unité de brouillage.

Il arracha l'unité du communicateur et jeta la carte sur le sol.

– Allons-y, dit Luke.

– Sur Tatooine, c'est ça?

– Non.

– C'est marrant, je savais que t'allais dire ça. On ne peut pas aller sur Coruscant, c'est beaucoup trop dangereux.

– Tu peux rester là, si tu veux.

– Luke...

– Leia a besoin de moi. Il faut que j'y aille.

Lando leva les yeux au plafond un moment puis secoua la tête.

– Pourquoi moi? Pourquoi est-ce toujours à moi qu'il arrive ce genre de chose?

Le temps et l'espace se mirent à frissonner et le *Faucon Millenium* jaillit hors de l'hyperespace.

Luke jeta un coup d'œil à ses écrans de contrôle.

– On est encore drôlement loin. Il va nous falloir des jours pour y arriver.

– Ouais, mais il y a une bonne raison à cela, dit Lando. Ici, on n'est pas en orbite autour de je ne sais quel petit monde à la gomme, avec deux grandes villes et trois, quatre villages. Coruscant est un énorme complexe de bâtiments qui couvre la quasi-totalité de la surface de la planète. L'espace tout autour est rempli de stations orbitales, de résidences à gravitation artificielle, de satellites de communication, sans oublier le flot incessant de vaisseaux commerciaux et privés. Je ne te parle même pas de tous les appareils de la Flotte impériale qui rôdent dans le secteur. Le tout fait comme une gigantesque sphère de protection autour de la planète et les failles sont vraiment très petites. On ne va sûrement pas aller voler joyeusement au milieu de tout ça à bord de ce vaisseau. Je suis prêt à parier que l'image du *Faucon* est affichée sur tous les moniteurs d'avis de recherche de la galaxie et, aussi sûr que les lézards aiment se rôtir au soleil, sur tous les analyseurs des postes de sécurité, ici, au centre de l'Empire. Cela m'étonnerait qu'un code de sécurité piqué à la volée puisse nous permettre de passer. Cela ne sera pas d'une très grande utilité à Leia si nous sommes capturés et enfermés dans une prison impériale.

– Je vois ce que tu veux dire.

– Donc, on se fraye tranquillement un chemin jusque là-bas et on essaye de trouver une solution pour se poser. T'aurais pas une idée géniale, par hasard ?

Luke réfléchit un instant.

– Eh bien, en fait, si.

Lando cilla.

– Ah ouais ? Ecoutons ça.

Luke lui exposa son idée.

– Cela ne me dit rien qui vaille, fit Lando.

– Hé, Yan, lui, il y est arrivé. Et sur un superdestroyer, en plus, pas sur un cargo automatique piloté par des droïds. (Il marqua une pause.) Si tu veux, je prends les commandes.

Lando leva les sourcils.

– Dis donc, c'est moi qui ai appris ce truc à Yan !

Luke sourit.

En théorie, cela devait marcher. Ils se trouvaient près de l'axe emprunté par les cargos qui desservaient Coruscant. Là, les grands vaisseaux, les transporteurs imposants, les porte-conteneurs étaient canalisés sur des routes bien définies. Pour se trouver sur ce chemin, il fallait justifier de plusieurs centaines de tonnes métriques prises en remorque. La loi imposait que des individus vivants se trouvent à bord des grands vaisseaux en plus des droïds. Cette loi était rarement appliquée, particulièrement lorsqu'il s'agissait d'aller livrer des marchandises à l'Empire. Un droïd programmé pour piloter un cargo, dans des couloirs de vol bien précis à l'atterrissage comme au décollage, ne faisait pas vraiment attention à ce qui se passait tout autour du vaisseau. Les systèmes de guidage et de régulation du trafic s'en chargeaient. Se faufiler jusque sous la coque ou sous la proue d'un gros transport devait être aussi facile que claquer des doigts. Après cela, il suffisait de rester dans son ombre jusqu'à destination pour passer tous les périmètres de sécurité et échapper aux effets Doppler de la planète. Le *Faucon* était équipé d'unités de brouillage qui duperaient les radars sans problème. Un gamin de dix ans un peu astucieux pouvait très bien se construire un appareil de ce genre à partir d'un vieux four à micro-ondes et de deux répulseurs déphasés.

L'astuce consistait à maintenir le même cap et la même vitesse que le gros vaisseau. Un bon pilote pouvait y arriver mais la moindre erreur de course pouvait signaler cette présence aux appareils impériaux de surveillance ou aux batteries de défense planétaire. Dans ce cas, la réponse était immédiate et la destruction, instantanée. Mais l'opération était faisable pour un bon pilote possédant des nerfs d'acier.

Cela devait marcher. En théorie.

Effectivement, l'Empire avait disposé un véritable anneau d'appareils en orbite autour de la planète destinés à repousser les attaques massives éventuelles. Or, l'espace était bien trop grand pour eux, ils ne pouvaient pas avoir l'œil à tout. Qu'est-ce qu'un simple vaisseau pouvait bien faire contre une planète tout entière ? Particulièrement si cet ennemi se refusait – à l'instar des vaisseaux de l'Alliance – à attaquer et détruire des cibles civiles.

– Prêt ? demanda Lando.

– Prêt ! répondit Luke.

– Nous aussi, nous sommes prêts, dit C3 PO. Si ça peut intéresser quelqu'un.

D2 se mit à siffler.

Lando sourit.

– Accrochez-vous, c'est parti !

Le vaisseau de transport qui approchait dans leur direction était de très grande taille. Il s'agissait d'un remorqueur modifié pour tirer des unités de stockage cylindriques, fermement attachées les unes aux autres et formant un très long convoi. Chaque conteneur était aussi gros que le *Faucon* et équipé de fusées orbitales de freinage. Bien sûr, il existait de plus gros vaisseaux de transport mais le volume total de la cargaison de celui-ci devait avoisiner les neuf cents tonnes métriques, ce qui n'était tout de même pas négligeable. Une balise émettait, identifiant le remorqueur comme l'APP – Appareil en Propriété Privée – *Tuk Prevoz*, enregistré à la capitainerie de la Cité Impériale et volant sous contrat avec Xizor Transports Systèmes.

Lando engagea le *Faucon* dans un long virage, un demi-cercle presque parfait, qui lui permit de contourner le remorqueur et de l'aborder par le dessous.

– Là, je pense qu'on doit être exactement dans la zone d'ombre de leurs capteurs.

Luke hocha la tête. On trouvait pas mal d'angles morts sur les vaisseaux de grande taille, particulièrement sur ceux qui remorquaient des charges imposantes. S'ils arrivaient à se maintenir dans cette zone d'ombre, ils pourraient s'approcher au maximum du remorqueur et l'équipage ne les remarquerait pas. Une fois en position sous l'une des unités de stockage, personne ne pourrait les détecter et, à moins de passer à un jet de pierre d'un vaisseau de surveillance, aucun radar impérial ne découvrirait leur présence.

Luke regarda les cadrans. Grâce à Lando, l'appareil conservait une parfaite assiette. Un degré ou deux de décalage et un écho apparaîtrait sur l'écran de détection du transport. Jusque-là, tout allait bien.

Le grand vaisseau leur parut soudain beaucoup plus imposant. Le problème, lorsqu'on pilotait à vue dans le vide du cosmos, c'étaient les perspectives. Un mouvement pouvait devenir complètement subjectif. Soit ils s'approchaient, soit le transport et sa cargaison étaient en train de descendre sur eux. L'un ou l'autre n'avait guère d'importance tant que le cap était maintenu dans l'angle mort des détecteurs.

Les mains de Lando se déplacèrent sur les commandes avec autant de précision que celles d'un spécialiste en microchirurgie en train de découper un nerf. Le *Faucon* ralentit... ralentit... et s'arrêta.

La surface de l'unité de stockage n'était plus qu'à trois mètres de là.

– Du beau boulot, dit Luke.

Malgré leurs divers accrochages, il devait reconnaître que Lando était un excellent pilote.

– Ouais, mais là, c'était la partie facile. Maintenant il faut qu'on reste collé à ce gros pépère jusqu'à ce qu'il atteigne l'atmosphère de la planète et qu'il se débarrasse de son convoi sur une spirale orbitale. Je vais couper les transpondeurs et tous les systèmes qui ne sont pas essentiels. Il ne faut pas qu'on aperçoive nos feux de position ou qu'on détecte la moindre onde. A partir de maintenant, on serre les fesses.

– T'as pensé à ce qu'on allait faire une fois qu'on aurait atterri ?

Lando grogna.

– Occupons-nous d'abord de l'atterrissage, tu veux? Je connais quelques personnes, j'ai quelques contacts. On se débrouillera.

Luke hocha la tête. Il espérait que Lando était sûr de son coup.

Bien entendu, ils pourraient très bien dévier en approchant de la planète. Ils seraient alors atomisés par la première pièce d'artillerie devant laquelle ils passeraient. Dans ce cas-là non plus, ils n'auraient pas à se soucier de ce qu'ils feraient en atterrissant. Cette idée n'eut pas le don de le rassurer.

Il se concentra et essaya de contacter Leia par le truchement de la Force. Il poussa jusqu'aux limites de ses capacités...

Rien. Si, effectivement, elle était bien là-bas, il était trop loin pour la joindre.

Tant pis. Ils seraient bientôt beaucoup plus proches. S'ils survivaient, Luke essaierait de la contacter à nouveau.

S'ils survivaient.

Assis nu dans sa chambre, en train de travailler à des techniques de méditation curatives, Dark Vador se mit à froncer les sourcils. Il venait de se produire une perturbation dans la Force. Il appela toute la puissance du Côté Obscur pour essayer de la localiser.

Il n'arriva ni à l'identifier ni à la capter.

La sensation d'onde qui se propageait s'interrompit brusquement.

Le Côté Obscur lui réservait encore des surprises. Comme le feu, il pouvait réchauffer ou brûler et il fallait faire extrêmement attention à ne pas trébucher pour ne pas tomber dedans. Vador avait vu ce qu'une utilisation intensive avait fait à l'Empereur : le feu l'avait dévoré physiquement. Cela n'arriverait pas à Vador car il avait fermement l'intention de le maîtriser, ce Côté Obscur. Il en prenait bien le chemin. Ce n'était plus qu'une question de temps. Une question de « quand » et non de « si ». Lorsqu'il prendrait Luke au piège, le processus irait beaucoup plus vite. Deux puissants aimants attireraient à eux une plus grande quantité d'énergie sombre qu'un seul. A deux, ils manipuleraient la Force bien plus vite. Bien plus vite que chacun individuellement ne pouvait le faire.

Il était si fort, ce garçon. Qui aurait pu deviner? Luke Skywalker – son fils – pourrait très bien devenir l'homme le plus puissant de toute la galaxie.

Vador s'autorisa un sourire, qui tira sur ses muscles et sa chair fort douloureusement. Mais il pouvait supporter la douleur.

Il était le Seigneur Noir de Sith et il pouvait supporter n'importe quoi.

30

– Je pense sincèrement que ce n'est pas une si bonne idée, Maître Luke. Je crois que cela serait bien mieux si D2 et moi vous accompagnions, vous et Maître Lando.

D2 émit quelques sifflements pour exprimer son accord.

– Ecoutez, vous serez très bien ici, à bord de l'appareil, dit Luke. On a besoin de vous ici au cas où, nous, nous aurions besoin d'aide. En plus, cela sera beaucoup plus dangereux là-bas, dehors, qu'ici à l'intérieur du vaisseau.

– Ah. Très bien. Dans ce cas, peut-être ferions-nous mieux de rester à bord.

D2 siffla.

– Non, tu as bien entendu Maître Luke. Il a besoin de nous à bord du vaisseau au cas où les choses tourneraient mal.

– Tourner mal? Mais qu'est-ce qui peut tourner mal? demanda Lando. C'est quand même pas parce que notre prise, morts ou vifs, sera fortement récompensée ou parce que nous avons sauté à pieds joints dans le cœur noir et maléfique de l'Empire?

Luke secoua la tête.

– Allez, arrête. Quel serait le dernier endroit où tu irais faire des recherches si tu étais un agent impérial ou un chasseur de primes?

– Ouais, je suppose que t'as raison. Ils doivent se dire que personne n'est aussi stupide. Heureusement pour nous, ils ne savent pas que nous sommes réellement aussi bêtes !

Luke secoua de nouveau la tête. Toutes ces plaisanteries étaient uniquement destinées à détendre l'atmosphère. La vérité, c'est que la situation était très dangereuse. Luke reprit la parole et s'adressa à C3 PO d'une voix beaucoup plus sérieuse.

– Ecoute, je vais être honnête avec toi. Il y a de bonnes chances pour que nous ne nous en tirions pas. Si ça arrivait, n'appelle pas l'Alliance au secours. Il n'est pas nécessaire de mettre une partie de la flotte en péril.

– Je comprends.

D2 siffla et émit quelques bips très rapides. Son ton semblait indiquer qu'il était chagriné.

Luke regarda le petit droïd. Il s'accroupit devant lui et posa une main sur son dôme.

– Restez près du communicateur, d'accord ? On vous appellera si nous avons besoin de vous. Si nous avons des ennuis, vous pouvez essayer de venir nous chercher. C3 PO a les mains et les jambes et toi tu as tous les talents d'un astronavigateur. Je suis certain que, tous les deux, vous arriverez à piloter le *Faucon* en cas d'urgence.

– Une pensée qui fait chaud au cœur, dit Lando. Si Yan savait cela, ça le décongèlerait plus vite qu'une torche laser.

Lando continuait à jouer les boute-en-train mais Luke se dit que ce sacré tricheur devait avoir, lui aussi, un nœud froid au creux de l'estomac. Tout cela n'allait pas être une partie de plaisir.

D2 ne semblait pas très enthousiaste à l'idée de devoir piloter le *Faucon*.

– Qu'est-ce que c'est que ces façons ? dit C3 PO. Tu sais, je n'ai pas toujours été un droïd de protocole. J'ai aussi programmé des convertisseurs. Tiens, une fois, j'ai conduit une pelleteuse pendant un mois standard tout entier. J'ai observé Maître Yan, Maître Lando et Chewbacca assez souvent. Je crois même pouvoir affirmer que je peux piloter ce vaisseau bien mieux que toi !

D2 émit quelques sons très impolis.

– Oh, vraiment ? Eh bien moi, au moins, je ne ressemble pas à une corbeille à ordures surdimensionnée !

– Allez, Luke, dit Lando. Il faut qu'on se presse. Il faut trouver des déguisements et, en se dépêchant, on peut avoir rejoint les souterrains avant le lever du jour. Ces deux-là ont toute la nuit pour se disputer.

– O.K. fit Luke en se redressant. A plus tard.

– Soyez prudent, Maître Luke.

D2 joignit ses vœux à ceux de C3 PO.

Luke sentait toute la gravité de la situation et espéra que cela ne se voyait pas trop.

– C'est promis, répondit-il aux droïds.

Lando s'était déjà grimé. Il s'était enroulé la tête dans l'écharpe et la capuche d'un mendiant. Ses vêtements étaient dissimulés sous une tunique usée jusqu'à la corde. Luke enfila des guenilles semblables et se couvrit une partie du visage.

A l'extérieur de l'énorme bâtiment, Luke et Lando s'avancèrent dans une zone à la population relativement éparse. Peu d'endroits étaient complètement vides mais on était dans l'hémisphère sud, pas très loin du pôle, et il faisait très froid. Il existait des lieux plus confortables pour vivre et travailler. Lando avait là un « partenaire en affaires » qui lui devait une faveur. Il s'acquitta de sa dette en leur permettant de cacher le *Faucon Millenium* dans un hangar. Celui-ci était plein de plancton déshydraté et l'odeur était aussi tenace que celle des champs d'épandage de Tatooine en plein été.

– Mais combien de personnes te doivent des faveurs comme ça ?

Lando lui adressa un sourire éclatant.

– Beaucoup qui ne devraient jamais s'approcher d'une table de jeu. Heureusement pour moi, elles le font quand même !

– Bon, et maintenant ?

– On va essayer de prendre un transport pour gagner le réseau sud de souterrains. Planque ton sabrolaser mais garde-le à portée de main. Ce coin, c'est pas le genre d'endroit où t'emmènes ta grand-mère pour prendre le thé. Tu vois ce que je veux dire ?

– C'est aussi moche qu'à Mos Esley ?

– Ça peut être pire.

– Génial. Veux-tu m'expliquer pourquoi nous sommes obligés d'aller explorer ce coin précis de cette planète en acier chromé, hein ?

Lando le précéda dans une allée étroite et tortueuse. Luke s'aperçut qu'il gardait la main sur son blaster en avançant. L'air était glacial ; il semblait s'accrocher à sa veste, pincer le lobe de ses oreilles et transformer leur respiration en un brouillard froid et piquant à mesure qu'ils avançaient.

Lando s'arrêta au bout de l'allée et jeta un coup d'œil aux alentours avant de s'engager dans un passage très étroit.

– Bon, voilà le topo. T'as déjà entendu parler du célèbre Evet Scy'rrep, le gars qui détournait les vaisseaux ?

– Tu parles. Quand j'étais môme, je ne manquais pas un seul épisode de *Bandits Galactiques* sur l'holoprojecteur. Toute la série lui était consacrée. Il a attaqué quoi ? Quinze paquebots spatiaux ? Il a emporté des millions de crédits, des bijoux. Ils ont fini par l'attraper, non ?

– C'est exact. A son procès, quelqu'un lui a demandé pourquoi il ne s'en prenait qu'aux vaisseaux de luxe. Et Scy'rrep a simplement répondu : « Parce que c'est là que se trouvent les crédits. »

Luke sourit et secoua la tête.

Lando reprit la parole :

– Si nous allons dans cet endroit immonde, c'est parce que c'est là que se trouvent mes contacts.

– Ouvre le chemin. J'espère qu'il y fera plus chaud qu'ici.

Xizor prenait un bain dans une vasque en pierre noire encastrée dans le sol suffisamment grande pour que dix personnes puissent y prendre place en même temps. Il passait beaucoup de temps à se baigner, cela faisait partie de l'héritage de son espèce. Les Falleens étaient des êtres d'origine aquatique et c'était toujours agréable de renouer avec ses racines. De la vapeur s'éleva, emportant avec elle les senteurs délicates de menthol et d'eucalyptus des huiles de bain qui se mélangeaient à la surface de l'eau brûlante. Des prises d'air créaient des vaguelettes et des courants de bulles qui circulaient à travers le liquide. C'était un endroit où il se permettait une détente complète. Il n'y avait ni projecteur holographique ni communicateur. Personne n'avait le droit d'entrer, à part Xizor lui-même et d'éventuels invités qu'il souhaitait distraire. Et puis Guri, bien sûr. De temps en temps, selon son humeur, il y faisait jouer de la musique. En général, il préférait que rien ne vienne troubler ces moments de paix où, baignant dans l'eau chaude, il se débarrassait de la tension de la journée.

Il s'adossa à la pierre de la baignoire et avala une gorgée de la boisson légère qu'il s'était préparée en guise de digestif. Il s'agissait d'un délicat mélange fumé de racines et d'extraits d'épices. Un breuvage suffisamment fort pour qu'il sente couler dans ses veines un feu très doux alors que la température de l'eau l'enveloppait de chaleur. La vie, dans ces conditions, valait la peine d'être vécue. Les choses étaient presque parfaites.

Il avait proposé à Leia de se joindre à lui mais elle avait décliné l'invitation.

Les choses étaient... presque parfaites.

Guri entra dans la salle de bains à grandes enjambées et vint se poster au bord de la vasque.

– Vous savez combien je déteste être dérangé quand je suis là, dit-il.

Alors qu'il finissait sa phrase, il réalisa combien ces paroles étaient inutiles. Guri ne se serait pas permis de le déranger si ce qu'elle avait à lui communiquer pouvait attendre.

Elle sortit un petit communicateur de sa poche.

– L'Empereur.

Xizor se redressa et attrapa l'appareil.

– Mon Maître, dit-il.

– Je vais devoir bientôt quitter la planète, l'informa l'Empereur. Pour inspecter la progression des travaux de ce... projet dont je vous ai déjà parlé. Nous devons nous voir dès que je serai de retour. Il y a quelques petites choses dont j'aimerais m'entretenir avec vous.

– Bien sûr, mon Maître.

– Des rumeurs me sont parvenues à propos de l'un des Rebelles, Luke Skywalker. Il semblerait que vous soyez intéressé par ce jeune homme.

– Skywalker? J'ai déjà entendu ce nom. On ne peut pas vraiment dire que je m'y intéresse.

– Nous en parlerons à mon retour.

La conversation prit fin, l'Empereur coupa la transmission. Il ne prenait jamais la peine de prononcer une formule de politesse.

Xizor déposa le petit cylindre du communicateur sur le rebord de la baignoire et se laissa couler dans l'eau aux vertus tranquillisantes. Bon. Il fallait s'y attendre. L'Empereur finirait bien par découvrir ses plans tôt ou tard. Cela ne changeait rien tant que Xizor demeurait prudent. Les rumeurs ne constituaient pas des preuves.

Guri se pencha, ramassa le communicateur et sortit.

En la regardant s'éloigner, il songea un instant à lui demander de se déshabiller pour le rejoindre dans l'eau. Il l'en avait déjà priée, lorsqu'il avait ressenti le besoin d'une compagnie parfaitement sûre. Elle lui avait démontré de façon particulièrement satisfaisante qu'elle pouvait réellement passer pour une femme dans ces moments-là...

Mais... non. Il fallait qu'il conserve son énergie pour Leia. Elle apprendrait à le regarder sous un autre jour. Il en était sûr. Il pouvait attendre. La patience était l'une de ses plus grandes vertus.

Il prit une grande goulée d'air et plongea sous l'eau. Il possédait une grande capacité pulmonaire et pouvait rester immergé pendant très longtemps. Un autre des dons qui lui restaient de son héritage reptilien. L'eau lui réchauffa le visage et il s'abandonna complètement.

D'une façon générale, la vie valait la peine d'être vécue.

Il faisait plus chaud dans les souterrains mais cela sentait au moins aussi mauvais que dans le hangar où ils avaient laissé le *Faucon Millenium*. Du moins était-ce l'opinion de Luke. Les humains et autres créatures étranges qu'ils rencontraient ne semblaient prêter aucune attention à la puanteur. Ce qui gênait le plus Luke, c'était que, pour pouvoir sentir quelque chose, il lui fallait inhaler d'invisibles et minuscules particules et que ces mêmes particules étaient analysées par le système olfactif. Peu importe ce qui pouvait causer cette odeur fétide de pourriture, il détestait l'idée que des morceaux microscopiques puissent s'introduire dans son nez.

Ils se trouvaient dans une gare pour trains à propulsion magnétique. Les quais étaient bondés et des soldats des troupes de choc impériales ainsi que des officiers en uniforme allaient et venaient dans le vaste hall.

– Je pense qu'il est temps de nous procurer de meilleurs déguisements, dit Lando. Il ne faut pas qu'une caméra de surveillance nous remarque dans ces haillons.

– Quelle est ton idée?

Une créature à tête de poulpe passa devant eux, apparemment très pressée d'atteindre sa destination. Elle ne jeta pas un coup d'œil aux deux mendiants.

– J'ai bien réfléchi à la question. L'idéal serait de se faire passer pour des gens à qui personne ne fait attention.

– Des soldats de choc?

Lando hocha la tête.

– Ouais, ou peut-être ceux du Corps d'Elite. Ce serait encore mieux. Leur visage est couvert et puisqu'ils sont extrêmement bien considérés, personne n'ose se mettre en travers de leur chemin.

Luke regarda autour de lui.

– J'en vois un qui doit être de mon gabarit. Là-bas, près du droïd qui vend les billets.

– Tout juste, Auguste. Tiens, en voilà un autre qui doit faire ma taille et mon poids. Près du distributeur de magazines. Il est peut-être temps de faire notre devoir civique de citoyen de l'Empire, en signalant que quelque chose de bizarre se passe dans l'une des cabines des toilettes, tu ne crois pas?

– C'est exactement ce que tout citoyen dévoué ferait, acquiesça Luke.

Tous deux échangèrent un sourire.

Leia se réveilla légèrement groggy. Elle ne vit aucun indicateur de temps dans la chambre. Elle avait dû dormir pendant un moment. Xizor avait appelé pour demander si elle voulait bien prendre un bain avec lui... Un bain ! Non mais, et puis quoi encore ! Ensuite elle s'était rendormie.

Elle se leva et s'approcha de la console de l'ordinateur.

– Quelle heure est-il ?

L'appareil lui répondit.

Bon sang ! Elle avait dormi six heures standard. Une sacrée sieste.

Elle avait faim maintenant.

A cet instant précis, la porte coulissa et Guri entra en portant un grand plateau recouvert d'une cloche. Elle posa le tout sur la table en face de Leia.

– De quoi manger, dit-elle avant de sortir.

Leia leva la cloche. Un repas complet, constitué de sept plats, avait été artistiquement disposé sur le plateau. Une salade, des petits pâtés aux céréales, des légumes cuits, des fruits, du pain et de quoi boire. Tout cela avait fière allure et sentait également fort bon.

Leia prit un morceau de pain et le goûta. Il était chaud, moelleux et légèrement aigre. Excellent. Autant manger. Si Xizor avait voulu la tuer, il l'aurait déjà fait. Il n'avait donc pas l'intention de l'empoisonner. Tout comme le sommeil, la nourriture faisait partie de ces choses dont il fallait profiter quand l'occasion se présentait. Si de plus les mets étaient aussi délicieux que ceux-ci, cela ne gâtait rien.

Le lieutenant que Luke avait choisi comme cible fronça les sourcils en entrant dans la cabine. Luke se trouvait juste derrière lui.

– Mais enfin, de quoi parlez-vous ? Je ne vois pas de... Hein ? Qu'est-ce que... ?

Le dernier mot fut à peine chuchoté car Luke venait d'utiliser la Force pour prendre le contrôle de l'esprit du soldat. Il s'attendait cependant à ce qu'un militaire faisant partie des meilleures troupes de l'Empire soit pourvu d'une volonté plus solide. Mais, si cela avait été le cas, il n'aurait certainement pas rallié la Marine Impériale, il aurait déserté et rejoint l'Alliance...

Luke ordonna à l'homme de se déshabiller puis de s'asseoir et de faire une très longue sieste. Il se débarrassa de ses vêtements et enfila à la hâte son uniforme d'emprunt. Il garda le blaster et glissa le sabrolaser dans la ceinture sous sa veste. Il sortit de la cabine et rejoignit la partie commune des toilettes pour s'examiner dans le grand miroir. Pas mal.

Derrière lui, Lando émergea à son tour d'une cabine, vêtu d'un uniforme identique. Il ajusta sa ceinture et chassa une poussière sur sa manche droite du revers de la main.

– Les femmes adorent les hommes en uniforme, dit-il.

Puis il passa son casque.

– Oui, enfin espérons qu'on ne cherchera pas à découvrir la face cachée de notre médaille, répondit Luke.

Les deux hommes haussèrent la tête, bombèrent le torse et sortirent des toilettes en arborant l'air de parade cher aux officiers impériaux.

Vador se tenait au pied de la rampe qui conduisait à la navette personnelle de l'Empereur. Il baissa les yeux vers son maître.

– Je pense être de retour d'ici trois semaines, lui dit l'Empereur. Je suppose que vous pourrez garder cette planète en un seul morceau pendant tout le temps où je serai absent.

– Oui, mon Maître.

– Je n'en attendais pas moins de vous. Des nouvelles de Skywalker ?

– Pas encore. Nous le retrouverons.

– Peut-être même plus tôt que vous ne l'espérez.

Vador dévisagea l'Empereur. Celui-ci esquissa un sourire qui révéla ses dents gâtées. Avait-il eu une prémonition ? L'Empereur était toujours un peu plus en phase avec le Côté Obscur que Vador. Avait-il réussi à capter quelque nouvelle information à propos de Luke ?

Si c'était le cas, il ne semblait pas encore prêt à les révéler car il tourna les talons. Il remonta la rampe, escorté par des représentants de sa Garde Royale dans leurs tuniques de cérémonie rouges et leurs armures assorties.

Le bruit que fit la canne en bois torsadé de l'Empereur, tapant sur l'acier de la rampe à chacun de ses pas, résonna avec force dans le silence de la base d'envol.

De tous les habitants de la galaxie, Dark Vador était l'individu en qui l'Empereur avait le plus confiance. Enfin, c'est ce que Vador aimait à croire. Tout ce qu'il avait réussi à déterminer, c'était que cette confiance n'allait pas bien loin. Tout au plus faisait-elle la longueur d'un bras tendu.

Peu importe, il y avait une chose sur laquelle il ne se trompait pas : tôt ou tard, Luke referait surface. Une lumière si vive ne pouvait pas rester dissimulée longtemps. C'était dans la nature du garçon d'irradier intensément. Seul le détenteur d'une certaine puissance et d'une certaine instruction saurait exactement comment le retrouver. Quand un Jedi se mettait à canaliser de plus en plus les voies de la Force, le processus devenait difficile à arrêter. Dans le cas de Luke, Vador savait qu'on ne pouvait pas l'arrêter.

Ils se retrouveraient. Dans une semaine, un mois, un an... Le temps n'avait pas d'importance. La rencontre aurait bien lieu.

En attendant, il devait garder un œil braqué sur les actions d'un ennemi bien trop proche de lui. Les agents de Vador remuaient ciel et terre pour tenter de découvrir de nouvelles bribes de renseignements pouvant incriminer le Seigneur du Soleil Noir. Cela aussi n'était qu'une question de temps. Quand on savait quelle direction prendre, le voyage semblait toujours plus facile. Tôt ou tard, Xizor ferait une erreur. Il trébucherait.

Et quand arriverait ce moment, Vador serait là pour le rattraper.

31

– Eh bien, dit Luke, ce coin est bien mieux fréquenté que celui dans lequel nous étions. Mais enfin, où est-ce qu'on va exactement ?

Lando tendit le doigt.

– Là.

– Un magasin de plantes ?

– Ne te fie pas aux apparences. C'est tenu par un vieil Ho'Din du nom de Spero. Il a plein de contacts, quelques-uns sont des Impériaux, quelques-uns font partie de l'Alliance, d'autres sont simplement des criminels.

– Laisse-moi deviner : il te doit une faveur.

– Pas exactement. Mais nous avons déjà eu l'occasion de traiter ensemble par le passé et il ne déteste pas se faire quelques crédits supplémentaires en transmettant des informations.

Ils se dirigèrent vers le magasin.

– J'ai l'impression qu'on nous regarde de travers, hasarda Luke.

– C'est à cause des uniformes. On ne peut pas dire que l'Empire possède beaucoup d'amis dans ce quartier. La plupart des gens des environs sont probablement en cavale ou sur le point de se faire arrêter. On nous laissera tranquilles tant que nous ne fourrerons pas notre nez là où il ne faut pas. Ils ne tiennent pas nécessairement à attirer l'attention de l'Empire sur leurs cachettes.

A l'intérieur de la boutique, pas de trace du propriétaire

Ho'Din. A part Luke et Lando, personne ne semblait présent.

– Il n'y a personne, dit Luke. C'est curieux, non?

– Ouais, curieux. Je...

Une voix s'éleva alors derrière eux. Luke ne comprit pas le sens des paroles mais il reconnut la langue : c'était du wookie.

– Du calme, l'ami, dit Lando. Personne ne va faire de geste brusque.

Il écarta les mains de son corps et fit signe à Luke de faire de même.

Le Wookie s'exprima à nouveau.

Il y avait quelque chose de familier dans sa voix...

– Retourne-toi, tout doucement, ordonna Lando à Luke.

Ils pivotèrent.

Pas de doute, il y avait bien un Wookie. Un Wookie avec une épouvantable coupe de cheveux...

– Chewie! s'exclama Lando.

Malgré les casques, Chewie les reconnut au même instant et il baissa le blaster qu'il pointait sur eux.

Lando sourit et s'avança, en compagnie de Luke, pour saluer le Wookie.

– Qu'est-ce qui s'est passé? Qu'est-ce que t'as fait à tes cheveux?

Chewie essaya de répondre mais Lando ne lui en laissa pas le temps, le bombardant de questions. Luke perdit le fil de la conversation. Il était très heureux de voir le Wookie.

Finalement, Lando se mit à traduire.

– Le propriétaire du magasin est attaché, là derrière; au cas où quelqu'un aurait vu Chewie entrer. Comme ça on ne pensera pas que le Ho'Din était en train de l'aider. D'accord... D'accord... et... Attends, va plus doucement, mon pote...

Chewie continua de parler d'une voix passionnée.

– O.K., O.K., Leia pense que ce sont les gens du Soleil Noir qui veulent ta mort, Luke. Apparemment, ce sont eux qui ont tenté de t'assassiner, pas l'Empire. Hein? Ben... Je ne sais pas comment, il n'y a que nous trois. Même si on pénètre à l'intérieur, on ne sera pas très utiles à Leia si on se fait capturer, est-ce que... ?

Le dialogue s'interrompit brusquement car un rayon laser fusa par l'ouverture de la porte et fit voler en éclats un pot de fleurs qui pendait du plafond. Des morceaux de céramique vinrent s'écraser sur le dos de Luke. De la mousse et de la terre tombèrent tout autour de lui. L'odeur de jungle qui régnait déjà dans le magasin s'intensifia.

– Hé !

A l'extérieur, quatre hommes armés de blasters se mirent à tirer de plus belle. Ils ne portaient aucun uniforme.

Dans le magasin, Luke, Lando et Chewie se jetèrent au sol. Chewie leva son blaster et tira quelques rafales à l'aveuglette.

– Mais qui sont ces types ? Pourquoi nous tirent-ils dessus ?

– Va savoir, dit Lando.

Il dégaina son blaster et joignit son tir à celui de Chewie. Ils ne semblèrent pas toucher grand monde, à en croire le torrent d'énergie qui se déversait sur eux.

– Est-ce qu'il y a une autre sortie ? demanda Luke.

Chewie grogna une réponse que Luke estima être un « oui ».

– Allez ! On se replie vers l'arrière-boutique ! hurla Lando.

Lui et Chewbacca décochèrent quelques rayons vers leurs adversaires et entreprirent de ramper vers l'arrière du magasin.

Ils passèrent devant le vieil Ho'Din, attaché et bâillonné dans un coin de la réserve.

– Désolé pour tout cela, lui dit Lando. Envoyez la facture à l'Alliance et vous serez remboursé !

Chewie trouva l'issue de secours et fit coulisser le panneau de la porte.

Un aûtre rayon d'énergie traversa la porte à hauteur d'homme et perça un trou fumant dans le mur. Fort heureusement, ils étaient toujours étendus sur le sol et le rayon était passé bien au-dessus de leurs têtes.

Lando poussa un juron.

– Ils nous ont encerclés !

Avant qu'ils n'aient le temps d'envisager une solution de repli, quelqu'un, à l'extérieur, poussa un cri. Le son d'une rafale de blaster résonna mais aucun rayon ne vint frapper l'issue de secours du magasin.

– Qu'est-ce que... commença Lando.

Luke releva la tête. Il rampait dans la terre répandue sur le sol et son bel uniforme était tout maculé. Il aperçut une silhouette qui marchait dans l'allée. Enfin... « paradait » semblait être le terme le plus approprié...

Et Luke reconnut l'homme.

Dash Rendar ! Bon sang, le voilà qui venait de sauver la vie de Luke *encore une fois*.

Et Luke détestait cette idée.

– Salut, les p'tits gars. Vous avez des soucis ?

Il fit tourner son blaster autour de son index puis souffla dans le canon qui produisit un léger sifflement.

Luke se releva et vit Lando et Chewie faire de même. Il allait se mettre à parler lorsque Lando le coiffa au poteau.

– Rendar ! Mais qu'est-ce que tu fous là ?

– Je vous sauve la mise, on dirait. C'est devenu ma spécialité. Bon, vous feriez peut-être mieux de vous remuer le train, on pourra discuter en marchant. Allez, suivez-moi.

Luke secoua la tête. Il n'aimait vraiment pas cela mais il ne pouvait pas y faire grand-chose. Malheureusement, Rendar avait raison.

Dans la salle de conférences de son château, Dark Vador fixait du regard le petit homme qui se tenait en face de lui.

– En êtes-vous certain ?

– Oui, mon Seigneur, tout à fait certain.

Vador ressentit une bouffée d'allégresse. Ce n'était pas encore suffisant mais c'était un pas de plus sur la route qui devait le mener à la preuve qu'il recherchait.

– Et vous avez l'enregistrement et la documentation ?

– Ils sont déjà téléchargés dans vos dossiers personnels, Seigneur Vador, dit le petit homme en souriant.

– Vous m'avez bien servi. Je ne l'oublierai pas. Continuez vos recherches.

Le petit homme s'inclina et sortit.

Il existait donc un enregistrement de la conversation entre un agent indépendant et une chef mécanicienne de l'Alliance. L'agent lui promettait toutes sortes de richesses si elle pouvait s'assurer de la disparition de Luke Skywalker.

Bien entendu, on n'avait découvert aucune connexion directe avec Xizor mais, si un tel lien existait, les agents de Vador sauraient le trouver. Si l'agent s'était entretenu avec la mécanicienne, c'est que quelqu'un avait dû s'entretenir avec lui. Les hommes de Vador passeraient en revue l'emploi du temps de l'agent sans rien omettre jusqu'à ce qu'ils découvrent d'où lui venaient ses ordres. Ils pourraient ensuite remonter la chaîne petit à petit et parvenir au donneur d'ordres suprême.

C'était une pièce à ajouter à la collection croissante de preuves circonstancielles que ses espions s'employaient à rassembler.

Un grain de sable n'était rien mais avec une quantité suffisante de grains, on pouvait recouvrir toute une ville. Cela ne servirait à rien d'ouvrir la main trop tôt pour tout renverser. Pour un début, il avait assez de sable. Bientôt, il en posséderait assez pour pouvoir ensevelir Xizor...

Ce dernier devait être éliminé une fois pour toutes. Et ce jour allait arriver.

Bientôt.

Très bientôt.

Dash leur montra le chemin. Chewie prit la tête. Ils empruntèrent une série de corridors et de tunnels très tortueux destinés à semer tout poursuivant éventuel. Luke perdit complètement ses repères et se dit que n'importe quelle personne lancée à leurs trousses aurait plus vite fait d'abandonner la chasse.

– Bon, si tu nous racontais comment tu es parvenu jusqu'à nous, demanda Lando à Dash.

– La manière habituelle. Je me suis glissé sous la coque d'un gros cargo pour voler dans la zone d'ombre de ses détecteurs. C'est un truc que j'ai appris quand j'étais gamin à l'Académie. N'importe quel pilote peut faire ça les yeux fermés, pas toi ?

Le sourire de Lando parut un peu forcé. Il haussa les épaules.

– Ouais, on a fait ça aussi. Super facile. On aurait pu le faire en pilotage automatique tellement c'était évident.

– D'accord, d'accord mais ce que j'aimerais savoir c'est comment tu es arrivé jusqu'ici, demanda Luke en pointant son index vers le sol.

– Chez le Ho'Din ? Mais enfin, tout le monde connaît Spero, pas vrai, Lando ?

– Ouais, je suppose que ouais, répondit Lando. Bon, ça explique comment. Mais... Pourquoi ?

Dash soupira.

– Quelque chose à prouver, peut-être. Je me suis vraiment senti mal après ce désastre que Luke et moi avons vécu. C'est pas un truc dont j'ai l'habitude, moi, de faire des erreurs. Mais bon, je me suis dit : tu te plantes avec ton vaisseau, t'as intérêt à tout de suite monter dans le premier que tu vois et à prendre les airs. Plus tu laisses passer le temps, plus t'as de risque d'avoir la trouille de piloter à nouveau. J'ai tout raté et j'arrive toujours pas à m'en remettre mais on peut pas rester assis à mariner dans son propre jus toute sa vie, pas vrai ? Moi je travaille pour du pognon et j'ai l'impression de devoir quelque chose à l'Empire. Lorsque Chewie a appelé, j'ai décidé qu'il était temps de régler cette petite dette, de payer l'Empire en retour.

Luke hocha la tête.

– Je comprends ce que tu ressens.

– En plus, j'ai quelques contacts, ici, conclut Dash.

– Vous devriez venir prendre le petit déjeuner avec moi, dit Xizor.

Leia le regarda. Il s'était rendu de bonne heure à sa chambre mais elle était déjà habillée. Elle avait remis le costume de chasseur de primes dans lequel elle était arrivée, sans le casque. Il était hors de question qu'elle porte à nouveau les vêtements que pouvait lui fournir cette ordure.

– Je n'ai pas faim.
– J'insiste.

Même maintenant qu'elle savait qu'il avait essayé de tuer Luke, elle sentait toujours flotter en elle le spectre de l'attirance qu'elle avait eue pour lui. Heureusement, elle était à présent capable d'y résister. La colère constituait un excellent antidote.

Elle décida de vérifier si Xizor était prêt à lui révéler un certain nombre de choses.

– Chewbacca se joindra-t-il à nous ? demanda-t-elle.
– Hélas non, votre ami le Wookie a... pris congé.
– Il s'est échappé et vous ne pouvez pas le rattraper, c'est ça ?

Xizor lui adressa un sourire pincé dénué d'humour.

– Vous pensez qu'il a réussi à s'en tirer tout seul ? Mais enfin, Leia, c'est moi qui ai facilité son évasion.
– Ben voyons...
– Je veux Skywalker. Skywalker vous veut. Et moi je vous tiens. Je pense qu'il n'est pas nécessaire que je vous fasse un dessin ?

Elle sentit son estomac se tordre et son sang se glacer. Il jouait avec eux. Elle devait servir d'appât pour attirer Luke. C'était la seule raison de sa présence ici. Oh, non...

Elle avait faim mais le petit déjeuner ne lui disait plus rien. Cet être était véritablement malfaisant. Retors, brillant sans doute, mais malfaisant.

– Où allons-nous ? demanda Luke.
– Je connais une bonne cachette, répondit Dash. Là, nous pourrons décider de la marche à suivre.

Luke ressentit tout à coup une décharge parcourir son corps. Une sorte de puissant savoir qui l'envahit et le fit sourire. En un instant, il ne fit plus qu'un avec la Force. Il n'avait pourtant rien tenté, ça s'était juste passé, comme ça.

– Qu'est-ce qui ne va pas ? demanda Lando qui venait de remarquer qu'il était arrivé quelque chose à Luke.
– Allons à cet endroit et dressons un plan pour secourir Leia, dit le jeune homme.

Il ne savait pas bien à quoi s'attendre. Lando, Dash ou Chewie allaient-ils se retourner, le dévisager et secouer la tête ? Allaient-ils lui demander pourquoi il prenait soudainement la direction des opérations ? Ils se contentèrent de se regarder puis de dévisager Luke. Il était clair que quelque chose avait changé.

– D'accord, dit Lando. Pas de problème.

Chewie grogna son approbation.

– Bien sûr, qu'est-ce qu'on pourrait faire d'autre, de toute façon ? dit Dash.

C'était tout simplement la meilleure chose à faire et cela semblait aussi naturel que de respirer. C'était l'essence même de la Force, songea-t-il. Un phénomène naturel. Il s'était tellement battu pour atteindre ce stade et tout ce dont on avait besoin, finalement, c'était de se détendre. Il ne fallait pas essayer de créer la Force, il fallait la laisser affluer. C'était tout simple.

Dommage que « simple » et « facile » ne signifient pas la même chose.

Peu importe. Difficile ne voulait pas nécessairement dire impossible. Avec la Force, beaucoup de choses étaient possibles. Il avait encore tellement à apprendre, bien plus qu'il ne l'avait imaginé. Il sourit. Qu'avait donc dit Maître Yoda ? Reconnaître son ignorance est le premier pas vers la sagesse ?

Exactement.

Guri se tenait devant Xizor. Celui-ci ôta ses vêtements pour passer un costume plus approprié pour ses rendez-vous d'affaires. Guri ne prêta aucune attention à la nudité du Falleen.

– Nos agents signalent qu'un cargo corellien, correspondant à la description du *Faucon Millenium*, est caché quelque part dans le quartier des entrepôts Hasamadhi, près du pôle sud.

Xizor se décida pour une tunique et un pantalon assorti et les examina à la lumière solaire artificielle.

– Et alors ? Il y a des centaines de cargos corelliens répondant à ce signalement, non ?

– Pas cachés dans le quartier des entrepôts Hasamadhi.

– Seriez-vous en train de me dire que Skywalker et ce tricheur de Calrissian sont venus jusqu'ici ? Ils auraient réussi à berner la ligne de défense impériale et se seraient posés au nez et à la barbe de tout le monde ?

– N'importe quel pilote doté d'un peu de jugeote connaît le truc pour y arriver. Nos propres équipes de contrebandiers le font tout le temps.

Xizor laissa tomber le costume à terre et en choisit un autre, d'un ton plus sombre et d'une coupe plus traditionnelle.

– Très bien. Vérifiez cela. S'il s'agit du bon vaisseau, faites-le surveiller. Lorsque Skywalker se montrera, que nos hommes l'abattent. La discrétion est de rigueur, bien entendu.

Elle hocha la tête et sortit.

Xizor observa son image dans le miroir après s'être rhabillé. Très impressionnant. Il réfléchit également à ce que Guri venait de lui dire. Il ne s'attendait pas à ce que Skywalker débarque sur Coruscant si vite mais, après tout, pourquoi pas ? Si c'était bien lui, tout serait pour le mieux.

Vador passerait pour un imbécile si Xizor faisait tuer Skywalker juste sous son nez.

Et puis, il y avait Leia, un problème qu'il se préparait à résoudre avec une certaine satisfaction. Il avait tout son temps pour s'amuser avec elle.

Les choses ne pouvaient pas se dérouler mieux.

Les affaires devaient cependant continuer et Xizor ne pouvait se permettre de tout déléguer. Certains sujets nécessitaient qu'il intervienne en personne. Il termina son inspection et se dirigea vers son sanctuaire.

Une fois arrivé, il dit :

– Bien. Quel est mon premier rendez-vous ?

– Le Général Sendo, Prince Xizor.

Parfait. Le module vocal avait été réparé.

– Faites-le entrer.

Le Général Sendo pénétra dans la salle d'audience et s'inclina avec un respect marqué.

– Asseyez-vous, Général, le pria Xizor.

– Votre Altesse, remercia l'homme en s'exécutant.

Ils discutèrent de tout et de rien, un exercice diplomatique banal mais auquel on ne pouvait déroger. Puis, Xizor lui tendit une enveloppe de plastex pleine de liquide. Dix mille crédits en petites coupures usagées, un traitement mensuel pour un travail consistant à tenir le Soleil Noir au courant de ce qu'il fallait absolument savoir sur tout et sur tout le monde. Sendo était un officier inactif appartenant à la section de déstabilisation des services d'espionnage de l'Empire. Il n'était jamais allé au feu, ne s'était jamais rendu sur le terrain mais avait accès à toutes sortes d'informations grâce à son travail, ce qui lui permettait de garder une place bien au chaud.

Xizor déposa l'enveloppe entre les mains de l'homme et lui fit signe de se retirer. Aucune chance de trahison possible : chaque visiteur qui se présentait était passé au scanner et soumis à une fouille corporelle pour vérifier qu'aucune holocaméra, ou tout autre appareil d'enregistrement, n'était introduit dans la salle d'audience. Si une personne était découverte en possession d'un enregistreur, elle était exécutée sur-le-champ. Les règles étaient simples et on les rappelait systématiquement à tous ceux qui pénétraient dans le château de Xizor. Si quelqu'un essayait d'écrire un rapport sur ce qu'il savait sans apporter de preuves, il perdrait son temps. Sans tenir compte du fait que des officiers très haut placés de la police locale, de la garnison ou encore appartenant aux services de renseignements de la Marine Impériale étaient de loyaux serviteurs du Soleil Noir, un tel rapport parviendrait jusqu'au bureau de Xizor dans les plus brefs délais. L'indiscret... disparaîtrait alors tout simplement, grâce aux bons soins des employés secrets du Soleil Noir...

Mayli Weng se présenta à lui avec une pétition du Syndicat des Danseuses Exotiques, demandant une hausse générale des salaires et de meilleures conditions de travail, signée par les vingt mille membres de l'organisation. Xizor se sentit disposé à accéder à leur requête. Des danseuses heureuses rendaient les clients heureux. Le pourcentage du Soleil Noir sur les bénéfices – distribué par les propriétaires des établissements dans lesquels étaient employées les danseuses – ne pourrait que s'en retrouver augmenté. Weng demandait toujours, elle n'exigeait jamais. Elle était si polie qu'il n'avait jamais eu à utiliser ses phéromones sur elle. Évidemment, il ne pouvait décider de lui-même d'une hausse des salaires, décision qui revenait à la Ligue des Propriétaires, mais il pouvait leur recommander d'accepter les revendications des danseuses. Jusqu'à présent, les propriétaires n'avaient jamais fait la sourde oreille aux conseils du Soleil Noir. Ce n'est pas maintenant qu'ils allaient s'y mettre.

– Je vais voir ce que je peux faire, dit Xizor.

Weng hocha la tête, s'inclina, le remercia abondamment pour sa générosité et quitta les lieux.

Bentu Pall Tarlen, le responsable de la division contrats du Centre de Construction Impérial, vint lui remettre en main propre les derniers devis concernant les chantiers majeurs en cours sur toute la planète. Une fois en possession de ces chiffres, Xizor pourrait dire à ses propres compagnies de proposer des devis plus intéressants pour rafler les marchés. Dès que la construction aurait commencé, bien entendu, des surcoûts de production et des retards seraient à prévoir. Ces dépassements atteindraient des sommes on ne peut plus profitables. Le pourcentage récupéré par le Soleil Noir sur de telles affaires était considérable.

Par le truchement d'un consortium qui n'était qu'une façade et qui « engageait » des consultants, Xizor se débrouillerait pour faire transférer une rondelette somme d'argent sur le compte de Tarlen.

L'homme s'en alla, pleinement satisfait.

Wendell Wright-Sims passa en coup de vent pour livrer dix kilos d'épices d'excellente qualité. Xizor ne s'abaissait pas à prendre lui-même ce genre de substances. Il souhaitait seulement être en mesure de se montrer un hôte parfait pour ceux de ses invités qui aimaient en consommer. Il remercia Wright-Sims et ce dernier s'éclipsa. Il n'était pas question de règlement : l'homme rendait ce service afin de se maintenir dans les bonnes grâces de Xizor. Cela représentait une assurance très bon marché pour lui, même si une telle quantité d'épices de cette qualité pouvait valoir quelques millions de crédits sur le marché de la rue.

Le dirigeant du Soleil Noir aurait très bien pu ordonner à quelqu'un de régler toutes ces affaires à sa place mais il préférait rencontrer ses éléments les plus valables en tête à tête quand la chose était possible. Cela faisait partie du travail. Il était nécessaire de rappeler à tous qui était aux commandes et qui se lancerait à leurs trousses s'ils tentaient de duper le Soleil Noir.

Certains auraient pu qualifier ce travail de fastidieux mais Xizor n'avait jamais eu l'occasion de s'ennuyer pendant toutes ces années. Il y avait bien trop de choses auxquelles il fallait penser, bien trop d'aspects à considérer, même dans les situations les plus monotones. L'ennui était réservé à ceux qui manquaient d'imagination. Xizor pouvait très bien rester assis des jours entiers à fixer un mur tout en étant mentalement plus occupé qu'un homme qui se livrerait à une besogne complexe et astreignante.

Les représentants de la Guilde des Joailliers s'annoncèrent à sa porte...

La planque où Dash les conduisit évoquait plus une caverne sale et puante qu'autre chose. Le sol était détrempé comme celui d'un égout et des câbles d'alimentation rongés par les rats pendaient le long des murs. Enfin, c'est à cela que ressemblait l'extérieur.

L'intérieur présentait, lui, une très nette amélioration. Une fois passé le barrage des gardes et une lourde porte plus épaisse que Chewbacca, l'endroit rappelait n'importe quel hôtel de deuxième classe implanté dans la bonne douzaine de spatioports que Luke avait déjà visités. La seule différence, c'était le prix. Une nuit passée ici équivalait au prix d'une maison sur Tatooine. Une maison pour chacun d'entre eux.

Du moins, c'est ce que prétendait Dash.

– Bon, maintenant, si quelqu'un a une idée sur la manière de procéder, je peux tenter de joindre mes contacts. Est-ce que quelqu'un a une idée ? demanda Dash.

– Oui. J'en ai une, répondit Luke.

32

Luke inspira profondément puis laissa l'air s'échapper tout doucement entre ses lèvres afin de s'éclaircir l'esprit. Maintenant qu'il en avait et le temps et la place, il voulait essayer de contacter Leia une nouvelle fois.

Débarrassé de l'uniforme volé et du blaster, il était maintenant agenouillé dans la position de méditation que lui avait apprise Maître Yoda. Les nouveaux vêtements que Dash lui avait fournis semblaient beaucoup plus appropriés : une longue cape à capuche en étoffe gris foncé grossièrement tissée ainsi qu'une chemise simple, une veste droite, un pantalon et des bottes montant jusqu'aux genoux, le tout noir, sans aucun insigne. Ce n'était peut-être pas tout à fait l'uniforme des Chevaliers Jedi mais ça en approchait.

Détends-toi...

Il se concentra, canalisa ses pensées et prononça à haute voix :

– Leia...

Il attendit un petit moment puis recommença.

– Leia, je suis là. Je viens vous chercher.

Elle était en train d'utiliser l'ordinateur pour essayer d'y découvrir un plan du château de Xizor. Bien entendu, ce dernier n'avait pas été idiot au point d'en laisser un qui soit accessible de ce poste. Dommage...

Leia...

C'était plus une sensation qu'un message télépathique. Et comme cela lui était déjà arrivé sur Bespin, elle la reconnut très rapidement.

Luke.

Elle respira à fond et demeura silencieuse. On l'observait ; elle ne devait donner aucun signe de sa connexion avec Luke. Elle fit semblant de regarder les images qui apparaissaient sur l'écran de l'ordinateur mais, en fait, c'était comme si elle regardait au travers, dans le lointain, au-delà des murs.

Leia, je suis là. Je viens vous chercher.

C'est ce qu'aurait dit Luke s'il s'était servi de mots. Mais tout cela n'était pas exprimé en mots, c'était une impression, un sentiment et pourtant elle en ressentit l'absolue vérité.

Luke était bien ici, sur Coruscant, pas très loin. Il venait la chercher.

Il y avait chez Luke une impression de calme qu'elle n'avait jamais perçue auparavant. Il était devenu beaucoup plus fort ; son contrôle de la Force était bien meilleur. Elle avait peur pour lui mais, en même temps, ce contact était des plus encourageants. Le sentiment de confiance qu'il dégageait était très puissant. La dernière fois qu'elle l'avait senti la toucher ainsi, elle avait partagé son désarroi. C'était lorsqu'il avait été blessé, au moment où Vador était sur le point de le détruire. Mais à présent, elle le sentait résolu, fort, en pleine possession de ses moyens. Peut-être arriverait-il à la sauver. Peut-être réussiraient-ils à survivre à tout cela.

Leia...

Elle sourit. *Luke, je suis là...*

Luke Skywalker, Chevalier Jedi, sourit à son tour.

Dans son caisson d'isolement, Dark Vador ressentit la légère perturbation dans la Force. Ce fut une impression très vague mais, cette fois-ci, il la reconnut.

Luke.

Il était là. A la Cité Impériale.

Cette nouvelle information fit courir un frisson tout au long de sa colonne vertébrale.

Vador se concentra et essaya de contacter son fils : *Luke...*

Il fronça les sourcils. L'accès était... bloqué. Ce n'était pas seulement comme si les pouvoirs de Luke avaient augmenté, mais plutôt l'impression qu'il se trouvait à deux endroits différents.

Impossible. Il devait mal interpréter les flux d'énergie. Il ne pouvait pas y avoir quelqu'un d'aussi imprégné par la Force que Luke ; tous les Jedi étaient morts. Et l'Empereur était absent, à des années-lumière de là.

Quelle pouvait bien être la cause de cette impression d'écho ? Car cela ne pouvait être qu'un écho, une sorte de réverbération dans la Force.

En un instant, la perturbation cessa et Vador se retrouva de nouveau tout seul.

Il fit un signe de la main et le capot du caisson s'ouvrit. Il se leva et se dirigea vers son armure. Luke était bien là et il allait retrouver le garçon. Le retrouver...

... Et le convertir au Côté Obscur.

33

Xizor était assis, seul, dans sa salle à manger particulière nichée au cœur de son château. Il se régalait de fines tranches d'Eclat de Lune, un fruit en forme de poire, rare, délicat et très cher, récolté sur une planète située à plus de cent années-lumière de là. Alors qu'il prenait une nouvelle bouchée, il fronça les sourcils. Ce n'était pas à cause du fruit, qui était croustillant et délicieux, non, il était parfait, exquis, comme d'habitude.

Non. Quelque chose n'allait pas.

Il fut incapable de mettre un mot sur ce malaise passager. Il ne se serait pas retrouvé à la tête d'une organisation, où la vivacité et l'intelligence étaient de rigueur, s'il n'avait pas fait attention aux plus petits détails. Toute négligence de logique ou d'instinct pouvait entraîner la mort. Dans un système aussi complexe que le Soleil Noir, on se heurtait constamment à des problèmes, mais à cet instant précis il n'y avait guère plus d'indications de problèmes que d'habitude. Aucun rapport de trahison. Pas non plus de rivaux en train d'empiéter sur ses plates-bandes ou d'excès de zèle soudain d'officiers de police soudoyés pour fermer les yeux. La machine semblait correctement huilée.

Pourtant cet étrange trouble, ce nœud à l'estomac, persistait. Il avait appris, avec le temps, à toujours y prêter attention. Il s'agissait bien d'un sentiment car il n'était pas complètement dénué d'émotions. Il savait simplement comment les contrôler.

Il mâcha pensivement le morceau de fruit. C'était toujours le même et pourtant il ne semblait pas... aussi bon que quelques instants auparavant.

On ne trouvait l'Eclat de Lune que sur un petit satellite, dans une partie bien précise d'une minuscule forêt. Il ne poussait de façon naturelle nulle part ailleurs. En fait, il était introuvable autre part : tous ceux qui avaient essayé de transplanter l'arbre aux allures de champignon avaient échoué. Le fruit, de la taille d'un poing, contenait l'un des poisons biologiques les plus violents qui soient. Une tranche, non préparée, coupée en un millier de petits morceaux, pouvait tuer un millier de personnes en moins d'une minute. Aucun antidote n'était connu mais il existait une façon de neutraliser le poison avant consommation. La préparation de l'Eclat de Lune requérait légalement la présence d'un cuisinier ayant étudié au moins deux ans les techniques de coupe sous la tutelle d'un Maître Cuisinier. La préparation elle-même se décomposait en quatre-vingt-dix-sept étapes. Si l'une de ces étapes était oubliée ou mal faite, le dégustateur éprouvait dans le meilleur des cas des crampes à l'estomac. Sinon, il pouvait plonger dans un coma hallucinatoire très douloureux qui causait automatiquement la mort. Le prix d'une assiette d'Eclat de Lune, dans un restaurant licencié, avoisinait le millier de crédits. Xizor en mangeait généralement trois ou quatre fois par mois car il avait à son service le Maître Cuisinier le plus respecté de toute la galaxie. Malgré cela, un petit frisson parcourait l'échine du Prince Sombre chaque fois qu'il consommait le fruit. La possibilité, même infime, d'une erreur de préparation subsistait toujours.

Ce qui ajoutait un peu de piment à la dégustation.

A bien y réfléchir, manger de l'Eclat de Lune, c'était un peu comme la compétition contre Dark Vador dans laquelle Xizor s'était engagé. Il n'y avait aucune espèce d'intérêt à lutter contre ceux dont la défaite ne faisait pas l'ombre d'un doute. Avec un adversaire de la trempe de Vador, c'était autre chose. Il avait beau être le petit chien-chien de l'Empereur, il n'en fallait pas pour autant oublier que ses dents étaient acérées et qu'il était toujours prêt à mordre. Xizor ne pensait pas que Vador pouvait gagner mais, là aussi, une infime possibilité subsistait.

Cela ajoutait un peu de piment à la compétition.

Était-ce à cause de Vador qu'il avait ce nœud à l'estomac ?

Ou bien, était-ce la faute de quelqu'un d'autre ?

Il repoussa l'assiette d'Eclat de Lune. Le plat ne l'intéressait plus. Il allait appeler Guri pour lui demander d'entreprendre une inspection de sécurité globale de toutes ses opérations, sur la planète, dans l'espace et sur les autres mondes. Il lui demanderait également de jeter ce qui restait d'Eclat de Lune. Si le Chef s'apercevait que l'assiette n'avait pas été vidée, il pourrait en être grandement offensé et démissionner. Pire, il pourrait, sous le coup de la colère, omettre l'une des étapes la prochaine fois qu'il préparerait le fruit. Ce à quoi Xizor ne tenait pas. Les artistes pouvaient avoir fort mauvais caractère.

Il regarda l'assiette à moitié pleine. Ce qui restait de son contenu aurait pu nourrir une famille pendant quelques mois. Il n'y avait rien à faire pour calmer la tension qu'il ressentait. Cela ne signifiait probablement rien, d'ailleurs. Des crampes, le trac, rien de plus.

Il aurait réellement souhaité le croire.

Ils étaient tous assis autour d'une table de la salle du restaurant de l'hôtel souterrain, attendant qu'on leur serve leur repas.

Dash prit la parole :

– Nous voici donc au centre même de l'Empire...

– Vraiment ? l'interrompit Lando sur un ton lourd d'ironie. Houlà, on ne devrait pas trop traîner dans le coin. Ça pourrait être... dangereux !

– Qu'est-ce que tu cherches à nous dire, Dash ? demanda Luke en ignorant les sarcasmes de Lando.

– L'Empire est corrompu. Il fonctionne bien plus aux pots-de-vin et aux dessous de table qu'à la loyauté et à l'honneur. Les crédits graissent les pattes et la machine est bien huilée. Ici, plus que partout ailleurs.

– Et alors ? Tu crois pouvoir arriver à soudoyer un garde ? Je ne pense pas que les gens du Soleil Noir soient assez stupides pour laisser ce genre d'individu devant leurs portes, enchaîna Lando.

– Pas un garde. Un ingénieur.

– Y a un truc qui m'échappe, dit Luke.

Dash continua :

– Dans la bureaucratie, tout doit être classé, répertorié, et catalogué en quatre exemplaires. Tu ne peux rien construire si tu n'as pas la licence, le permis, l'expertise et les plans. Tout ce qu'il nous faut, c'est trouver le bon ingénieur. Un qui aurait, par exemple, tendance à parier gros ou qui vivrait très largement au-dessus de ses moyens.

Ils le dévisagèrent d'un air un peu perdu.

– Bon, voilà le topo. Nous savons que les très grands immeubles construits sur cette planète ont des fondations très profondes. Il y en a autant sous la surface qu'au-dessus. Ce que je sais, c'est que malgré tous les systèmes de recyclage de l'eau, il s'en perd toujours un peu. Tout cela, ainsi que les eaux usées, les immondices, il faut bien que ça aille quelque part, non ? Là où se trouvent des unités de recyclage plus puissantes et plus efficaces.

– Ouais, tout le monde sait ça. N'essaye pas de noyer le poisson, dit Luke. Où veux-tu en venir ?

– Un immeuble aussi gros que celui-ci, fit-il en sortant une carte postale holographique représentant un groupe de structures très impressionnantes parmi lesquelles on reconnaissait le château de l'Empereur, doit générer énormément d'ordures. Il doit bien exister un moyen de s'en débarrasser. Je n'ai vu aucune benne, aucun camion dans les rues, nul vaisseau dans le ciel de Coruscant. Cela signifie que tout ce qui est solide est évacué de l'immeuble par l'intermédiaire de pompes. Et qui dit pompes, dit canalisations.

Luke comprit. Il regarda les autres assis à la table.

– Grosses canalisations.

Les autres venaient également de comprendre.

Chewie grogna.

Lando hocha la tête.

– Chewbacca a raison, dit-il. Ces conduits, s'ils sont assez grands pour qu'un homme puisse s'y introduire, doivent être bien gardés.

Chewie ajouta quelque chose.

– Ouais, répondit Dash. Chewie nous signale que de telles canalisations ne doivent pas être très faciles à localiser, étant donné que chaque immeuble en possède d'identiques. C'est vrai que cela doit représenter un dédale monstrueux dans les sous-sols.

– Exact. Mais on peut supposer qu'il y a beaucoup moins de gardes à l'intérieur même des canalisations d'évacuation qu'il y en a d'occupés à surveiller les accès en surface. Ils ne s'attendent probablement pas à une attaque venue de là. On ne peut pas y faire circuler une armée sans faire des bruits que leurs appareils pourraient capter. En revanche, un petit groupe d'hommes ne pourrait être détecté dans tous ces bruits d'eau, pour peu qu'ils soient prudents.

Lando regarda Luke et Chewie puis reposa les yeux sur Dash, avec une expression horrifiée.

– Supposons que nous puissions dégoter un guide, tu penses sérieusement qu'on va ramper dans des kilomètres de tuyaux dégoûtants pour pénétrer en douce dans le château ?

Dash sourit.

– C'est exactement ce que doivent penser les gardes. Qui serait assez fou pour faire une chose pareille ?

Lando secoua la tête.

– Nous, bien sûr. Qui d'autre ?

– Trouver un guide, c'est pas un problème. Je connais quelqu'un.

– J'ai l'impression d'avoir déjà entendu cela, dit Luke.

Vador inspira profondément, une fois, deux fois. L'énergie du Côté Obscur l'envahit et il se mit à respirer comme un homme normal. Il concentra sa colère. Cela n'était pas juste qu'il soit diminué ainsi, qu'il ne puisse respirer comme ça tout le temps. Cela... n'était... pas juste.

Les énergies curatives semblaient toujours présentes.

Tant qu'il pourrait alimenter sa colère et son indignation, ses poumons et ses voies respiratoires resteraient ouverts. Il attisa le feu de sa rage de toute cette injustice.

Les énergies curatives tinrent bon.

Il dut alors combattre l'impression de soulagement qui naissait au fond de lui. Il devait la combattre et conserver sa colère à l'état pur.

Les énergies tenaient toujours. Cela faisait plus de deux minutes maintenant. Un nouveau record.

Il deviendrait plus fort. Il ajouterait le pouvoir de Luke au sien, il serait alors capable de se débarrasser de son armure, de marcher comme tout homme normal.

Luke...

Il essaya de se retenir de sourire et n'y parvint pas.

Incapable de maîtriser plus longtemps les énergies, Vador se replia dans son caisson de respiration. Qu'à cela ne tienne. Il avait résisté un peu plus de deux minutes. Ces deux minutes deviendraient un jour dix minutes, puis une heure. Il pourrait ensuite tenir aussi longtemps qu'il le voudrait.

Un jour.

Leia n'était pas la femme la plus patiente de la galaxie, elle s'en rendait bien compte. Rester coincée dans une chambre, même dans la plus confortable, ne correspondait en rien à son idée de la distraction.

Elle essaya bien de méditer mais son esprit était par trop bouillonnant.

Elle tenta alors de préparer un plan d'évasion, mais étant donné le peu d'informations dont elle disposait, l'entreprise tourna vite court.

Elle opta finalement pour des exercices. Elle connaissait quelques mouvements élémentaires de gymnastique qu'il était facile de réaliser quand on disposait d'un peu d'espace au sol. Le tapis était aussi épais qu'un matelas. Si le plafond n'était pas assez élevé pour autoriser les sauts périlleux – en admettant qu'elle soit encore capable d'en faire –

rien ne pouvait l'empêcher d'enchaîner quelques équilibres et quelques pompes. Elle s'étira, se contorsionna, fit le grand écart, banda ses muscles pour lutter contre la gravité jusqu'à ce que la sueur se mette à perler par tous les pores de sa peau.

Ses exercices terminés, elle se sentit beaucoup mieux malgré l'épuisement. Elle alla dans la salle de bains et fit couler l'eau de la douche à fond. Elle éteignit la lumière et se déshabilla. Elle se doucha et se vêtit dans le noir, ce qui n'était pas une mince affaire. Comme elle était persuadée que Xizor avait des caméras dissimulées un peu partout dans la chambre, il était hors de question qu'elle s'offre en spectacle.

Un peu épuisée, mais revitalisée, Leia réfléchit à ses possibilités d'évasion. Plus exactement, elle réfléchit à ce qu'elle pouvait faire pour aider Luke. Elle se faisait du souci pour lui mais se réjouissait qu'il vienne à son secours.

C'était agréable de savoir que quelqu'un tenait à elle à ce point.

34

Le contact de Dash, un certain Benedict Vidkun, semblait plus que désireux de passer les systèmes au crible, de dessiner des cartes ou de les conduire lui-même où ils voudraient aller tant qu'ils posséderaient suffisamment de crédits.

Ils ne disposaient pas cependant d'énormément d'argent. Lando en avait un petit peu de côté çà et là et il lui restait en plus ce qu'il avait réussi à récupérer de la Banque Galactique avant que ses comptes sur Bespin ne soient fermés par l'Empire. Heureusement, Leia avait accès, sous pseudonyme, à une réserve de crédits appartenant à l'Alliance, dont elle pouvait se servir en cas d'urgence. Luke connaissait les codes du compte et jugea que le moment était venu de les utiliser. Vidkun semblait vouloir se vendre à un prix assez bas. L'intégrité de l'ingénieur représentait trois mois de salaire, ce qui n'était pas beaucoup.

L'homme n'était pas très grand, assez mince, pâle comme un linge, avec des yeux marron globuleux, une barbe clairsemée, une moustache et un nez particulièrement volumineux. Il avait tendance à s'éclaircir souvent la gorge. Il prétendait qu'il travaillait de nuit, dormait le jour et qu'il ne voyait que très rarement la lumière du soleil, seulement lors des trajets aller retour à son travail dans les sous-sols du Complexe Impérial. Son épouse, qui semblait être beaucoup plus jeune que lui, avait apparemment des goûts de luxe.

– Vous voyez ce conduit ? C'est le collecteur secondaire qui traverse tout le secteur. On peut y faire passer une landspeeder, c'est vraiment grand. L'embranchement que nous voulons emprunter est ici. (Il désigna un point sur l'hologramme qui flottait au-dessus de la table.) Celui-ci est l'évacuation du château de Xizor. Il y a un grillage verrouillé avec un code, qui empêche les rats, les serpents et autres vermines d'entrer mais les équipes de maintenance y ont accès. Après cela, la voie est libre jusqu'à la tuyauterie de l'immeuble. Un bon demi-kilomètre, c'est tout.

Il appuya sur l'une des commandes du projecteur et l'image se transforma, agrandissant une section du labyrinthe de tunnels.

– Ceux-là, ils font quelle taille ? demanda Lando.

– Comme vous pouvez le constater, ils sont à l'échelle. Ceux-là sont assez larges pour que deux hommes, s'ils ne sont pas trop grands, puissent avancer côte à côte. (Il jeta un coup d'œil à Chewie.) Le Wookie, là, il va falloir qu'il se penche un peu.

Chewie grogna à l'adresse du petit homme.

– Et ces tuyaux, ils vont bien jusque dans l'immeuble ?

L'ingénieur se racla bruyamment la gorge.

– Ouais. Il y a une autre grille à rats à l'endroit où ils pénètrent dans la structure. Bien sûr, nous ne sommes pas censés être en possession des codes d'accès mais il se trouve que mon beau-frère Daiv travaille pour la société qui a construit le château de Xizor. Je peux donc obtenir ces codes très facilement. Pour un prix raisonnable.

Il sourit, révélant des dents jaunes et bien plus longues qu'elles n'auraient dû l'être.

Luke et Lando échangèrent un regard.

– Qu'est-ce que vous entendez par raisonnable ? demanda Dash.

– Deux cent cinquante crédits ?

– Cent vingt-cinq, dit Lando avant que Dash ait pu reprendre la parole.

– Vous savez, ces codes nous éviteraient un tas d'ennuis.

– Peut-être, mais l'énergie d'un blaster est bien plus économique, dit Lando. On peut très bien les faire sauter, ces serrures. Cent cinquante.

– Ça ferait beaucoup de bruit. C'est pas dans votre intérêt. Cent soixante-quinze.

Lando hocha la tête.

– O.K., marché conclu.

L'ingénieur sourit nerveusement et reprit :

– Bon, alors là il faut faire attention aux exterminateurs automatiques. (Il désigna du doigt un point dans l'image diaphane.) Vous avancez dans leur périmètre et *zap!* ils vous rôtissent plus vite qu'un micro-ondes à haute densité. Ça tombe bien, c'est mon autre beau-frère, Lair, qui a installé ces trucs et je peux avoir les codes de neutralisation...

– Pour une somme raisonnable, le coupa Luke d'une voix très sèche.

– Même somme que l'autre ?

Lando leva les yeux au ciel.

– Entendu, approuva Dash.

– Après cela, tout ce dont il faut vous soucier, c'est de sortir du collecteur et de passer les gardes qui doivent y être postés. Là, je ne peux plus rien faire pour vous ; Xizor a ses propres hommes et je n'en connais aucun.

– On se débrouillera, dit Dash.

Vidkun hocha la tête puis se leva.

– Et vous pensez aller où, comme ça ? s'enquit Lando.

– Hein ? Mais, chez moi.

– Non, je ne crois pas, fit Dash. Je pense même que vous allez rester ici avec nous.

– Mais enfin, vous avez dit que vous n'étiez pas prêts à partir avant demain.

– On a changé d'avis, rétorqua Dash. Nous voulons nous mettre en route dès maintenant. Et puisque nous ne tenons pas à découvrir une escouade de soldats de choc ou un détachement de gardes du Soleil Noir prêts à nous tomber dessus lorsque nous entreprendrons notre petite escapade dans les égouts, nous aimerions également que vous évitiez de vous servir de votre communicateur.

– Hé, je ne vais pas vous trahir !

– C'est ça, sauf si vous avez songé que vous pourriez peut-être récupérer un joli pactole en nous vendant au Soleil Noir ou aux Impériaux, dit Lando. Mais, puisque vous allez ouvrir la marche pour nous, si ça se met à canarder, devinez qui sera en première ligne?

Vidkun sembla très nerveux. Il s'éclaircit la gorge, avala sa salive et dit :

– Est-ce que je peux au moins appeler ma femme pour la prévenir? Elle sera vraiment très en colère après moi si je ne la préviens pas.

– Eh bien, vous n'aurez qu'à lui acheter un somptueux cadeau lorsque nous serons de retour, suggéra Dash. Vous aurez les poches pleines de crédits, vous arriverez bien à vous arranger avec elle.

L'ingénieur se passa la main sur le visage et adressa de nouveau son sourire couleur de soufre.

– Hum. Eh bien... C'est ce que je vais faire, vu que je n'ai pas trop le choix.

– C'est exact, dit Dash.

Les lumières émanant de la surface de la planète étaient si fortes et un tel nombre de vaisseaux allaient et venaient qu'il ne faisait jamais vraiment sombre sur le balcon des appartements privés de Xizor situés dans les hauteurs du château. Une brise descendante se formait, due à la différence de température entre les immeubles en train de se refroidir et l'air nocturne. Le courant d'air glissait vers les canyons artificiels créés par les bâtiments bordant les rues en contrebas. Un écran d'acier transparent, épais comme la main, entourait le balcon comme une sorte de bulle blindée. Xizor pouvait voir mais il ne pouvait pas sentir l'air de la nuit. C'était le prix à payer pour profiter de la vue en sécurité.

Bien sûr, il avait toujours la possibilité de se déguiser s'il voulait marcher au milieu de la foule mais jusqu'à présent ce manque de liberté ne l'avait pas gêné.

Guri approcha dans son dos. Le bruit de ses pas était à peine audible.

– Tous nos services de sécurité ont envoyé leurs rapports, dit-elle.

– Et alors?

– Aucune activité anormale. Rien de plus menaçant que d'habitude.

Il hocha la tête, attendit quelques instants puis prit la parole.

– Je l'ai invitée à venir me rejoindre ici. (Il fit un geste du bras vers le paysage.) Elle a refusé.

Il y eut une pause plus longue que celles que Guri s'autorisait habituellement avant de parler.

– Vos phéromones de séduction n'ont pas été suffisantes pour la lier à votre volonté. Ça n'était jamais arrivé.

– Ça, j'avais remarqué, merci.

– Cet échec vous la rend encore plus attirante.

– Où voulez-vous en venir? dit Xizor.

– On désire toujours plus ce qu'on n'arrive pas à obtenir. Tant qu'elle résistera à vos avances, son charisme prendra de l'importance. Plus elle résiste, plus vous la désirez. C'est devenu une épreuve de force. Un affrontement de volontés.

Il sourit.

– Admettons. Mais je finirai par l'emporter, de toute façon.

Guri ne dit rien.

– Vous doutez de moi?

– Vous n'avez jamais échoué jusqu'à maintenant.

Ce n'était pas vraiment une réponse mais c'était assez vrai.

– Et vous, mon garde du corps, qui êtes toujours sur la brèche, vous ne semblez pas m'approuver.

– Plus une personne est intelligente et dévouée à une cause, plus elle devient dangereuse lorsqu'elle est menacée.

Il posa le regard sur une bretelle de trafic aérien particulièrement encombrée. Les feux de position des vaisseaux semblaient former une ligne presque continue de lumière vive et colorée.

– Vous, plus que tout autre, vous devriez comprendre, dit-il. J'ai passé le plus clair de mon existence à rechercher des gens que je pourrais considérer comme mes égaux. Vous êtes unique. Il en existe qui vous ressemblent mais ils ne sont pas exactement comme vous. Vous êtes supérieure à tous les autres droïds humanoïdes jamais créés.

– Oui.

– N'avez-vous jamais désiré rencontrer quelqu'un qui soit capable de se mouvoir, de sentir, de penser comme vous ? Quelqu'un qui serait de votre niveau ? Quelqu'un d'égal ?

– Pas particulièrement. Quel en serait l'intérêt ? Meilleur que moi, moins bon que moi, en quoi cela peut-il avoir de l'influence sur ma programmation ?

Il détourna son regard du ballet lumineux qui striait le ciel et posa les yeux sur Guri.

– Cependant, vous aspirez à ce qu'on vous confie des tâches à la hauteur de vos capacités.

– Bien sûr.

– C'est la même chose. Oui, il est dangereux de faire face à quelqu'un qui pourrait vous battre, encore plus dangereux de fréquenter une personne qui pourrait vous poignarder dans le dos alors que vous dormez à ses côtés. Cependant, cela offre des possibilités tellement plus... extrêmes. Il y a des milliards de femmes, certaines sont plus belles, d'autres plus douées physiquement, certaines sont même plus passionnées. Certaines sont peut-être les trois à la fois. Mais c'est celle-ci que je veux et je l'aurai.

Guri hocha la tête. Une fois.

– Ah. C'est donc pour cela que vous mangez de l'Eclat de Lune.

Il la regarda. Elle avait compris, à un certain niveau en tout cas. Il hocha la tête à son tour.

– Une fois la conquête terminée, lorsque je me serai lassé d'elle, alors, et seulement alors, vous pourrez l'éliminer.

Il sourit.

Bien que Guri n'ait rien dit, il l'entendit penser « si vous arrivez à la conquérir ».

Après le départ de son fidèle lieutenant, il se replongea dans la contemplation des cieux. La plupart des gens seraient ravis d'avoir avec eux, pour le restant de leur vie, un partenaire à la hauteur. Mais il n'était pas comme la plupart des gens. Tout comme Guri, il était unique. Il attendrait le temps nécessaire pour pouvoir jouir de

Leia. Une fois arrivé, il serait satisfait et en aurait fini avec elle. Dans sa longue quête d'un égal, elle était proche de lui mais pas aussi bonne que lui.

Jusqu'à présent, personne dans la galaxie ne l'égalait. Il ne s'attendait d'ailleurs pas à trouver un jour quelqu'un qui le puisse. Il était, tout simplement, supérieur aux autres. A tous les autres.

Il s'était fait à cette idée.

– C3 PO ?

– Oui, Maître Luke ?

– Tout va bien à bord du vaisseau ?

Il y eut une courte pause. Luke fit machinalement tourner le petit communicateur entre ses doigts.

Dans le petit appareil, la voix de C3 PO prenait des consonances métalliques.

– A bord du vaisseau, oui. Mais D2 a réussi à capter des transmissions tactiques sur un canal protégé. Apparemment, des équipes sont en train de passer le secteur au peigne fin. Elles sont à la recherche d'un cargo corellien.

Luke regarda son communicateur.

– Hum, O.K. Surtout, ouvre l'œil. Si quelqu'un commence à fouiner dans votre coin, appelle-moi.

– Je n'y manquerai pas, répondit le droïd de protocole.

Luke se mordit les lèvres. Ils s'apprêtaient à descendre dans les égouts, un surcroît de problèmes n'était vraiment pas nécessaire.

Vador se tenait sur la terrasse de son château, insensible à la brise nocturne qui soufflait autour de lui. Il avait essayé de projeter la Force dans toutes les directions pour tenter de retrouver Luke mais il avait échoué. Cela ne pouvait être que Luke. Si c'était bien le cas, l'endroit où il se cachait n'avait probablement pas autant d'importance que la raison pour laquelle il se trouvait à la Cité Impériale.

Etait-il venu pour défier Vador ? Etait-il un maillon d'une machination concoctée par la Rébellion pour attaquer l'Empereur? Les vaisseaux de guerre postés en défense orbitale étaient capables de repousser les Forces Rebelles mais ils étaient conçus pour détecter des appareils de grande taille, non des insectes. Un pilote déterminé, à bord d'un petit appareil, pourrait très bien passer au travers des mailles du filet de surveillance impérial.

Que se passe-t-il, mon fils? Pourquoi es-tu venu jusqu'ici? Fais-toi entendre, révèle-moi tes intentions et je viendrai te chercher.

Luke avait-il entendu cet appel? Il n'y eut pas de réponse.

Une voix s'éleva derrière lui.

– Seigneur Vador?

Il se retourna. Le petit homme qui lui avait fourni les informations compromettantes sur Xizor venait d'arriver. Vador avait donné des ordres pour qu'on le laisse entrer, à n'importe quelle heure.

– Vous avez quelque chose pour moi?

– Oui, mon Seigneur. Nous avons découvert une copie pirate de certains dossiers – présumés détruits – appartenant au Falleen.

– Et pourquoi devrais-je trouver cela intéressant?

– Ces dossiers contiennent des renseignements sur la famille du Prince Xizor. Il semblerait que son père était le roi d'une petite nation.

Vador fronça les sourcils.

– Je savais que son père était de sang royal mais je crois que le Prince Xizor s'est retrouvé orphelin en très bas âge.

– Ce n'est pas tout à fait cela, mon Seigneur. Peut-être vous souvenez-vous d'une expérience biologique sur des Falleens qui... tourna au désastre il y a une petite dizaine d'années.

– Effectivement. Je m'en souviens.

– Au cours de... heu... la procédure de stérilisation, certains citoyens de l'Empire perdirent la vie.

– Un incident bien regrettable.

Le petit homme appuya sur un bouton dissimulé dans la boucle de son ceinturon. Un hologramme apparut entre Vador et lui. Il s'agissait d'un portrait de famille falleen, un groupe de huit personnes. Vador observa l'hologramme. Il y avait comme un petit air de ressemblance avec... Une petite minute... L'un d'entre eux était Xizor. Il n'avait pas changé. Il avait juste l'air un petit peu plus jeune. C'était difficile à dire, les Falleens vieillissaient très lentement et l'espèce avait une espérance de vie extrêmement longue.

– La famille du Prince Xizor, dit le petit homme. Tous ont été tués lors de la destruction de la bactérie mutante qui s'était échappée des laboratoires.

La lumière se fit soudain vive et claire dans l'esprit de Vador. Cela expliquait beaucoup de choses. Ce n'était pas simplement parce que Xizor considérait Vador comme un adversaire pour s'approprier les bonnes grâces de l'Empereur, ni comme un obstacle en travers de la route de ses ambitions.

Non. C'était personnel!

– Comment se fait-il que l'enregistrement original de ceci ait été détruit?

Le petit homme secoua la tête.

– Nous n'en savons rien. Tout ce qui a trait à la famille de Xizor s'est volatilisé, très peu de temps après la destruction de la ville.

Dark Vador avait été l'initiateur de ce projet. Xizor devait donc le considérer comme responsable de la mort des membres de sa famille. Et maintenant il voulait tuer Luke. Le fils de Vador. Pas uniquement pour lui faire perdre la face aux yeux de l'Empereur mais par pure vengeance!

Tout devenait logique. Grâce au Soleil Noir, Xizor avait eu les moyens de détruire les enregistrements. Il était falleen, donc patient. Etait-ce bien un Falleen qui avait dit que la vengeance était comme un bon vin? La perfection venait avec l'âge. Ils étaient froids, ces hommes lézards, ils pouvaient attendre très longtemps pour obtenir ce qu'ils voulaient.

Eh bien, Vador aussi le pourrait.

– Encore une fois, vous m'avez très bien servi, dit Vador. Lorsque votre travail sur cette affaire sera terminé, vous n'aurez plus jamais à vous préoccuper des questions d'argent. Telle est ma gratitude.

Le petit homme s'inclina très respectueusement.
– Mon Seigneur.
Vador lui fit signe de partir. Il devait réfléchir à un certain nombre de choses.
Il avait un certain nombre de choses à faire.

35

Ils étaient prêts à partir. La petite équipe avait rassemblé tout le matériel dont elle pouvait avoir besoin pour une longue marche dans les égouts et pour l'attaque d'un immeuble puissamment fortifié.

Luke ne se considérait pas encore comme un Maître Jedi mais il avait choisi le sabrolaser comme arme de prédilection. Chewie avait réussi à se trouver une arbalète-laser, Lando et Dash, eux, s'en tenaient à leurs blasters. Personne n'avait proposé d'arme à Vidkun. Si une fusillade éclatait, qui pouvait être sûr du choix de sa cible ?

Dash avait exposé son point de vue sur la question en soulignant que les individus comme Vidkun étaient utiles mais qu'il ne fallait surtout pas leur faire confiance. Il fallait leur payer ce qu'on leur devait puis s'en éloigner le plus possible et au plus vite.

Ils décidèrent de se mettre en route pendant la journée. Comme c'était une période pendant laquelle Vidkun ne travaillait pas, on ne remarquerait pas son absence. Et puis, quand on se trouvait si loin sous la surface du sol, on ne se souciait guère de la course du soleil.

Luke ajusta les différents accessoires accrochés à sa ceinture et recala correctement son petit sac à dos pour qu'il repose plus confortablement sur ses épaules.

– Prêt ? dit Dash.

Tout le monde l'était.

– Alors, allons-y.

Dark Vador activa la communication holographique. C'était un appel de l'Empereur.

– Mon Maître.

– Seigneur Vador. Comment vont les choses chez vous?

Pourquoi diable lui posait-il cette question?

– Calme. Il n'y a aucun problème.

– Restez sur vos gardes, Seigneur Vador. J'ai ressenti une perturbation dans la Force.

– Oui, mon Maître.

Une fois la transmission finie, Vador resta debout à observer l'infini. L'Empereur avait-il ressenti la présence de Luke? A moins que ce ne soit autre chose? Le Soleil Noir et son dirigeant dépourvu de toute morale?

Bon, il était temps de voir s'il pouvait acculer cet adversaire dans un coin.

– Appelez-moi le Prince Xizor, dit-il à son ordinateur.

Dans son sanctuaire, Xizor ne fut que modérément surpris par l'appel qui venait de lui parvenir.

– Seigneur Vador. Quelle agréable surprise!

L'image de Vador semblait, comme d'habitude, imperturbable. Lorsqu'il prit la parole, l'acier de son ton était à peine voilé de civilité.

– Peut-être pas si agréable que cela. J'ai été informé de vos différentes tentatives d'assassinat sur la personne de Luke Skywalker. Je vous ordonne de cesser immédiatement.

Xizor conserva un visage neutre mais il venait de ressentir une brusque montée de colère.

– Vos informations sont erronées, Seigneur Vador. Et même si elles étaient correctes, je crois comprendre que ce garçon est un officier de la Rébellion. Ces gens sont des traîtres et sont recherchés, morts ou vifs. Est-ce que ce changement soudain d'attitude fait partie d'un décret impérial officiel?

– Si Skywalker est blessé, je vous en tiendrai personnellement responsable.

– Je vois. Je vous assure que si je dois un jour rencontrer Skywalker, je lui témoignerai autant de courtoisie qu'à vous, Seigneur Vador.

Le Seigneur de Sith coupa la communication.

Xizor inspira profondément puis souffla tout doucement. Il fallait s'attendre à ce que Vador découvre, tôt ou tard, quelque chose à propos de Skywalker. C'était également le cas pour l'Empereur. Peu de choses importantes pouvaient rester éternellement dissimulées. C'était légèrement irritant mais cela n'aurait aucun effet sur ses plans. Si on n'arrivait pas à retrouver Skywalker, Vador aurait bien entendu des soupçons quant à l'identité du responsable mais, tant qu'il n'aurait pas de preuve, Xizor n'aurait rien à craindre.

Et pourtant, même en sachant cela, le Prince Sombre avait encore peur.

Bien entendu, l'Empereur pouvait toujours changer d'avis. Cela lui était déjà arrivé plusieurs fois et ses raisons, dans le meilleur des cas, tenaient bien souvent à des caprices. Cela dit, si Xizor arrivait à lui livrer les dirigeants de l'Alliance, cela l'aiderait grandement à conserver les faveurs de l'Empereur. Une fois la Rébellion privée de chefs, nombre d'efforts pourraient être économisés ; des milliards de crédits et des dizaines de milliers d'hommes et de machines pourraient alors être utilisés par l'Empereur à d'autres fins. Le Seigneur Noir pourrait raconter ce qu'il voudrait, tant que Xizor serait indispensable, il serait à l'épreuve des blasters ; il serait intouchable.

Dark Vador n'était qu'une marionnette entre les mains de l'Empereur. Jamais il ne se dresserait contre la volonté de Palpatine.

Cette conversation était juste un peu énervante, rien de plus, et elle avait apporté à Xizor des éléments qui, jusqu'à présent, lui étaient inconnus. Vador ne dormait pas. C'était bon à savoir. Sous-estimer un ennemi n'avait jamais rien rapporté.

Leia entreprit sa deuxième série d'exercices de la journée sans forcer. Elle aurait peut-être à agir rapidement, elle voulait donc être échauffée et assouplie, mais pas épuisée.

Les choses étaient sur le point de se décanter.

36

La boue était noire avec des reflets verdâtres, gluante, et la puanteur qui s'en dégageait était probablement la pire odeur que Luke ait jamais eu l'occasion de sentir. Comble du dégoût, la répugnante mélasse était liquide – ou tout au moins fluide – et s'écoulait autour de leurs pieds en éclaboussant de temps en temps leurs chevilles.

Luke s'estima heureux d'avoir pu récupérer une paire de bottes montant jusqu'aux genoux, en même temps que ses nouveaux vêtements.

Le tunnel dans lequel ils progressaient était aussi grand que ce que Vidkun leur avait promis. Il était éclairé par une rangée de faibles bâtonnets luminescents, suspendus au plafond, qui donnaient suffisamment de lumière pour permettre au groupe de progresser.

Près d'eux, quelque chose bougea. Il y eut un bruit, un plongeon, comme si quelqu'un venait de jeter une grosse pierre dans le liquide visqueux.

Chewie, qui marchait en tête, marmonna quelque chose. Soudain très nerveux, il s'arrêta.

Juste derrière lui, Lando précédait Luke et Vidkun. Il prit la parole.

– J'ai entendu. C'est pas de ma faute si tu n'as pas voulu mettre de bottes. Allez, avance, si ça se trouve, ce truc a bien plus peur de toi que toi de lui.

Derrière eux, fermant la marche, Dash enchaîna :

– Ouais, fais gaffe à toi, Chewbacca ! J'ai entendu dire que les serpents d'égouts adorent les orteils des Wookies !

La réponse que lui fit Chewie fut courte, vive et probablement obscène.

– C'est ça, dit Lando. Oublie donc que c'est à Yan que tu dois la vie. On n'a qu'à laisser Leia où elle est puisque tu as la trouille d'une espèce d'asticot édenté.

Chewie grogna mais se remit en route.

– Qu'est-ce qu'il a, le Wookie ? demanda Vidkun.

– Il aime pas les trucs qui rampent ou qui nagent, répondit Luke. Il les déteste, même.

Vidkun haussa les épaules.

– Encore quelques centaines de mètres.

Il ne semblait nullement affecté par la pénible progression dans les immondices qui éclaboussaient leurs jambes.

– Hé ! cria Dash. Attention !

Luke se retourna, décrocha le sabrolaser de sa ceinture, pressa du pouce la commande de mise en route...

Juste à temps pour voir un gros œil injecté de sang s'ouvrir à l'extrémité d'un pédoncule de chair émergeant de la fange. Quelque chose était en train de ramper vers lui dans la boue écœurante.

Un dianoga !

Luke vit également que Dash venait de dégainer prestement son blaster.

– Ne tire pas ! ordonna Luke.

Sur ce, il s'accroupit vivement et fit un grand mouvement de balayage avec son sabre.

Le dianoga essaya d'éviter le coup mais fut beaucoup trop lent. Le rayon éclatant de lumière solide trancha le pédoncule et l'œil globuleux bascula dans la vase. La créature blessée se mit à gesticuler frénétiquement, lançant les anneaux musculeux de son corps dans toutes les directions.

Luke s'approcha et plongea sa lame dans le corps de l'animal avec violence et le trancha en deux.

Les deux morceaux s'agitèrent encore quelques instants puis les spasmes finirent par s'arrêter.

Dash fit tourner son blaster autour de son index et le replaça dans son étui.

– Joli coup, p'tit gars.

– J'ai déjà eu affaire à ces saletés, dit Luke. La dernière fois, c'était dans un conduit à ordures. Il a failli m'avoir.

Chewie appuya ces propos en grondant.

– Tu passes beaucoup de temps dans des endroits comme ça ? demanda Dash.

– Pas si je peux l'éviter.

Le groupe se remit en marche dans la vase.

– Là, c'est juste devant, dit Vidkun.

Ils s'arrêtèrent. Deux larges trous circulaires s'ouvraient dans le mur, protégés par un grillage métallique aux barreaux épais comme le doigt. Les tunnels étaient légèrement en pente. De la boue s'en écoulait en un flot continu et peu profond pour rejoindre le courant des immondices qui progressait doucement dans un tunnel plus grand.

– O.K., Vidkun, dit Lando. Voyons si vos codes fonctionnent.

L'ingénieur s'avança et bricola le mécanisme de verrouillage avec une carte en plastique. Les portes de la grille s'ouvrirent. Vidkun se retourna et leur sourit.

– Vous voyez ? Qu'est-ce que je vous avais dit ? On prend le tunnel de droite.

Chewie passa le premier et commença à monter dans le nouveau conduit. C'était un peu bas de plafond pour lui mais les autres n'eurent aucun problème pour se tenir debout.

Le Wookie dérapa, perdit l'équilibre et réussit à se rétablir mais, pour ne pas tomber, il dut prendre appui sur une main en la plongeant dans la fange. Lorsqu'il la ressortit, sa main était détrempée et aussi noire que le liquide douteux qui courait sur le sol. Chewbacca secoua violemment la main.

Il n'était pas content du tout.

– Faites attention, les avertit Vidkun. Il y a des endroits où ça glisse un peu.

Chewie se retourna tout doucement et dévisagea Vidkun. Heureusement pour l'ingénieur, les yeux du Wookie ne lançaient pas de rayons lasers, autrement, Vidkun aurait été instantanément transformé en un petit tas carbonisé.

Lando pouffa.

– Ouais, fais gaffe, espèce de gros maladroit de... Houlà !

Lando glissa et se retrouva assis dans la boue visqueuse. Il se releva mais le mal était fait : son arrière-train était complètement trempé.

Chewie éclata de rire. Si fort que Luke pensa que le Wookie allait de nouveau en perdre l'équilibre.

Luke eut du mal à se retenir de sourire. C'était bien fait pour Lando mais il ne tenait pas à être le prochain à tâter du liquide. Il préféra ne rien dire. Quand on tentait le destin, de curieuses choses pouvaient arriver.

– T'aurais dû mettre des vieilles fringues, suggéra Dash.

– Hé, Rendar, je n'ai pas de vieilles fringues !

– Ben, maintenant, si ! Je crois que plus jamais elles ne seront assez propres pour être portées en public. Tu te ferais jeter immédiatement des troupes d'élite en dégageant une telle puanteur.

– La ferme ! ordonna Lando.

Ils avancèrent en remontant avec une précaution extrême la pente douce de l'égout.

– On approche du périmètre de contrôle de la vermine, dit Vidkun. Attendez que j'enclenche les systèmes de protection.

Tout le monde s'arrêta. L'ingénieur se mit à pianoter sur les boutons d'une petite boîte noire qu'il sortit de sa ceinture.

A quelques mètres devant eux, l'air sembla soudain miroiter. Il y eut un bref éclair de lumière violacée.

– Ça devrait aller maintenant.

– Parfait. Passez donc le premier, dit Lando.

L'ingénieur le foudroya du regard puis s'avança. Il marcha quelques mètres. Comme rien ne se passait, les autres le suivirent.

On aurait pu croire qu'au bout d'un moment, on finirait par s'habituer à l'odeur, songea Luke. Mais les effluves semblaient changer constamment, révélant des remugles inimaginables.

Il se promit qu'il prendrait une très longue douche brûlante pour se débarrasser de toute cette horreur.

Dans ce nouveau conduit qu'ils étaient en train de remonter, la vase renvoyait sur les murs, en vaguelettes inquiétantes, le faible éclat des bâtons lumineux. Le plus faible son était amplifié et résonnait contre les solides parois de béton.

– On n'est plus très loin, dit l'ingénieur.

– Parfait ! s'exclamèrent Lando, Luke et Dash à l'unisson.

Chewie dit également quelque chose. Luke n'eut pas besoin de traduction pour comprendre qu'il joignait son approbation à la leur. Ils préféraient affronter les gardes de Xizor plutôt que d'avoir encore à parcourir des kilomètres dans cette fange.

– Là, chuchota Vidkun. Il y a un accès vers le bâtiment. Cela mène à la zone de recyclage des niveaux inférieurs du sous-sol. Il n'y a pas de gardes dans la zone elle-même mais il y en aura certainement dans les salles adjacentes. Voici la clé de la grille. (Il leur tendit une carte en plastique.) Salut.

Il tourna les talons et s'apprêta à partir.

Dash se plaça en travers de sa route.

– Et vous croyez aller où, comme ça ?

– Hé, moi j'ai fini. Je vous ai amenés jusqu'à l'accès du bâtiment, je vous en ai fourni les plans. J'ai rempli ma part du contrat.

– Effectivement, vous nous avez amenés jusqu'ici. C'est ce qu'on avait dit. Mais, voyez-vous, il y a eu un petit changement dans nos plans.

Vidkun eut l'air très inquiet.

– Rien de plus simple, nous n'allons pas vous descendre, ou quoi que ce soit. On aimerait juste que vous veniez avec nous jusqu'à ce qu'on dégote un coin où vous puissiez nous... attendre tranquillement.

Vidkun ne sembla pas très enthousiaste à cette idée.

– Dites, sans vouloir vous offenser, qu'est-ce qui se passe si vous êtes abattus ? Je pourrais vous attendre un sacré moment !

– Je suppose qu'il va falloir prendre ce risque, dit Lando. C'est pas qu'on vous fait pas confiance, c'est juste... qu'on ne vous fait pas confiance ! En plus, c'est bien plus agréable par là.

Il fit un signe vers le flot noirâtre agité de bouillonnements.

– Je me moque bien des écoulements, dit Vidkun. Je suis les pieds dedans tout le temps.

– Néanmoins, nous insistons, fit Lando en tapotant la crosse de son blaster.

Vidkun haussa les épaules.

– Bon d'accord, puisque vous le prenez comme ça...

Et avant que quiconque ne réagisse, il sortit un petit blaster d'une poche intérieure de sa combinaison et se mit à tirer furieusement.

Luke ne l'avait pas senti venir. Le gars ne semblait pas être du genre à agir ainsi. Aussi mit-il un peu trop de temps pour armer son sabrolaser.

Le premier rayon crépita à côté de lui. Il l'avait bien manqué.

Le deuxième tir toucha Dash ; Luke entendit ce dernier pousser un gémissement. *Dégage, Luke !*

L'ingénieur n'eut pas le temps de faire feu une troisième fois : Dash dégaina son blaster, tira et toucha l'homme entre les deux yeux.

Vidkun s'écroula mollement dans le flot visqueux. Sa chute envoya des éclaboussures de boue noire sur les parois du tunnel. Son corps glissa quelques instants dans le courant, pivota légèrement puis s'arrêta.

Une volute de fumée s'éleva du trou béant dans son front.

– Dash ?

– Ça va. Juste un peu roussi.

Il se tourna pour montrer la brûlure sur sa hanche gauche. Le rayon avait découpé très nettement sa combinaison. La peau avait cloqué, la blessure ne saignait même pas.

– Fais gaffe à ne pas t'éclabousser avec cette saloperie, dit Lando en indiquant les immondices. Cela ne te ferait probablement pas de bien.

– Mais où a-t-il donc récupéré un blaster ? demanda Luke en raccrochant son sabre.

– Il devait l'avoir depuis le début, fit Lando. Cela dit, je me demande pourquoi il a fait une chose pareille ? On n'allait pas lui faire de mal.

– Un type comme ça peut très bien manquer à sa parole, il a dû se dire qu'on pouvait faire pareil, répondit Dash.

Luke ouvrit la trousse de secours qu'il avait emportée et proposa un pansement à Dash. Ce dernier appliqua la compresse sur sa hanche et appuya sur une petite poche pour en briser les scellés afin de libérer la substance analgésique. Il marcha jusqu'au corps de Vidkun.

– Toute réflexion faite, dit-il au cadavre, je suppose maintenant que nous allions effectivement vous descendre mais ce n'était pas notre idée au départ.

– Espérons que les gardes n'ont rien entendu de cette fusillade, remarqua Lando.

– Ouais, approuva Luke. (Il regarda autour d'eux et respira à fond.) Prêts ?

Ils l'étaient.

37

– Oh oh, chuchota Luke.

Accroupi derrière lui dans la salle de recyclage, Lando se mit lui aussi à chuchoter :

– Houlà, que je n'aime pas quand tu dis ça. (Une pause.) Qu'est-ce qu'il y a ?

Un simple murmure ressemblait à un cri dans cette pièce. La vase gluante montait plus haut autour de leurs chevilles. Encastré dans le mur circulaire de la salle, un transformateur bourdonnait et semblait produire encore plus d'ordures, laissant passer un flot d'immondices vers une bonde d'évacuation grande ouverte.

– Des gardes, souffla Luke.

– Et alors ?

– Et alors, ils sont six.

– Six ? Pour garder une bouche d'égout ?

Dash intervint, lui aussi en chuchotant :

– Et après ? Ça ne fait jamais qu'un et demi chacun, non ? Combien de temps il te faut pour dégainer ton arme, Calrissian ?

– Ecoute, mon pote, ne t'inquiète pas du temps qu'il me faut...

– Chut ! fit Luke d'un ton péremptoire.

Il jeta un coup d'œil par la lucarne embuée de la porte de la salle de recyclage. Six hommes se tenaient à quelques mètres de là. Mais quatre d'entre eux étaient assis autour d'une table, en train de jouer aux cartes, leurs fusils alignés contre le mur. Les deux autres se tenaient près des joueurs, apparemment disposés à leur donner des conseils. Ceux-là portaient leurs armes en bandoulière. Dash avait raison. S'ils agissaient avec rapidité, ils pourraient maîtriser les gardes bien avant que ceux-ci ne puissent utiliser leurs blasters. Ils pourraient les désarmer, les attacher et continuer leur route avant même que les soldats ne comprennent ce qui leur était tombé dessus. Le tout était d'y arriver avant que l'un des gardes ne s'empare de son communicateur pour appeler à l'aide.

Luke s'écarta de la porte et s'accroupit dans la boue près des autres.

– Bon, voilà le topo. Dash, tu fais sauter le panneau. Je passe en premier, Chewie reste derrière moi, ensuite vient Lando. Tu passes en dernier.

– Hé ! Qu'est-ce que c'est que cet ordre ? chuchota Dash. Qui t'a nommé chef ici ?

– Je peux stopper un rayon avec mon sabrolaser si l'un des gardes est un expert et dégaine très vite. Chewie, lui, est très impressionnant avec son arbalète ; il attirera plus l'attention que Lando ou toi. En plus il est meilleur tireur, si on est obligés d'en venir là.

– Pas meilleur tireur que moi, en tout cas. Je te signale qu'il serait quand même plus facile de surgir à l'improviste et de tous les descendre, dit Dash. On frappe vite, fort et on n'entend plus parler d'eux.

– Mais c'est toute la différence entre l'Empire et nous, dit Luke. Eux, ils n'hésiteraient pas à faire ça. Nous, on ne tire pas tant qu'on n'est pas contraints de le faire.

– Parfait, joue les gentils. T'as qu'à tous nous faire tuer.

Luke secoua la tête. Un Jedi devait savoir agir prestement si la situation l'imposait mais un Jedi devait également savoir éviter la violence chaque fois que c'était possible. « Guerrier » et « tueur » ne signifiaient pas la même chose.

– O.K., vous êtes prêts ?

Luke tint son sabre le plus bas possible pour qu'on ne remarque pas la lueur et l'activa. Il respira à fond plusieurs fois.

– A trois. Un... Deux... Trois!

Dash fit sauter le panneau.

Luke bondit et se mit en garde, sabre au poing.

– Personne ne bouge! cria-t-il.

Chewie surgit derrière lui...

... Les pieds mouillés du Wookie dérapèrent sur le sol comme s'il portait des patins à glace. Il tomba à la renverse, à plat dos.

Lando essaya de sauter par-dessus Chewie mais trébucha et s'écroula, face contre terre.

Les gardes, stupéfaits, se précipitèrent vers leurs armes.

Bon sang...

Leia était assise sur le lit. Tout à coup, elle sentit la peur, comme une décharge brûlante, lui traverser le corps.

Qu'est-ce que...

Le fait qu'ils soient assignés à un poste pas très intéressant ne signifiait pas pour autant que les gardes étaient des incapables. Les deux soldats qui étaient debout firent glisser leurs armes de leurs épaules, mirent en joue et ouvrirent le feu.

Luke bloqua le premier rayon, concentra la Force pour se déplacer et bloqua le deuxième...

Dash plongea par-dessus Lando et Chewie, fit un roulé-boulé sur l'épaule, s'allongea en position de tir et fit feu une fois, deux fois, trois fois...

Les deux gardes tombèrent mais un autre se détacha du mur, son arme crachant ses rayons mortels...

Chewie s'assit et son arbalète-laser entra en action.

Le troisième garde fut foudroyé mais un quatrième se mit à tirer...

Luke réussit à peine à bloquer le rayon, le choc lui envoya de violentes vibrations dans la main et le bras. Le rayon partit en ricochet et alla détruire l'une des lampes du plafond. La pièce devint un peu plus sombre...

Des rayons de lumière mortels fusèrent de nouveau de l'arme de Dash; l'arbalète de Chewie vibra de conserve...

Tous les gardes étaient à terre, sauf un. Il n'avait pas d'arme, il était en train de hurler...

En train de hurler dans un communicateur !

Lando tira sur le dernier soldat et celui-ci s'écroula. Le communicateur lui échappa des mains et roula jusqu'aux pieds de Luke.

Une petite voix monta de l'appareil :

– Tehachix ? Qu'est-ce qui se passe en bas ? Tehachix ? Répondez, secteur un-un-trois-huit, répondez...

Chewie se releva. Le Wookie haussa les épaules d'un air penaud.

Luke secoua la tête. Il fit taire la petite voix nasillarde en écrasant le communicateur du talon.

– Tu parles d'une entrée discrète, dit Lando.

Xizor était en train de donner son enveloppe mensuelle au ministre de la Culture quand Guri pénétra dans la pièce. Le Prince Sombre émit quelques petits grognements polis et fit signe au ministre de les laisser.

Une fois l'homme parti, il s'adressa à Guri.

– Quoi ?

– Un problème dans les niveaux inférieurs des sous-sols.

– Quel genre de problème ?

Elle haussa les épaules.

– Nous n'en savons rien. Cette zone n'est toujours pas équipée correctement de caméras pour la surveillance et les gardes ne répondent pas.

– Une autre erreur de communication, dit-il. (Cela arrivait souvent en bas, où les conduits et les épaisses poutrelles en acier créaient dans les systèmes de communication des interférences que les ingénieurs n'avaient pas encore réussi à éliminer. Ils appelaient ça des zones d'ombre.) Il s'agit d'une défaillance de communicateur, ou bien Skywalker est plus rapide et plus malin que nous ne le pensions. Est-ce que les capteurs ont détecté la présence d'une quelconque troupe armée dans les égouts sous le bâtiment ?

– Non.

– Parfait. Si c'est Skywalker, il est probablement seul ou en compagnie du Wookie. Envoyez une unité pour vérifier.

– Deux escouades sont déjà en route.
– Bien. Ce n'est pas la peine de s'inquiéter. Lorsque vous sortirez, veuillez dire au Moff qu'il peut entrer.
Il n'y avait vraiment aucune raison de se faire du souci, se dit-il. Un garçon tout seul, même s'il avait énormément de chance, ne parviendrait jamais à forcer ses dispositifs de sécurité.

Luke et les autres étaient en train de courir. Jusqu'à présent, les plans qu'ils avaient tous mémorisés étaient exacts mais l'endroit était vraiment très grand et il subsistait une chance qu'ils se perdent ou s'égarent dans un cul-de-sac s'ils ne faisaient pas preuve de prudence. Cependant, la rapidité était un élément de réussite majeur maintenant que l'alarme avait été donnée. Il leur fallait foncer; plus question de traîner pour admirer le paysage.
Chewie, qui savait où se trouvait Leia, avait pris la tête.
Le groupe parvint à un angle débouchant sur un large corridor et tomba sur quatre autres gardes.
Tous ceux qui étaient pourvus d'un blaster se mirent à tirer.
Du communicateur attaché à la ceinture de Luke monta soudain la voix stridente et surexcitée de C3 PO.
– Maître Luke! Maître Luke!
Luke para un rayon laser qui fusait vers lui. Il hurla vers le communicateur sans prendre le temps de le détacher de son ceinturon.
– C3 PO, j'ai pas trop l'temps, j'suis occupé!
– Mais, Maître Luke, des hommes avancent vers le vaisseau! Des hommes armés!
Génial. C'était exactement ce dont ils avaient besoin maintenant.
Luke dévia un autre rayon, fit un bond en avant et se retrouva à portée de l'homme qui venait de lui tirer dessus. Il abattit le sabrolaser et la main qui tenait le blaster tomba à terre. Luke fit volte-face et envoya un violent coup de pied au garde, le frappant au nez. Le soldat s'écroula.
Les autres gardes avaient été également éliminés. Luke désigna le passage par lequel les soldats étaient arrivés.

– Par là ! La voie doit être libre !

Ils se remirent en route. Tout en courant, Luke attrapa le communicateur.

– C3 PO ?

– Oh, misère de misère !

– C3 PO !

– Maître Luke. Oh, mais que devons-nous faire ?

– Dégagez avec le vaisseau, et tout de suite ! Faites exactement comme on a dit. D2 connaît les systèmes, tu n'as qu'à prendre les commandes. Rappelle-moi quand tu seras en vol. Reste en position suborbitale pour éviter les détecteurs stratosphériques. Compris ?

– Oui, Maître Luke.

– Allez !

Leia sentit quelque chose dans l'air. Quelque chose d'imminent. Quelque chose qu'elle n'arrivait pas vraiment à saisir...

Luke.

Luke était là.

Elle commença à préparer son déguisement de chasseur de primes.

– Nous avons perdu le contact avec la deuxième unité de gardes, dit Guri à Xizor.

– Dans la même zone ?

– Non. Quatre niveaux au-dessus.

Hum. C'était bien au-dessus de la zone où se produisaient habituellement les interférences dans le château. Une invraisemblable coïncidence.

– Prévenez la sécurité. Alerte maximum.

– C'est déjà fait.

Pouvait-il s'agir de Skywalker ? Avait-il réussi, d'une manière ou d'une autre, à s'introduire dans le château sans se faire détecter ? Etait-ce quelqu'un d'autre ?

– Annulez tous mes rendez-vous. Allez me chercher la Princesse Leia. Amenez-la à ma chambre forte.

Chewie leur fit monter une bonne dizaine d'étages avant qu'ils ne tombent sur un deuxième groupe de gardes. L'échange de coups de feu fut très rapide, l'air se chargea d'électricité, les hommes hurlèrent et une odeur ozonée s'éleva des murs brûlés par les tirs.

Dash avait raison : il savait tirer. Il descendit trois gardes en trois coups de laser – zap ! zap ! zap ! – bien plus vite que quiconque. Luke n'avait jamais vu cela. Le jeune homme, lui, para et dévia les rayons qui fondaient sur lui. Les tirs qui ricochaient un peu partout ajoutaient à la confusion générale. Chewie et Lando pilonnaient le secteur avec leurs armes. Les gardes n'étaient pas mauvais mais pas acharnés. Ils tiraient parce qu'ils étaient payés pour le faire. Alors que Luke et ses amis défendaient leur vie. Le dernier garde fit brusquement demi-tour et s'enfuit. Chewie le foudroya d'un coup de son arbalète. L'homme s'écroula et glissa sur quelques mètres avant de finir sa course en heurtant un mur.

– Allez, allez, allez !

Leia sentit que quelqu'un approchait de sa chambre. Une intuition, songea-t-elle, mais elle faisait confiance à son intuition. Elle attrapa l'une des chaises et la glissa à côté de la porte. Elle monta sur l'assise, s'appuya avec précaution contre le mur et leva le lourd casque de son déguisement au-dessus de sa tête en le serrant très fort.

La porte s'ouvrit et Guri pénétra dans la pièce. Elle était rapide, certes, mais Leia se précipita. Elle lui assena un grand coup de casque sur l'arrière de la tête. Le choc fut si fort qu'il aurait assommé n'importe quelle femme humaine. L'impact réussit cependant à faire perdre l'équilibre au droïd, qui tomba en avant.

Cela donna suffisamment de temps à Leia. Elle bondit de sa chaise et fila dans le couloir. Elle actionna la commande de fermeture de la porte...

Guri se releva pour faire demi-tour mais la porte se

referma juste devant elle. Leia bloqua le mécanisme de verrouillage...

La porte trembla sous le coup d'épaule de Guri.

Le coup suivant rompit l'épaisse couche de plastique et la porte se couvrit de minuscules craquelures. Le panneau n'allait pas tenir très longtemps, Leia s'en rendait parfaitement compte.

Elle tourna les talons et partit en courant.

Chewie leur indiqua une cage d'escalier qui les mena à une douzaine de niveaux au-dessus du point par lequel ils étaient entrés dans le château.

– Maître Luke? Nous avons réussi à quitter le bâtiment avec succès.

C3 PO.

Luke empoigna son communicateur pour ne plus avoir à crier.

– Et où êtes-vous maintenant tous les deux?

– Quelque part dans le ciel, Maître Luke, je... quoi? Oh, la ferme, je sais très bien piloter, il... ah! Ahhhh!!!

– C3 PO?

Il y eut un silence puis un terrible fracas.

– Je l'avais vu, espèce de poubelle sans cervelle! Si tu ne m'avais pas distrait, j'aurais pu prendre le virage à temps!

– C3 PO, qu'est-ce qui se passe?

Luke entendit D2 siffler frénétiquement en arrière-plan.

– Tais-toi, crétin! Ce n'était pas de ma faute!

– C3 PO?

– Quoi? Où ça? Oh, non!

Il y eut un vacarme de verre cassé.

– C3 PO!

– Je suis désolé, Maître Luke. Grâce aux indications particulièrement inadéquates de D2, nous venons de détruire accidentellement un panneau publicitaire et une antenne parabolique. Non, je ne crois pas que nous ayons touché la navette de marchandises, nous l'avons juste effleurée. Oui, c'était aussi de ta faute! Si tu avais cessé de me siffler aux oreilles comme une bouilloire sur le point d'exploser, j'aurais certainement...

– C3 PO, arrête de parler à D2 et raconte-moi ce qui se passe.

– Nous volons assez près du sol parce que D2 prétend que c'est ce que nous devons faire. Personnellement, j'estime que nous devrions prendre un peu plus d'altitude. Non, je me fiche de ton niveau de connaissance en astronavigation, c'est moi qui pilote. Donnez-moi juste les indications.

– Entendu, écoute bien. Amène le *Faucon* aux coordonnées que je t'ai indiquées. Fais vite. Et puis, prenez suffisamment d'altitude pour ne plus rien heurter.

– Tu vois ? Je t'avais bien dit qu'on était trop bas. Mais non, à toi on ne peut rien dire. Toi, tu sais tout...

– C3 PO !

– Oui, Maître Luke, nous sommes en route. Non, je ne pense pas qu'il faille aller par là. Cet immeuble est bien trop haut. On devrait plutôt aller par là, oh, *attention !*

Luke dut couper la connexion. Ils venaient d'arriver devant une porte blindée antifeu. Elle était verrouillée.

Lando leva son arme mais Luke arrêta son geste.

– Non, ne tire pas. Il y a certainement un blindage magnétique. Ton coup pourrait rebondir et toucher l'un d'entre nous.

– Et comment on fait pour passer, alors ?

– Reculez tous. Voyons si le blindage résiste à un sabrolaser.

Il activa sa lame.

Le blindage ne résista pas.

Ils ouvrirent la porte et continuèrent leur ascension.

Guri fit irruption dans la chambre forte de Xizor. Il écarquilla les yeux à son arrivée.

– Quoi ?

– Elle s'est enfuie. Elle m'attendait quand je suis arrivée. Elle m'a frappée par-derrière. Pas de dégât. Mais cela lui a laissé suffisamment de temps pour se glisser dehors.

– Merde ! s'exclama Xizor, incapable de se contrôler et de maîtriser sa colère.

Cela ne présageait rien de bon. Ici même, dans son château, les choses semblaient se détériorer. Avait-il sous-estimé Skywalker? Apparemment oui. Il était temps de corriger cela.

Il alla jusqu'à son bureau et fit coulisser un panneau. Du compartiment secret, il sortit un blaster à haute densité aux lignes très pures.

– Bien. Nous allons partir à sa recherche. Et puis nous en profiterons pour débusquer celui ou ceux qui nous causent tous ces problèmes.

– Attendez une petite seconde, dit Lando.

– Quoi? Pourquoi?

Lando désigna du doigt une boîte de dérivation qui dépassait du mur.

– Ça, c'est un relais des systèmes de sécurité.

– Et?

– Mettez-vous là, sur le côté.

Tout le monde obéit. Lando tira une décharge de blaster dans le mécanisme d'ouverture et fit voler le couvercle.

– Les infos envoyées par les holocaméras et les différents capteurs passent par ces fibres optiques.

Du canon de son arme il indiqua un certain nombre de câbles, d'un blanc un peu translucide, qui étaient gros comme des doigts.

– Et comment sais-tu cela?

– Faites-moi confiance. Je m'y connais pas mal dans ce domaine.

Sur ce, il tira un rayon laser dans les câbles. De la fumée et des étincelles jaillirent du mur en une cascade jaune et orange qui se dissipa très rapidement. Une odeur âcre de plastique brûlé s'éleva dans le couloir.

– Maintenant, ils ne peuvent plus nous voir, au moins à cet étage. Si nous détruisons tous les boîtiers que nous rencontrons, nous les rendons aveugles!

Chewie hurla quelque chose. Luke se retourna. D'autres gardes, et ils n'avaient pas l'air aveugles. Ils tiraient pourtant comme s'ils l'étaient. Un bon point.

– Par ici ! cria Luke.

Tout en tirant dans leur dos, ils se mirent à courir pour échapper aux rayons mortels.

Ils tournèrent un autre coin, plongèrent vers un couloir secondaire qui s'offrait à eux et se précipitèrent vers une porte qui se dessinait à l'extrémité de ce hall. Ils entendirent quelqu'un tambouriner de l'autre côté puis la porte glissa sur son axe. Dash et Lando levèrent leurs armes...

– Non ! hurla Luke. Ne tirez pas !

La porte s'ouvrit en grand, révélant...

– Leia !

Luke sourit. Elle fit de même. Ils se jetèrent dans les bras l'un de l'autre.

– Vous en avez mis, du temps ! s'exclama-t-elle. (Elle les observa et fronça le nez.) Beurk ! Dans quoi avez-vous donc nagé ? Vous sentez comme ce truc que Lando a essayé de nous faire manger. On dirait que vous êtes tombés dedans !

– Une petite panne de vaisseau, expliqua Luke. Alors, on a dû prendre un raccourci par les égouts.

Leurs regards se tournèrent vers Lando.

– Hé, je n'y suis pour rien, moi, dans cette histoire. C'est à cause des foutues modifications de Yan !

– Laisse tomber ! Allez, il faut sortir d'ici.

Le groupe – qui comptait maintenant cinq personnes – se remit en route.

– Maître Luke ?

– Qu'est-ce qui t'arrive, maintenant, C3 PO ?

– Il semblerait que nous ayons malencontreusement attiré l'attention d'un vaisseau robotisé de la police. Il a l'air de nous suivre.

– Eh bien, tu n'as qu'à le semer.

– Mais comment, Maître Luke ?

– Tu n'as qu'à piloter comme Yan le ferait !

Leia, qui courait à ses côtés, le regarda, éberluée.

– Vous laissez les droïds piloter le vaisseau ? Ça va pas, non ?

– Ne vous inquiétez pas, ils se débrouillent très bien. Ils ont juste eu quelques petites frayeurs, c'est tout. Ils s'en tirent à merveille.

– Non, tais-toi, D2 ! dit C3 PO. Tu as entendu ce qu'a dit Maître Luke. Je vais juste faire un looping autour de... houlà ! Ahhhh !

Les sifflements et couinements de D2 se firent plus frénétiques.

– Maître Luke ! Au secours ! Au secours !

– C3 PO ? Mais qu'est-ce que tu fais ?

Les petits cris électroniques de D2 ressemblaient à un enregistrement diffusé à très grande vitesse.

– J'essaye de remettre ce vaisseau à l'endroit ! Tais-toi donc ! Ahhhh !

– On dirait qu'ils volent la tête en bas, dit Lando.

– « Ils s'en tirent à merveille », c'est bien ce que vous venez de dire, non ? enchaîna Leia. Je n'arrive pas à croire que vous les ayez laissés aux commandes de l'appareil.

– C3 PO ? Fais ce que te dis D2 ! D2, montre-lui comment on peut se sortir d'une manœuvre de renversement !

Il y eut un autre échange de plaintes et de piaillements nerveux qui s'éleva du communicateur.

– Ah ! Voilà qui est mieux. Il semble que nous ayons semé notre poursuivant, Maître Luke. Il a dû s'écraser contre la passerelle sous laquelle nous sommes passés lorsque nous volions la tête en bas.

– Je ne peux pas croire que vous laissiez les droïds piloter le...

Luke lui lança un regard noir.

– Voulez-vous cesser de répéter cela ?

(Il fixa de nouveau son attention sur le communicateur.) Bon, c'est bien, écoutez-moi tous les deux, rendez-vous immédiatement aux coordonnées que je vous ai indiquées. Et soyez plus prudents.

– Tout va pour le mieux, maintenant, Maître Luke. Ne vous inquiétez pas.

Luke leva les yeux au ciel et soupira.

38

– Je vais faire sonner l'alarme générale... commença Guri.

– Non! Qu'est-ce que les gens iraient penser? Que le chef du Soleil Noir n'est pas capable d'assurer sa propre sécurité? Dites aux gardes de ce périmètre de bien ouvrir l'œil. Celui qui a réussi à entrer ici ne doit absolument pas en sortir.

Guri fit un signe d'assentiment et donna des ordres dans son communicateur.

Ils remontèrent les couloirs en courant et passèrent devant la chambre d'où Leia s'était échappée. Il y avait un nœud de surveillance, une sous-station, pas bien loin de l'endroit où ils étaient, qui leur donnerait ainsi accès au réseau de caméras holographiques et de capteurs. Ils y feraient une halte pour repérer les intrus. Ces derniers étaient certainement passés dans le champ de l'une des caméras puisqu'ils étaient entrés dans le bâtiment par les sous-sols.

Ils arrivèrent à la station-relais. Guri tapa quelques touches sur un vieux clavier. Une représentation du logotype de Xizor apparut dans l'air. Elle composa son code d'accès personnel et fit basculer les commandes en activation vocale.

– Analyse du niveau quinze. Signe de toute personne ne portant pas l'uniforme des employés.

L'image sembla exploser en un million de petits points

lumineux qui se mirent à tourbillonner comme de l'eau disparaissant dans une bonde d'évacuation. Puis tout devint blanc.

Xizor fronça les sourcils. Il se tapota le front du canon de son blaster.

– Rapport image? demanda Guri à l'ordinateur.

– La circulation des données émises par les caméras holographiques et les senseurs du niveau quinze est interrompue jusqu'à nouvel ordre.

– Analyse du niveau seize.

De nouveau l'image demeura blanche.

– Analyse du dix-sept?

Même résultat.

– Analyse, niveau dix-huit.

L'air devint lourd et de nombreuses images fantomatiques représentant des couloirs déserts et des salles vides se matérialisèrent.

– Ils sont au dix-sept, fit Xizor en montrant les images de son blaster. Ils font sauter les émetteurs-relais pour qu'on ne puisse pas les voir. S'ils avaient déjà atteint le niveau dix-huit, ils l'auraient fait aussi et nous n'aurions pas d'image. En route.

– Mais nous ne savons pas combien ils sont, remarqua Guri. Nous avons déjà perdu au moins une douzaine de gardes. C'est trop dangereux pour que vous y alliez.

– Je suis seul juge de ce qui peut être dangereux. Et puisque nous savons qu'il s'agit de Skywalker, nous allons mettre un point final à cette histoire. Je vais m'occuper personnellement de l'éliminer!

Il ne passerait certainement pas pour un imbécile dans son propre château.

– Alors... c'est quoi... le plan? hoqueta Leia hors d'haleine.

– On sort d'ici, dit Luke. On récupère le *Faucon* et on laisse cette planète derrière nous le plus vite possible. (Et pour couper court aux habituelles protestations de la Princesse, il ajouta :) C3 PO et D2 vont nous tirer de là.

Elle secoua la tête.

Chewie dit quelque chose et Leia devina que le Wookie ne semblait, lui non plus, pas vraiment approuver le choix de ces deux nouveaux pilotes.

– Ecoute, le sermonna Lando. Si nous n'arrivons pas à filer, qu'est-ce que ça peut te faire de savoir qui pilote quoi ? Allez, en avant.

Leia hocha la tête. Lando semblait bien maîtriser la situation.

– Mais c'est qu'il a raison, approuva Dash.

– Tout le monde pense que nous ne sommes pas assez fous pour continuer à monter, remarqua Luke. Ils vont donc nous attendre en pensant que nous allons essayer de sortir au rez-de-chaussée.

Lando éclata de rire.

– Ouais, c'est ça le gros problème avec nos adversaires : ils pensent tous que personne ne peut être aussi stupide que nous. Ça marche à tous les coups.

Leia secoua de nouveau la tête. Elle était maintenant armée d'un blaster, ramassé sur l'un des gardes, et elle se sentait bien mieux. Pas beaucoup mieux, juste un peu. Elle avait découvert suffisamment de choses sur Xizor pour réaliser que s'ils ne pouvaient pas s'échapper, il valait mieux pour leur bien qu'il ne les prenne pas vivants. Derrière ses manières charmantes un monstre était tapi et Leia n'avait nullement l'intention de tomber une fois de plus entre ses mains.

Xizor et Guri pénétrèrent dans le turbo-élévateur.

– Niveau vingt, ordonna Xizor. C'est là que nous les attendrons.

L'ascenseur entama sa descente et il y eut un court instant de chute libre qui lui fit vibrer l'estomac, comme s'il s'agissait d'un oiseau essayant de s'échapper de sa cage. En dépit de la peur qu'il ressentait parce qu'on était entré par effraction dans sa propriété, Xizor était très excité. Ce n'était pas souvent que l'occasion lui était donnée de se débarrasser de gêneurs de ses propres mains. Il était persuadé que, au nombre des intrus qui avaient pénétré dans le château, se comptait Luke Skywalker. Parce qu'il avait osé s'aventurer si loin, le Falleen prendrait un plaisir tout particulier à éliminer le garçon.

Il prit une profonde inspiration puis rejeta l'air tout doucement, luttant pour conserver le contrôle de ses moyens. Ce n'était pas dans ses habitudes de laisser ainsi ses émotions se manifester, mais, il n'y avait personne d'autre ici que Guri et son équipe, et il ne se souciait guère de ce qu'elle pouvait penser. Quant à ses gardes, ils seraient remplacés sans exception après ce fâcheux contretemps. L'un d'entre eux avait failli à sa tâche et, pour Xizor, cela signifiait que tous avaient failli. Et tous ceux qui n'étaient pas de simples soldats – les superviseurs – trouveraient leur mise à pied plutôt... douloureuse.

L'élévateur ralentit. Le poids de Xizor sembla augmenter au fur et à mesure que le plancher appuyait avec force sous ses semelles.

– Niveau vingt, annonça le turbo-élévateur.

La porte s'ouvrit en coulissant.

Xizor leva le blaster, canon pointé vers le haut, près de son oreille droite. Une position parfaite qui ne gênait pas les mouvements et permettait de tirer très facilement. Il passait plusieurs heures chaque semaine à s'entraîner dans son stand de tir personnel. Il était excellent tireur.

Guri ne portait pas d'arme. Bien qu'elle soit, elle aussi, excellente au blaster, elle n'avait que très rarement besoin d'en utiliser un.

Ils avancèrent dans le corridor.

– Niveau vingt, dit Dash. C'est la fin de cette cage d'escalier, il va falloir retourner dans les couloirs pour en trouver une autre.

– Il y a combien d'étages ici ?

– Si je me souviens bien, cent deux au-dessus du niveau du sol.

– Bon sang, s'exclama Lando. Et il faut vraiment qu'on monte tous les étages ?

– Non, il y a une aire d'atterrissage au cinquantième étage, dit Luke.

– C'est rien du tout. Trente niveaux à monter, on ne sera même pas essoufflés, ricana Dash.

– J'ai déjà du mal à respirer, répondit Lando.

– C'est que tu te fais vieux, Calrissian.

– Ouais, peut-être, et j'aimerais bien continuer à me faire vieux, si tu vois ce que je veux dire.

– Il devrait y avoir un escalier semblable de l'autre côté du hall, à une soixantaine de mètres d'ici, dit Luke. Allons-y.

Ils se mirent en route.

Xizor les vit le premier car Guri était trop occupée à ouvrir la porte de l'une des nombreuses pièces qui donnaient sur le corridor pour voir s'ils ne s'y cachaient pas. Ils étaient cinq, Leia comprise. Le Wookie était là également. Xizor s'attendait bien à ce qu'il revienne pour la sauver. Trois hommes complétaient le groupe. L'un d'entre eux avait la peau noire; il devait s'agir du joueur professionnel. Un autre ne lui disait rien et le troisième était Skywalker.

Le Prince Sombre se mit à sourire. Il se tourna de côté, baissa son arme et allongea le bras en position de tir. Il appuya sa main libre sur sa hanche, comme s'il s'apprêtait à tirer sur des cibles lors d'une épreuve sportive. Il aligna sa visée sur l'œil gauche de Skywalker, retint sa respiration et pressa tout doucement la gâchette...

Luke repéra l'impressionnante créature au moment où celle-ci le mettait en joue.

Oh oh! Ce type avait dû passer beaucoup de temps à s'entraîner.

Il arracha le sabrolaser de sa ceinture, l'activa et appela la Force à lui...

Le dard d'énergie mortelle fusa vers Luke...

Le sabrolaser se leva d'un mouvement tournant vers l'intérieur et s'arrêta net, comme de sa propre volonté, au niveau du visage, bloquant la vue de l'œil gauche...

Il sentit la violence de l'impact au moment où l'énergie de sa lame dévia l'énergie du rayon. Le coup aurait dû le toucher en plein dans l'œil.

L'individu fit de nouveau feu...

Encore une fois, le sabrolaser bougea, entièrement dirigé par la Force. Un autre rayon vint rebondir sans dommage contre la lame de l'arme Jedi que Luke avait lui-même fabriquée. Il fut dévié vers le bas et alla brûler le plancher...

Xizor fronça les sourcils. Mais comment pouvait-il faire cela ? Personne n'était aussi rapide !

Il ouvrit encore le feu...

Guri bondit dans le corridor. Elle brandissait une chaise, une lourde chose en métal dotée de roulettes. Elle la projeta dans le hall comme si elle ne pesait pas plus lourd qu'un vulgaire caillou...

– Attention ! hurla Luke.

La chaise tournoyait dans sa direction. Il ne pouvait pas se permettre d'utiliser son sabre pour la couper en deux et risquer, dans le même temps, d'encaisser un autre rayon de la part du tireur...

Chewie s'avança à la hauteur de Luke, épaula son arbalète et fit feu...

La chaise explosa en milliers de morceaux qui volèrent vers eux comme une grêle métallique...

Leia vit Xizor et Guri. Elle leva son blaster d'emprunt et fit feu. Se rendant compte immédiatement qu'elle avait tiré trop haut, elle essaya de réajuster son arme...

Xizor réalisa deux choses : ils étaient trop nombreux et Skywalker était capable de bloquer ses rayons. Il était plus stupéfait qu'effrayé et il comprit qu'il lui fallait dégager du hall très rapidement.

– On se replie ! hurla-t-il à Guri.

Elle fit un pas en avant pour s'interposer entre lui et le groupe de Rebelles. Il en profita pour se glisser dans la pièce où Guri avait pris la chaise. Une seconde plus tard, elle le rejoignit.

– C'est intéressant, ce qu'il arrive à faire avec son sabrolaser, observa Xizor.

– C'est bien la preuve qu'il existe un lien entre lui et Vador, répondit-elle. Dois-je appeler les gardes maintenant ?

– Appelez-les, soupira-t-il.

Elle avait déjà empoigné son communicateur.

– C'était Xizor ! hurla Leia.

– Parfait. Rattrapons-le ! répondit Luke.

– Non, je ne crois pas, dit Lando. Regardez !

Une douzaine de gardes venait de déboucher à l'autre bout du couloir. Ils se mirent à tirer.

– Là-dedans ! cria Dash.

Il y avait une porte sur leur gauche. Chewie la défonça. Leia le suivit, Lando et Dash juste derrière elle. Luke passa en dernier, parant et déviant les rayons qui dardaient sur eux comme des frelons en colère.

A l'intérieur de la pièce, une sorte de bureau, ils se questionnèrent du regard.

– Bon, et maintenant, qu'est-ce qu'on fait ? demanda Leia.

Des décharges de blasters passèrent par la porte endommagée.

Lando regarda Luke. Ce dernier hocha la tête.

– Bon, dit Lando. Il est temps de prendre des mesures d'urgence.

Il plongea la main dans l'une des poches du petit sac qu'il portait sur le dos et en sortit une sphère d'acier argenté grosse comme le poing. Elle était garnie de boutons et de contrôles et une fente large comme un doigt courait sur toute sa circonférence. Des diodes électroniques étaient disposées sur le dessus de la sphère ainsi que dans la fente.

Leia regarda la sphère brillante puis leva les yeux vers Luke. Celui-ci hocha la tête à l'adresse de Dash.

D'autres rayons passèrent par la porte. Ceux de l'extérieur ne semblaient pas avoir remarqué que personne ne ripostait.

Dash prit la sphère des mains de Lando.

– C'est un détonateur thermique, expliqua-t-il. Lando en a trois. Ils peuvent être déclenchés soit à retardement, soit manuellement. On bascule cette partie-là, on appuie sur ce bouton et on le maintient enfoncé. Si on lâche le tout sans l'avoir désarmé, ça part...

– Et ça fait quoi, exactement?

– Ça crée une petite réaction de fusion thermonucléaire.

– Ouais, juste assez puissante pour vaporiser un assez gros morceau de tout ce qui peut se trouver à proximité.

– Je vois. Ça veut dire « nous » si ça explose dans cette pièce, c'est ça?

– Tout juste. Mais je suis prêt à parier que notre ami le chef du Soleil Noir n'aimerait pas voir ce genre de joujou s'approcher trop près de lui. Je ne parle même pas de dégâts que cela pourrait causer à son château.

Leia hocha la tête.

– Je peux voir? (Elle prit la sphère et l'examina.) Et si on n'utilise pas le déclencheur manuel?

– Il y a la minuterie. Par défaut, elle est réglée sur cinq minutes. Si vous bloquez le mécanisme ici, une fois le compte à rebours commencé, personne ne peut plus l'arrêter.

– Compris.

Elle soupesa la sphère de métal puis la glissa dans le casque de chasseur de primes qu'elle portait accroché à sa ceinture.

Les hommes se regardèrent.

– Heu... Leia? commença Luke.

– Vous avez bien dit que vous en aviez d'autres, pas vrai? Moi, je me garde celle-là, il se pourrait bien qu'elle me soit utile.

Luke haussa les épaules.

– D'accord. De toute façon, on les a payées avec votre argent, alors...

Les rayons qui mitraillaient la porte s'arrêtèrent soudainement.

– Je pense qu'il est temps d'avoir une petite conversation avec Xizor, dit Luke.

Lando lui tendit un autre détonateur thermique. Luke manipula les commandes. L'objet se mit à émettre un bip régulier. De petites lumières clignotèrent.

Luke inspira profondément.

Xizor ressortit dans le hall et se plaça derrière ses gardes. Ils convergèrent vers la porte défoncée située juste en face d'eux.

Il entendit un petit bruit qui se répétait. Qu'est-ce que ça pouvait bien être ?

Skywalker sortit à son tour dans le hall. Les gardes levèrent leurs armes vers lui mais le garçon ne tenait pas son sabrolaser à la main. Non. A la place, il tenait un petit objet...

Xizor n'avait pas passé sa vie à donner des ordres depuis son fauteuil de commandement. Lui aussi avait, pendant un temps, mis la main à la pâte et traîné ses guêtres sur le terrain. Il savait reconnaître une bombe quand il en voyait une.

– Ne tirez pas, hurla-t-il. Baissez vos armes !

Les gardes le regardèrent comme s'il était devenu fou mais obtempérèrent.

– Bonne idée, dit Luke.

Les autres intrus sortirent et vinrent se placer, Leia en tête, juste derrière Skywalker.

Le bip se mit à résonner très fort dans le couloir devenu silencieux. Des lumières clignotèrent à la surface de la sphère.

– Vous savez ce que c'est, je suppose ? s'enquit Skywalker.

– J'ai une assez bonne idée de la question... répondit Xizor.

– Il est activé en commande manuelle, dit Luke. Si je le lâche...

Il ne lui était pas nécessaire de finir cette phrase.

– Qu'est-ce que vous voulez?

– Partir. Mes amis et moi.

– Si vous lâchez cette bombe, vous mourrez. Vos amis aussi.

Il regarda Leia. Cela serait un tel gâchis...

Le garçon haussa les épaules.

– Telles que les choses se présentent, nous sommes morts, de toute façon. Nous n'avons rien à perdre. Et vous? Etes-vous prêt à abandonner tout ceci? (Il fit un large geste de la main pour indiquer le bâtiment, tout autour d'eux.) C'est un détonateur thermique de classe A, vous savez ce que cela signifie?

Certains des gardes, eux, le savaient, à en juger par leur respiration subitement paniquée et les jurons qu'ils marmonnaient.

– Je pense que vous bluffez.

– Il n'y a qu'une seule façon de le vérifier. C'est à vous de décider.

Xizor réfléchit à la situation. Si le garçon ne mentait pas et si quelqu'un lui tirait dessus, un détonateur de classe A emporterait plusieurs étages du château en un clin d'œil. Avec autant de poutrelles de soutènement endommagées, les quatre-vingts étages au-dessus d'eux s'écrouleraient. La structure tout entière vacillerait comme un arbre que l'on abat et irait s'écraser. Ou alors, l'immeuble entier s'affaiserait sur lui-même et le résultat serait identique. D'une façon ou d'une autre, le château serait perdu, ainsi que tous ses occupants.

Bien sûr, il pourrait faire bâtir une autre demeure. Mais si la bombe explosait, il n'en aurait guère la possibilité. Etait-il donc prêt à risquer tout ce pour quoi il avait tant travaillé, à risquer sa vie pour vérifier si, oui ou non, Skywalker était animé de pulsions suicidaires? Il était de la famille de Vador. Vador, lui, ne raconterait pas de mensonge. Et tous ces gens appartenant à l'Alliance avaient prouvé plus d'une fois qu'ils étaient très courageux et que leurs actions défiaient bien souvent les lois de la probabilité.

Non. Il n'était pas prêt à prendre ce risque.

– D'accord, vous pouvez partir. Personne ne vous en empêchera.

Vivant, il pourrait se lancer à leur poursuite. Mort... Eh bien, mort, il ne pourrait que faire le mort.

Les quatre autres membres du groupe passèrent devant les gardes. Ceux-ci faillirent tomber en arrière en se bousculant pour éviter de se trouver sur leur passage. Comme si quelques mètres pouvaient faire une différence. Les idiots !

Skywalker demeura seul devant Xizor.

Ce dernier observa les autres s'éloigner. Peut-être Guri pourrait-elle être assez rapide pour attraper la bombe avant qu'elle n'explose...

Mais où était donc passée Guri ?

Peut-être pouvait-il essayer de gagner du temps, songea Xizor.

– Vous m'avez causé beaucoup d'ennuis, dit-il à Luke.

– Dommage, répondit Skywalker. Mais vous les avez cherchés.

– Je pourrais toujours vous tirer dessus.

– Vous pourriez toujours essayer.

Il décrocha son sabrolaser et l'activa, la lame pointée vers le sol.

– Je pourrais tirer sur les autres. Sur votre ami le Wookie ? Ou alors sur la Princesse ?

– Nous serions tous soufflés avant que ceci n'atteigne le sol. Vous y compris.

Xizor regarda autour de lui. Soudain, le groupe de fuyards s'arrêta. L'homme à la peau noire fouilla dans son sac et en sortit une autre sphère brillante.

– Et pour quoi faire ? dit Xizor en souriant d'un air narquois. Vous ne pouvez pas nous tuer plus en faisant exploser une deuxième bombe.

L'homme à la peau noire sourit à son tour. Il y avait un vide-ordures tout près de l'endroit où il se tenait. Le conduit allait jusqu'aux bacs de recyclage situés dans les sous-sols. L'homme appuya sur l'un des contrôles du détonateur. Celui-ci se mit à clignoter et à émettre son sinistre bip.

Xizor eut un terrible pressentiment.

– Non ! hurla-t-il.

Mais l'homme jeta la bombe dans le vide-ordures.

– Vous avez cinq minutes pour quitter le bâtiment, dit l'homme à la peau noire. Si j'étais vous, je me presserais un peu.

Xizor fit volte-face et s'adressa aux gardes.

– Prenez les turbo-élévateurs, allez au sous-sol, trouvez-moi cet engin et débarrassez-nous-en !

Il perdait son temps. Les gardes pris de panique rompirent les rangs et se mirent à courir en hurlant. Certains bousculèrent Xizor et faillirent le renverser.

Le temps qu'il recouvre ses esprits, Skywalker, Leia et les autres avaient disparu. Et ses propres soldats étaient en train de prendre le même chemin !

Dans moins de cinq minutes, le château allait être détruit.

Xizor se mit aussi à courir. Il possédait un turbo-élévateur express privé. En se dépêchant, il pouvait rejoindre son vaisseau personnel et fuir.

Ses émotions échappèrent à tout contrôle. Un feu glacé était en train de consumer sa raison et se transformait, petit à petit, en colère meurtrière. Il allait rejoindre son vaisseau et il se lancerait à leur poursuite... Il les traquerait jusqu'au bout de la galaxie, s'il le fallait.

Ensuite, ils paieraient pour tout cela. Ils paieraient de leurs vies.

39

Ils empruntèrent un ascenseur et lui ordonnèrent de forcer l'allure. Moins d'une minute plus tard, ils atteignaient le cinquantième étage. Au cours de la montée, Luke débrancha le détonateur et le rendit à Lando. Il y avait peu de chances pour que Xizor lance maintenant d'autres gardes à leurs trousses. N'importe qui doté d'un peu de jugeote se précipiterait vers la sortie la plus proche sans réfléchir. D'autant plus que le vacarme assourdissant du signal d'alarme n'aidait pas particulièrement à la réflexion ! L'un des gardes avait dû le déclencher juste avant de s'enfuir.

Cela leur laissait donc suffisamment de temps pour s'échapper...

Si C3 PO et D2 étaient au rendez-vous.

S'ils ne l'étaient pas, ils auraient l'éternité pour le regretter.

Les portes de l'ascenseur s'ouvrirent. Alors qu'ils en sortaient, une trentaine de personnes surexcitées se précipitèrent dans la cabine et s'y entassèrent, l'occupant au maximum. Ceux qui ne purent embarquer se mirent à jurer, à crier ou encore à pleurer. Certains se précipitèrent vers le turbo-élévateur le plus proche et appuyèrent désespérément sur la touche d'appel.

– Ça doit être l'heure de la sortie, observa Dash.

– Oh, ils ont bien quatre bonnes minutes devant eux, dit Lando d'une voix sèche. Ils feraient mieux de se grouiller.

– Plutôt cynique comme remarque, dit Luke.
– Eh bien, ils n'avaient qu'à y penser avant, au moment où ils ont signé pour travailler pour le Soleil Noir, répondit Lando. La criminalité, c'est un métier à haut risque.
– L'aire d'envol devrait être par là, dit Dash. Venez!
Il n'y avait plus grand monde dans le couloir. Sous leurs yeux, la porte d'un autre ascenseur s'ouvrit. La cabine était à moitié pleine, occupée par des personnes descendues des niveaux supérieurs, et le peu d'espace restant fut immédiatement investi par les gens qui attendaient. Lorsque les portes se furent refermées, Luke et ses compagnons se retrouvèrent seuls.
Ils se mirent alors à courir dans la direction que Dash espérait être la bonne.
Une cinquantaine de mètres plus loin, Luke entendit quelque chose. Il fit appel à la Force pour scruter les environs mais ne trouva rien. Il fit signe aux autres.
– Continuez, je vous rejoins tout de suite!
Ils se remirent en route.
Luke décrocha son sabrolaser de sa ceinture et l'alluma.
– Le Chevalier Jedi dans toute sa splendeur! fit une voix de femme. Une légende vivante!
Il se retourna. La femme – ou plutôt le droïd – appelée Guri l'observait. Luke savait qu'il s'agissait d'un droïd car Lando lui avait tout raconté avant qu'ils n'arrivent au château.
– Vous avez causé beaucoup d'ennuis à mon maître. Pour cela, vous allez mourir.
Luke pointa sa lame vers elle. Elle ne semblait pas avoir d'arme mais Lando l'avait mis en garde : elle pouvait être extrêmement rapide et elle était très forte.
– Mais vous, vous tenez ce sabre et moi, moi je suis désarmée, continua-t-elle.
Elle écarta doucement les bras, les paumes tendues vers Luke.
Il lui restait environ trois minutes. La chose la plus intelligente à faire était de la terrasser d'un coup de sabre et de rejoindre les autres. Ou, tout au moins, de la forcer à s'écarter en la menaçant et de gagner l'aire où – si tout se passait normalement – devait attendre le *Faucon*.

Mais, pourquoi donc fallait-il se mettre à raisonner intelligemment à cet instant précis ?

Il éteignit le sabrolaser, le raccrocha à sa ceinture et vérifia qu'il était bien attaché.

– Qu'est-ce que vous voulez ?

– Un test, dit-elle. Mon maître, lui, affronte souvent des ennemis mortels. Mais moi, je n'ai jamais rencontré personne susceptible de m'égaler dans un combat à mains nues. Si ce que j'ai entendu est vrai, seul un Chevalier Jedi en serait capable.

– Le bâtiment va être détruit dans trois minutes. Croyez-vous vraiment que nous ayons le loisir de nous adonner à ce petit jeu ?

– Cela ne prendra pas tant de temps. Vous avez peur de mourir, Skywalker ?

Bien sûr qu'il avait peur...

Et pourtant, après quelques secondes de réflexion, il comprit qu'il n'avait pas si peur que cela.

La Force était avec lui. Advienne que pourra.

Elle bondit sur lui.

Elle était d'une rapidité incroyable. Seul, il n'aurait jamais réussi à l'éviter mais la Force coulait en lui.

Il fit un pas sur la droite et envoya un coup de pied à Guri qui fondait sur lui. Il la frappa au côté, la fit dévier sans pour autant la déséquilibrer.

– Pas mal, dit-elle.

Luke fut ravi de connaître son opinion. Sa rapidité tenait du surnaturel et ce n'était qu'en s'accrochant fermement à la Force qu'il parvenait à lui tenir tête.

Elle le contourna, apparemment à la recherche d'une ouverture pour attaquer...

– Luke !

Le cri de Leia lui fit tourner la tête. Il vit qu'elle et les autres s'étaient arrêtés pour le regarder...

Cet instant d'inattention suffit à Guri. Elle fit une longue enjambée et frappa...

Luke essaya de reculer précipitamment mais le poing du droïd s'enfonça dans son estomac.

– Ooooff !

Elle enchaîna par un coup de coude mais il plongea pour l'esquiver, fit un roulé-boulé, se tourna et se releva, les mains en avant, pour parer une nouvelle attaque...

Il perdit le contact avec la Force. Il était seul...

Elle le frappa près de l'oreille et il tomba, assommé. S'il ne réagissait pas assez vite, elle allait le tuer!

La Force. Laisse-la travailler pour toi, Luke.

Luke entendit, résonnant à travers le temps et l'espace, la voix de Ben qui l'appelait de très loin. Il réussit à inspirer. Guri était en train de lever le bras et s'apprêtait à lui assener un coup du tranchant de la main. Un sourire de triomphe lui éclairait le visage...

Luke rejeta l'air de ses poumons. Et en même temps il se débarrassa de ses peurs et de ses craintes.

Il fallait qu'il fasse confiance à la Force, totalement.

Guri ralentit, comme si elle s'enlisait dans le temps. Il vit sa main descendre, prête à frapper, mais tout doucement, incroyablement doucement. Il avait le temps de rouler sur le côté avant qu'elle ne l'atteigne...

Ce qu'il fit. Il eut l'impression de se déplacer à une vitesse normale. Il eut l'impression que l'air crépitait autour de lui alors qu'il se mouvait. Un vent très puissant souffla contre ses oreilles.

Il se releva, pivota, projeta sa paume contre la main qui s'abattait sur lui et dévia le coup. Il lança sa jambe gauche et, dans un mouvement circulaire, fouetta Guri derrière la cheville droite. Les pieds du droïd quittèrent le sol, toujours au ralenti, et Guri bascula. Elle sembla flotter jusqu'à terre et tomba à plat sur le dos...

Le temps sembla reprendre alors son cours normal.

Le cri de Leia résonnait toujours dans le couloir.

Lorsqu'elle toucha le sol, sa chute produisit un bruit dont il ressentit les vibrations de l'endroit où il se trouvait. Il n'avait jamais entendu quelqu'un tomber avec autant de violence.

Le choc assomma Guri.

Luke saisit son sabrolaser et l'activa. Ce droïd représentait un danger mortel, on ne pouvait pas le laisser en activité. Il leva sa lame.

Allongée sur le dos, sonnée, elle parvint tout de même à sourire.

– Vous avez gagné, dit-elle. A la loyale. Allez-y.

Toi, elle t'aurait certainement achevé.

Le temps sembla de nouveau s'étirer, se déformer comme du plastique chauffé à blanc...

Luke baissa son arme et l'éteignit.

– Venez avec nous. Nous pouvons vous faire reprogrammer.

Elle s'assit.

– Non. Si on arrive à pénétrer mes blocs cérébraux, si – d'une façon ou d'une autre – mes mémoires sont téléchargées, cela risque d'être fatal pour moi autant que pour mon Maître. On a beaucoup de choses à nous reprocher. Autant en finir tout de suite.

– Ce n'est pas votre faute, dit Luke. Vous ne vous êtes pas programmée vous-même.

– Je suis ce que je suis, Jedi. Je ne crois pas qu'il y ait une possibilité de me sauver.

– Luke ! Il faut y aller !

Il secoua la tête.

– Il y a eu assez de tuerie comme ça. Inutile d'en rajouter.

Il lui adressa un petit salut, tourna les talons et se mit à courir.

Leia vit Luke éteindre son sabrolaser, dire quelque chose à Guri puis se retourner et courir vers eux.

Elle avait perdu toute notion du temps mais on devait approcher de l'instant fatidique.

Le groupe rejoignit précipitamment l'aire d'envol.

Il n'y avait aucune trace du *Faucon Millenium*.

Le vaisseau personnel de Xizor, le *Virago*, était parqué au niveau le plus élevé du château. Puisqu'on veillait toujours à ce que ses réservoirs soient pleins et qu'on le maintenait en état d'alerte permanente, il n'était pas nécessaire de procéder aux vérifications d'usage avant l'envol. Xizor courut vers l'appareil. En dépit du vacarme causé par le signal d'alarme, il fut surpris de constater que les gardes chargés de surveiller le vaisseau étaient toujours à leur place. Ils avaient l'air très nerveux, cependant.

– Le bâtiment va exploser d'un instant à l'autre, dit-il simplement, comme s'il s'agissait d'une broutille. Prenez l'un des glisseurs et dégagez. Vous avez deux minutes pour vous mettre à l'abri.

Les gardes s'inclinèrent et prirent la fuite. Au bout du compte, peut-être que la défection d'un élément ne signifiait pas nécessairement que tous les effectifs se conduisaient de la même façon. Une fois cette histoire terminée, ces deux gardes pourraient retrouver leur travail sans problème, ils pourraient même obtenir une promotion, qui sait ? Il était si rare de rencontrer quelqu'un de loyal par les temps qui couraient.

Il monta à bord du *Virago* et ferma l'écoutille. Il lui faudrait une minute pour mettre en route tous les systèmes. Trente secondes plus tard, il serait à plus de cinq kilomètres de là. Le *Virago* était l'un des vaisseaux les plus rapides de cette planète.

Il s'installa aux commandes, passa la main sur les senseurs de l'ordinateur et regarda les écrans s'allumer. Il irait jusqu'à sa résidence orbitale. Là, sa propre flotte attendait, postée autour de la station spatiale : plusieurs corvettes, quelques frégates, des centaines de chasseurs arrachés aux surplus et remis à neuf. Il supposa que ceux qui étaient responsables de la destruction de son château devaient avoir un appareil dissimulé quelque part pour leur permettre de prendre la fuite.

Dès que cet appareil atteindrait l'orbite de la planète, sa flotte pourrait le cueillir.

– Tous systèmes opérationnels, dit la voix de l'ordinateur.

Excellent. Il posa les mains sur les commandes de décollage. Il lui restait plus d'une minute.

Il marqua une pause et regarda son château par la baie du cockpit. Dommage qu'il soit détruit. Il y avait passé tant de bonnes années et l'endroit lui manquerait certainement. Mais il pourrait en reconstruire un, plus grand, plus beau, plus majestueux. En attendant de pouvoir s'emparer de celui de l'Empereur.

Il appuya sur les commandes. Le *Virago* décolla en douceur de l'aire d'envol et s'éleva dans la lumière du soleil.

Il venait de parcourir quelques centaines de mètres, une distance bien suffisante pour être à l'abri, lorsqu'il vit un cargo corellien dans un état pitoyable lui foncer dessus. L'appareil semblait avoir échappé au contrôle de son pilote; il tournait en vrille autour de son axe tout en faisant des écarts et des sauts désordonnés.

Xizor poussa un juron, enclencha ses propulseurs secondaires et vira de bord. Le *Virago* obliqua à bâbord puis fit un bond en avant comme si on venait de lui administrer un violent coup de pied.

L'autre vaisseau le manqua de peu.

Mais qui était le fou furieux qui se trouvait aux commandes?

Cela n'avait guère d'importance. Xizor était en sécurité, à présent. L'espace d'un instant, il se demanda ce qu'il était advenu de Guri. Une autre perte.

Enfin. La vie pouvait parfois être bien difficile. Il fallait survivre et, encore une fois, le Prince Sombre y était parvenu. Il fallait survivre et ensuite, s'assurer que les ennemis regrettent que l'ont ait survécu...

Dash le vit le premier.

– Nom d'un bantha! hurla-t-il en désignant quelque chose dans le ciel.

Luke leva les yeux et vit le *Faucon Millenium* qui approchait.

Et il approchait vite, trop vite, tournoyant comme un jouet gyroscopique devenu fou.

Ils l'observèrent rétablir son assiette; au moins avait-il cessé de tourbillonner. Mais il approchait toujours trop vite.

– A terre! brailla Lando.

Tous se couchèrent sur le sol.

L'appareil faillit se poser puis reprit immédiatement son envol, effleurant l'aire de son train d'atterrissage. Il passa à un mètre au-dessus d'eux puis vira sur tribord. Le déplacement d'air faillit tous les emporter.

Luke releva la tête et vit le *Faucon* heurter une parabole de transmission. Les morceaux de l'antenne volèrent dans toutes les directions.

– C3 PO, je vais te massacrer ! tonna Lando.

Ils se relevèrent et virent l'appareil faire demi-tour. Luke sortit son communicateur.

– C3 PO, coupe tes moteurs ! Amorce ta descente en n'utilisant que les répulseurs ! Et dépêche-toi !

– J'essaye, Maître Luke, j'essaye. Ces commandes sont fichtrement sensibles.

Le vaisseau s'éleva brusquement sur une centaine de mètres, comme catapulté.

D2 sifflait si vite et si fort qu'il en aurait presque grillé un circuit.

Le *Faucon* fit une embardée, dévia sur le côté et tomba. L'appareil se rétablit juste au moment où tout le monde croyait qu'il allait s'écraser sur le toit. Il rebondit et monta en chandelle, comme happé par une colonne d'air.

Enfin, le vaisseau perdit de la vitesse. Il sembla flotter comme une feuille morte emportée par une douce brise. Puis il s'arrêta et resta en suspension à une cinquantaine de mètres au-dessus de l'aire d'envol.

Luke regarda alentour. Cinquante mètres. Cinq mille mètres. Quelle différence ? Il était bien trop loin, de toute façon. Il leur restait moins d'une minute.

– Mais pose donc cet appareil, foutu droïd ! hurla Lando.

– Dommage que Lebo ne soit pas aux commandes, dit Dash. Lui, au moins, c'est un sacré pilote.

– Tant qu'à faire, je préférerais que nous soyons aux commandes, ajouta Leia.

Juste à côté de la porte d'accès, Luke aperçut quelque chose qui ressemblait à deux paires d'ailes repliées et réalisa qu'il s'agissait d'ailes delta. Avec cela, on pouvait planer jusqu'à un immeuble voisin, ou se poser à des kilomètres de là, en pleine rue. Si le vaisseau n'atterrissait pas dans les secondes à venir, il attacherait l'un des engins sur le dos de Leia et la pousserait dans le vide. L'autre aile devrait emporter quatre passagers, dont un Wookie. Ce serait trop lourd mais il y avait quand même une chance pour que cela marche. Luke avait appris, au cours du combat contre les quadripodes impériaux sur Hoth, qu'on pouvait ralentir considérablement une chute grâce à la Force. Maître Yoda lui avait appris en plus que...

– Ça y est, le voilà ! s'exclama Dash.

Le *Faucon* descendit vers eux. Ils reculèrent. L'appareil resta en suspens à deux mètres au-dessus de l'aire puis tomba comme une pierre. Les trains grincèrent de façon sinistre mais semblèrent tenir bon. La rampe d'accès s'ouvrit en grand.

– Allez ! Allez ! Allez ! hurla Luke.

Chewie attrapa Leia, la prit dans ses bras et se mit à courir. Dash et Lando lui emboîtèrent le pas, Luke fermant la marche.

Au moment où Luke rejoignait le vaisseau, la rampe était déjà en train de se refermer.

Il se glissa à l'intérieur et alla retrouver les autres dans le cockpit.

Il devait à peine leur rester une trentaine de secondes...

Dash atteignit le cockpit le premier, Lando et Luke sur les talons.

– Dégage ! hurla Dash à C3 PO.

– Je dégage, je dégage !

Dash poussa le droïd et s'installa dans le siège du pilote. Ses mains se mirent à danser au-dessus des commandes.

Le droïd rebondit contre le fauteuil du copilote. D2 se mit à siffler frénétiquement.

– Il n'est pas nécessaire d'être impoli, Maître Dash...

Il y eut un profond grondement sous leurs pieds. Le *Faucon* vibra.

– Allez, Dash ! hurla Lando.

Luke regarda par la baie vitrée et, bien que conscient qu'ils couraient tous un grave danger, il remarqua quelque chose :

L'une des ailes delta avait disparu.

Le vaisseau bascula, tangua, commença à glisser...

... et décolla...

– Allez ! Allez !

Le *Faucon Millenium* pivota et prit de l'altitude. Pendant la manœuvre, Luke vit l'immeuble trembler et l'aire de décollage s'écrouler. Le bâtiment s'effondra sur ses bases comme un château de sable dans lequel on aurait donné un coup de pied. De la fumée s'éleva ; un terrible crissement, comme le bruit d'une craie frottée sur un tableau noir, retentit. Des langues de feu montèrent vers le ciel. Les conduits électriques géants se mirent à cracher des millions d'étincelles multicolores. Des explosions éclatèrent un peu partout et des débris volèrent dans tous les sens. Le *Faucon* accéléra pour fuir les retombées.

Dash s'arc-bouta sur la commande des propulseurs et le vaisseau fit un bond en avant.

Au-dessous d'eux, le château de Xizor, Seigneur de la pègre, dirigeant du Soleil Noir, fut englouti par les flammes et transformé sur-le-champ en ruine fumante.

Pour une fois, Lando s'abstint de tout commentaire.

Leia rejoignit les autres dans le cockpit déjà bien encombré.

– Tirons-nous d'ici, dit Luke. Pas de tralala, Dash, prends le chemin le plus direct et mets les gaz.

– Pigé, répondit Dash.

C3 PO se releva tant bien que mal de derrière le fauteuil.

– Je crois ne m'être pas trop mal débrouillé pour le pilotage, dit-il.

Tous se retournèrent pour le regarder.

– Mais je ne crois pas que l'envie de recommencer me reprenne avant longtemps, se dépêcha-t-il d'ajouter.

Luke secoua la tête, sourit et ne put s'empêcher de pouffer.

Tout à coup, c'était comme si toute sa tension nerveuse se relâchait de façon incontrôlable. En l'espace d'une seconde, ils éclatèrent tous de rire, à l'exception de C3 PO et de D2.

– Qu'y a-t-il donc de si amusant? demanda un C3 PO indigné.

Ils se mirent à rire de plus belle. Ils y étaient arrivés, ils étaient sains et saufs.

Enfin presque. Mais au moins avaient-ils eu raison de la partie la plus difficile.

40

Xizor était furieux et ne se souvenait pas l'avoir jamais été autant. Hormis, peut-être, lorsqu'il avait appris la mort de toute sa famille. Son château n'était plus, toutes ses richesses, toutes ses bases de données détruites en un instant. Des objets de valeur et des archives qu'il serait impossible de remplacer car il n'en existait aucune copie. Les dossiers sur les chantages en cours, les projets personnels, les secrets les plus cachés du Soleil Noir depuis qu'il en était la tête, tout avait disparu, en un claquement de doigts. Il lui faudrait des années pour s'en remettre. S'il devait arriver quelque chose à Xizor, son successeur n'aurait nulle possibilité de quantifier tout ce qui pourrait manquer dans les dossiers et les archives. Tout simplement parce qu'il ignorerait l'existence même de la plupart des pièces. Il ne pourrait ainsi jamais connaître l'identité des responsables de la destruction des archives du Soleil Noir. Tous les dossiers sur Skywalker et sur la Princesse étaient enregistrés dans l'ordinateur personnel de Xizor et les copies de sauvegarde étaient inutilisables.

Malgré sa colère, Xizor garda le contrôle de sa voix et de son émotion en appelant sa résidence orbitale. Il avait fait le rapprochement : ce petit cargo corellien qu'il avait failli heurter en s'enfuyant du château était bien le même appareil que ses hommes recherchaient depuis longtemps.

Le même appareil qui était venu à la rescousse de Skywalker, Leia et leurs amis.

Mais peut-être n'était-il pas arrivé à temps pour les sauver ?

Etant donné le cours qu'avaient suivi les choses ces temps derniers, il y avait peu de chances pour que ce soit le cas. Mieux valait en être sûr.

Diriger une affaire de transport avait quelques avantages lorsqu'il s'agissait de décrire un vaisseau spatial.

– Un cargo corellien, en forme de soucoupe et dans un état plus que douteux, va bientôt quitter l'atmosphère de la planète, dit-il au commandant de sa flotte. Un modèle YT-Mille Trois Cents, un peu plus de vingt-cinq mètres de long, capacité cent tonnes. Repérez-le et détruisez-le. L'arraisonner et capturer son équipage et ses passagers me suffira le cas échéant. Cependant, si l'appareil réussit à vous filer entre les doigts, vous – et tous les autres – serez considérés comme responsables et transformés en engrais pour mes plantes avant le lever du soleil. Me suis-je bien fait comprendre ?

– Tout à fait, mon Prince.

– Bien. (Il tendit la main vers l'interrupteur pour couper la transmission.) Je te tiens, Skywalker.

– Je vous demande pardon, Votre Altesse ?

– Heu, non, rien. Laissez tomber.

Il appuya sur le bouton et interrompit la communication. Il n'aurait probablement pas dû mentionner ainsi le nom de Skywalker. Cela n'avait pas beaucoup d'importance, ce canal était brouillé, de toute façon. Plus rien n'avait d'importance, il en aurait bientôt fini avec cette histoire.

Il consulta le chronomètre intégré dans la console de pilotage. Il serait très vite rendu à sa résidence.

– Seigneur Vador ? Vous avez demandé à être prévenu dès que ce nom serait prononcé, dit l'officier.

Vador prit la carte en plastique des mains de l'homme et la passa dans son scanner.

– D'où tenez-vous cela ?

– Une transmission codée d'un vaisseau appelé le *Virago*, mon Seigneur. Il est en route pour la station *La*

Phalange du Falleen qui est en orbite autour de Coruscant. Cet appareil est enregistré sous le nom de...

– Je sais à qui il appartient, dit Vador.

Il broya la petite feuille de plastique contenant les données entre ses doigts.

Et bien que l'officier ne puisse pas s'en rendre compte, Dark Vador se mit à sourire sans faire attention à la douleur qui en résultait.

– Que l'on prépare ma navette.

Il avait ordonné à Xizor de ne pas s'en prendre à Luke. Le criminel avait donc choisi de ne pas tenir compte de cet ordre.

Une grossière erreur.

Vador était ravi. Ils avaient joué au petit jeu de Xizor pendant suffisamment longtemps, maintenant ils allaient jouer au sien...

– Luke ? Tu veux bien prendre le relais, s'il te plaît ? demanda Dash.

– Bien sûr, répondit Luke. (Il était déjà installé dans le siège du copilote et prit les commandes du vaisseau.) Où allons-nous ?

– Nulle part. Il faut juste que je siffle mon fidèle destrier.

– Quoi ?

Dash sortit une petite boîte noire et rectangulaire de sa ceinture.

– Communicateur longue portée à monocanal blindé. Il est temps de dire à Lebo de décoller et de placer mon appareil sur orbite. On va se donner un point de rendez-vous ; je vous emprunterai une combinaison – y a toujours des combinaisons spatiales à bord de ce tas de ferraille, j'espère ? – et je pourrai alors rejoindre un vrai vaisseau. J'en peux plus de cette vieille caisse branlante.

– Je pense qu'on peut arranger cela, fit Luke en souriant.

– Après ça, vous, vous reprenez votre route et moi, je repars de mon côté. La facture pour le nettoyage du château, là en bas, risque de ne pas vraiment arranger mes petits comptes avec l'Empire.

– Je t'assure que tu devrais envisager de rejoindre l'Alliance, dit Luke. Tu es vraiment quelqu'un de grande valeur et nous avons besoin de gars comme toi.

– Merci, Luke, mais non, je ne pense pas. Je suis plutôt du genre cavalier solitaire.

Il appuya sur le bouton de mise en route de son communicateur spécial.

– Hé ! Lebo ! Espèce de tas de boulons rouillés, dégrippe-toi les engrenages et viens me retrouver à ces coordonnées...

– Mon maître n'est pas là en ce moment. Puis-je prendre un message ?

– Très drôle, dit Dash. (Il se tourna vers Luke.) N'achète jamais un droïd programmé par un comique dont la carrière a tourné court.

Xizor rejoignit sa station sans encombre. Sa flotte venait de se déployer. Puisque ses vaisseaux étaient pourvus des accréditations nécessaires, les Impériaux ne bronchèrent pas.

Le Prince Sombre se dirigea à grandes enjambées vers son centre de commandement. C'était un pont aux parois entièrement constituées de plaques de transparacier et offrant une vision à 360 degrés de l'espace autour de la résidence orbitale.

Il activa la communication avec le commandant de sa flotte. Une image holographique de l'officier apparut.

– Oui, mon Prince ?

– Avez-vous déployé vos vaisseaux, Commandant ?

– Oui, Votre Altesse. Nos senseurs ont été réglés pour détecter tout vaisseau répondant aux critères que vous nous avez communiqués. S'il quitte la planète, nous pourrons le repérer.

– Parfait. Tenez-moi informé.

L'image disparut et Xizor plongea son regard dans la noirceur de l'espace. Dès son arrivée, il avait constaté que les conversations allaient bon train. Les rumeurs avaient atteint la station avant même qu'il n'y accoste mais personne n'avait osé lui poser directement des questions à propos du désastre survenu sur Coruscant. Peu importe. Il s'était sorti de pires situations.

Il survivrait à celle-ci et il arriverait même à transformer cette catastrophe en victoire.

– Merci pour la balade, annonça Dash dans le communicateur.

L'*Outrider* volait parallèlement au *Faucon Millenium* par bâbord avant. Les deux vaisseaux suivaient la même orbite. On aurait presque pu, même en pleine gravité, jeter une pierre d'un vaisseau à l'autre. Dash avait parcouru la courte distance de vide spatial en se plaignant de la mauvaise odeur qui régnait à l'intérieur de la combinaison qu'il avait empruntée.

– Tu veux qu'on fasse la course jusqu'au point de saut dans l'hyperespace ? demanda Luke.

Le jeune homme avait pris les commandes et occupait maintenant le siège du pilote. Lando était assis à côté de lui et Leia debout derrière eux.

Dash éclata de rire.

– C'est ça, ouais, et tu veux que je te laisse un petit handicap ? disons un parsec d'avance ?

– Non, je...

Un faisceau de lumière verte éclata entre les deux appareils. C'était le rayon de visée du canon d'un vaisseau de grande taille. On ne pouvait jamais voir le laser lui-même dans le vide de l'espace, mais il suivait toujours le marqueur ionique d'acquisition de cible qui était, lui, parfaitement visible.

On tirait sur eux.

– Oh oh, on dirait qu'on a de la visite.

D'autres rayons chargés de particules scintillèrent autour d'eux. Aucun ne semblait réellement proche. Enfin, si on considère que quelques mètres suffisent à définir une notion de proximité.

Luke mit les gaz. Le *Faucon* fit un bond, comme un animal sauvage à qui on aurait fait peur.

– Je vois une corvette non identifiée qui nous arrive dessus par le deux-sept-zéro, dit Lando. Et quatre chasseurs au trois-cinq-neuf ! Ce ne sont pas des vaisseaux impériaux ! Mais enfin, qui sont ces types ?

– Qu'est-ce que ça peut faire ? remarqua Luke. Il faut qu'on dégage ! Chewie, les canons !

– Tu as entendu le patron, boule de poil ? demanda Leia. Tu préfères quoi ? Les dorsaux ou les abdominaux ?

Chewie poussa un grognement et disparut dans la coursive avec Leia.

– Bonne chance, Dash ! cria Luke.

– Toi aussi, Luke.

Luke mit le cap sur l'espace profond et accéléra. L'appareil vacilla sous l'impact d'un rayon qui venait de rebondir sur ses boucliers déflecteurs.

Il fallait qu'ils quittent le Système, et vite, pour pouvoir passer en hyperespace.

– Prince Xizor, nous venons de localiser le cargo corellien, dit la voix de la représentation holographique du commandant.

– Et ?

– Nous venons d'engager la poursuite. Le vaisseau sera détruit d'un instant à l'autre.

Xizor hocha la tête.

– N'en soyez pas si sûr, Commandant. Ils ont beaucoup de chance.

– Ce n'est pas de chance dont ils ont besoin, mon Prince, mais d'un miracle. Nous les avons encerclés.

Xizor hocha de nouveau la tête.

– Il y a comme qui dirait un mur entre nous et l'endroit où nous voulons aller, dit Luke.

– Eh bien, il n'y a qu'à trouver un autre chemin, répondit Lando. Tu veux que je prenne les commandes ?

– Non.

Un rayon les toucha et les fit partir de travers. Les déflecteurs résistèrent.

Lando hurla dans le communicateur :

– Je croyais que vous étiez censés leur tirer dessus, vous deux !

Chewie et Leia hurlèrent en même temps leur réponse. Luke était trop occupé à piloter pour prêter réellement attention à leurs paroles. Il entama une chandelle à pleine vitesse puis fit faire un renversement à l'appareil pour retourner à l'endroit d'où ils venaient.

– Chewie aimerait savoir comment il pourrait toucher quoi que ce soit si tu fais des loopings comme ça, demanda Lando.

– Mais comment peut-il rater une cible ? On est encerclés ! Même en tirant dans tous les sens, il devrait bien être capable de dégommer quelque chose, non ?

Une forme noire passa en trombe devant eux. L'*Outrider* fit parler ses canons.

Devant le *Faucon*, un chasseur ennemi explosa.

– Tu vois, Chewie ? C'est comme ça qu'il faut faire, dit Lando.

Chewie lui hurla quelque chose en guise de réponse.

– Avez-vous intercepté le vaisseau, Commandant ?

– Pas encore, Altesse. Ils sont... heu... très doués. Qui plus est, il y a un second appareil maintenant, et ils ripostent. Nous ne réussissons pas à fixer un signal sur le deuxième mais il semble équipé d'une très lourde artillerie.

– Si ma propre flotte n'est pas capable d'éliminer deux petits vaisseaux, c'est qu'elle a certainement besoin d'un nouveau commandant, dit Xizor.

– Nous allons les abattre, notre étau se resserre. Ils n'auront bientôt plus la place de manœuvrer.

Les vaisseaux attaquants étaient en train de créer une sorte de périmètre dans l'espace au-dessus de la planète. Beaucoup de transporteurs et de cargos civils allaient et venaient et Luke avait un mal de chien à les éviter tout en essayant d'échapper aux chasseurs ennemis. Les civils tentaient d'éviter les tirs, ce qui ne faisait que rendre les choses encore plus difficiles. Tôt ou tard, la Marine Impériale se réveillerait et se joindrait à la confusion générale. Luke se demanda d'ailleurs pourquoi les vaisseaux de l'Empire n'avaient pas encore montré le bout de leur vilain nez.

Tout en se faisant cette remarque, il vit l'un des agresseurs tirer sur le *Faucon*. Il manqua sa cible mais le rayon alla frapper un vaisseau de croisière et perça l'un des convertisseurs de propulsion. Il y eut un éclair aveuglant et les propulseurs du transport rendirent l'âme. Beaucoup de dégâts, probablement sans victime.

– De piètres tireurs, dit Lando. On dirait qu'ils se foutent de tirer sur des innocents.

Luke hocha la tête. Il avait cru qu'il pourrait profiter du trafic spatial pour voler entre les vaisseaux et éviter de se faire toucher. Mais Lando avait apparemment raison : leurs agresseurs n'avaient que faire des autres appareils sur lesquels ils déchaînaient leur artillerie.

Ils étaient coincés. Il n'y avait plus d'issue possible. Dommage qu'il ne puisse rejoindre son aile-X. Cela dit, un vaisseau supplémentaire n'aurait certainement pas pesé beaucoup dans la balance.

Les choses tournaient mal. Très mal...

L'un des chasseurs ennemis fonça sur eux. Ses canons brûlèrent comme des yeux de plasma en fusion...

Et le chasseur explosa. Le *Faucon* traversa en trombe le nuage de débris. Les éclats rebondirent comme des gouttes de pluie solides sur la verrière du cockpit.

– Excellent coup ! hurla Luke. C'était qui ? C'était toi, Leia ?

– Non, lui dit-elle en retour. J'en ai déjà suffisamment qui pullulent dans mon coin. C'était certainement Chewie.

Celui-ci répondit quelque chose.

– Il dit que ce n'est pas lui non plus, traduisit Lando.

Luke écarquilla les yeux. Mais alors qui ?

– Hé, Luke ! dit une voix dans le communicateur. Ça te pose un problème si on se joint à la fête ?

– Wedge ! Mais qu'est-ce que tu fous là ?

– Eh bien, on est venus te chercher. Le droïd de Dash nous a envoyé un signal de détresse. Désolé qu'il nous ait fallu tant de temps pour venir jusqu'ici.

L'un des autres attaquants explosa dans une gerbe de feu.

– Bon, ça ira pour cette fois mais que cela ne se reproduise plus ! dit Luke en souriant.

Maintenant que l'Escadron Rogue était là, ils avaient peut-être un peu plus de chance de s'en tirer.

Luke fit opérer au *Faucon* un large virage.

– Il semblerait qu'il y ait un petit problème, mon Prince, dit le Commandant.

Xizor, qui observait les éclairs des décharges énergétiques et des explosions de vaisseaux depuis sa passerelle, fronça les sourcils.

– C'est bien ce que j'avais cru remarquer. Pourquoi vos appareils explosent-ils, Commandant ?

– Un escadron de chasseurs, type aile-X, vient de se joindre à la mêlée. Ils ne sont pas plus d'une douzaine. Cela ne fera, de toute façon, que... retarder de très peu l'inévitable.

– En êtes-vous certain, Commandant ?

– Nous sommes toujours supérieurs en nombre, à vingt contre un, Votre Altesse. Et nos frégates se tiennent sur l'arrière au cas où ils réussiraient à passer nos corvettes et nos chasseurs. Ils ne peuvent pas s'échapper.

– J'espère que vous avez raison, Commandant.

Luke força le *Faucon* dans un plongeon avec retournement à quatre-vingt-dix degrés par rapport à leur cap. Un trio de chasseurs ne lâcha pas prise et continua de leur tirer dessus de plus belle. Il se réjouissait que les Rogues les aient rejoints et pourtant ils étaient tout de même en train de perdre la bataille. Avec tout ce trafic de vaisseaux civils, ces résidences orbitales, ces stations spatiales, ces satellites énergétiques et ces plates-formes de communication, l'espace autour de Coruscant était loin de ressembler au vide absolu.

Les communicateurs ne cessaient de bourdonner :

– Je les ai, Luke, dit Wedge.

– Non, ils sont pour moi, rétorqua Dash.

Un autre attaquant explosa par bâbord avant.

– Ce coup-ci, ça venait de moi, jubila Leia. Vous avez deviné qui étaient ces gars ?

– Pas encore, dit Luke.

– Je te parie un crédit qu'ils bossent pour Xizor.

Luke et Lando échangèrent un regard. Bien sûr. C'était logique.

Non que cela fasse une grande différence maintenant qu'ils le savaient...

– Il y en a deux qui arrivent au un-cinq-zéro ! cria Lando.

Luke accéléra. Le *Faucon* changea brusquement de cap en un virage très serré.

– Hé ! Qu'est-ce que vous êtes en train de faire là-haut ? s'exclama Leia.

– On vous donne une nouvelle possibilité de faire un carton ! répondit Luke.

Vador arpentait le pont de l'*Executor*.

– Combien de temps avant d'atteindre l'autre versant de la planète ? demanda-t-il.

– Quelques minutes, mon Seigneur, répondit nerveusement le Commandant.

– Dès que nous serons à portée, établissez-moi une communication avec la résidence orbitale *La Phalange du Falleen*, je souhaite m'entretenir avec le Prince Xizor.

– Bien sûr, mon Seigneur.

– Nous avons des problèmes, mon pote, remarqua Dash d'un ton calme mais résigné.

Luke hocha la tête.

– Wedge ?

– J'ai bien peur qu'il ait raison, Luke. Ces types sont des pilotes assez moyens mais ils sont très nombreux. Je pense que nous sommes toujours en infériorité, à quinze contre un. Sans parler des frégates qui ne sont toujours pas intervenues. Nous n'avons plus de place pour manœuvrer. Ils sont en train de resserrer les mailles de leur filet tout autour de nous et ils se foutent de détruire des vaisseaux civils.

– Ouais, dit Luke. (Il prit une profonde inspiration.) Je pense que tout ce qui nous reste à faire, c'est d'en descendre le plus possible tant qu'on le peut. A moins que quelqu'un veuille se rendre ? (Dash et Wedge éclatèrent de rire.) C'est bien ce que je pensais. Que la Force soit avec vous.

Luke se mit à piloter comme il ne l'avait jamais fait auparavant. Il se faufila, roula, s'arrêta net, plongea et s'engagea dans des virages si serrés que cela faillit leur faire perdre connaissance. Il était en train de donner le meilleur de lui-même et la Force était à ses côtés. Cependant, ils perdaient.

Ce n'était plus qu'une question de temps.

– Prince Xizor, nous commençons à les coincer. Trois des ailes-X ont été détruites ou mises hors circuit. Notre étau se resserre toujours. C'est l'affaire de quelques minutes, maintenant.

Xizor hocha la tête. Enfin.

– Nous sommes à portée, Seigneur Vador.

– Parfait. Déployez les chasseurs.

Leia mit le vaisseau ennemi en joue, tira et le manqua. Elle fit pivoter son siège d'artilleur, l'appareil lui passa sous le nez.

Tant pis. Il y en avait un juste derrière et d'autres encore derrière celui-ci. Elle visa, fit feu. Elle vit les lances d'énergie ratisser les rangs de leurs agresseurs. Elle vit une aile voler en éclats. Elle vit l'appareil échapper à tout contrôle et disparaître en tourbillonnant. Leurs ennemis se comptaient par centaines et eux, en comptant Dash et le *Faucon*, ils étaient quoi ? Neuf ? Dix ?

Il semblait bien que Xizor allait l'emporter.

Luke vit les chasseurs Tie leur foncer dessus. Une douzaine, au moins.

– Oh oh, dit Lando.

– Ouais, j'étais en train de me demander ce qui avait bien pu les retarder. (Luke se tourna vers Lando.) Ecoute, merci pour tout, Lando. Tu as été un très bon ami.

– Hé, je ne veux pas que tu me tiennes ce genre de discours. Je suis toujours un très bon ami.

Luke hocha la tête et se tourna pour observer les Tie. Il n'y avait plus une seule issue possible. L'espace grouillait de vaisseaux. Autant voler à travers une tempête de grêle en essayant de ne pas se faire toucher. Le jeune homme respira à fond...

Il vit les Impériaux leur passer devant et détruire deux des vaisseaux non identifiés.

– Qu'est-ce que... dit Lando.

– Luke, tonna la voix de Leia dans le communicateur. Je viens juste de voir...

– Je sais, je sais. Qu'est-ce qui se passe?

Xizor sentit la panique dans la voix du commandant de sa flotte.

– Votre Altesse, nous sommes attaqués par la Marine Impériale!

A côté de lui, un technicien des transmissions se mit à lui faire des signes frénétiques.

Xizor foudroya l'homme du regard.

– Dans votre intérêt, j'espère que ça en vaut la peine. Votre vie est dans la balance...

– C'est... C'est le Seigneur Vador. Il veut vous parler.

Vador! Bien sûr, il aurait dû deviner!

– Passez-moi la communication ici.

L'image de Vador se matérialisa juste devant lui. Xizor prit les devants et attaqua sans préambule :

– Seigneur Vador! Pourquoi la Marine est-elle en train d'attaquer mes vaisseaux?

Il y eut une pause puis Vador prit la parole.
– Parce que ces vaisseaux, qui agissent sous vos ordres, sont engagés dans une activité illégale.
– N'importe quoi ! Mes vaisseaux sont en train d'essayer d'arraisonner le traître rebelle qui a détruit mon château.
Il y eut une autre pause.
– Vous disposez de deux minutes standard pour rappeler vos vaisseaux, dit Vador. Et pour vous constituer prisonnier.
La froideur tapie au plus profond de Xizor éclata en une colère incontrôlable et brûlante.
– C'est hors de question. J'en référerai à l'Empereur.
– L'Empereur est absent. C'est moi qui parle au nom de l'Empire, Xizor.
– Prince Xizor.
– Vous pouvez garder ce titre... Pendant deux minutes encore.
Xizor sourit en faisant montre d'une confiance de façade.
– Qu'est-ce que vous allez faire, Vador ? Détruire ma résidence orbitale ? Vous n'oseriez pas, l'Empereur...
– Je vous ai ordonné de vous tenir éloigné de Skywalker. Rappelez vos vaisseaux et livrez-vous à moi. Sinon, vous allez en payer les conséquences. Je suis prêt à défier l'éventuel mécontentement de l'Empereur. (Il marqua une autre pause.) Cependant, vous, vous ne serez pas là pour assister à la scène, cette fois-ci.
Xizor prit peur. L'image de Vador se décomposa comme un fantôme puis disparut. Est-ce qu'il allait le faire ? Est-ce qu'il allait tirer sur la résidence ?
Il avait moins de deux minutes pour le découvrir. Il fallait qu'il prenne une décision.
Et vite.

– Luke, fais gaffe ! cria Lando.
– Je l'ai vu !
Luke engagea le *Faucon* dans une manœuvre ascendante mais d'autres vaisseaux attaquaient aussi par cet angle. Il

dut prendre la tangente sur tribord. Le vide cosmique, où éclataient continuellement des décharges d'énergie, était encombré de débris et d'appareils détruits. On n'avait jamais vu autant de vaisseaux concentrés en un endroit si petit. Les environs ressemblaient à un nid de Mermyns en colère.

Mais, alors que les chasseurs Tie tiraient occasionnellement sur les ailes-X, les lasers impériaux semblaient plutôt se porter sur les appareils non identifiés. Sur les vaisseaux de Xizor.

Pourquoi ?

– Ils sont pourtant dans le même camp, non ?

Luke ne prit conscience qu'il venait de dire cela à haute voix que lorsque Lando lui répondit :

– Remercie ta bonne étoile pour les petites faveurs qu'elle t'accorde. Tant qu'ils se tirent dessus, ils nous oublient ! Attention !

Luke dévia et évita de justesse la collision avec un autre appareil.

C'est à ce moment-là qu'il ressentit une perturbation familière dans la Force. Vador ?

Il n'avait pas le temps de s'occuper de cela. Luke remit ses questions à plus tard – si tant est qu'il y ait un plus tard – et se concentra sur le pilotage du *Faucon*.

Le commandant de la flotte de Xizor envoya un message désespéré à son maître. Vador écouta la transmission, après décodage, par les haut-parleurs.

– Mon Prince, nous sommes détruits par les nouveaux attaquants ! Nous sommes en position d'infériorité et nous sommes massacrés ! J'ai besoin de votre permission pour offrir notre reddition ! Votre Altesse ?

Vador observa le chronomètre et se délecta en regardant le délai fondre comme neige au soleil. Il ne restait guère de temps au Prince Sombre à présent.

Sept secondes... six secondes... cinq...

Le commandant, terrifié, reprit de plus belle :

– Prince Xizor, je vous en prie, répondez ! Nous devons

nous rendre ou alors nous serons mis en pièces ! Je vous en prie !

Encore quatre secondes... trois secondes...

– Votre Altesse, je...

La transmission avec le commandant s'interrompit brusquement. L'un des chasseurs impériaux avait dû toucher le vaisseau.

Deux... Un...

– Commandant, détruisez-moi cette résidence orbitale.

On ne conservait pas un poste à bord du vaisseau de Dark Vador en questionnant ses ordres.

– Oui, mon Seigneur.

Dark Vador inspira profondément, en dépit de l'immense douleur que cela lui causait, puis il laissa lentement l'air s'échapper de ses poumons. Sous le couvert de son masque, il sourit.

Au revoir, Xizor. Et bon débarras !

Comme par hasard, le *Faucon Millenium* faisait face à la résidence lorsque celle-ci explosa.

Luke vit les puissants rayons du superdestroyer étinceler et percer la station de part en part. La miniplanète se fissura et se désintégra en une nova aveuglante. La résidence brûla comme une petite étoile pendant quelques instants avant de s'éteindre doucement, ne laissant dans l'espace autour d'elle que des millions d'éclats brillants.

Malgré toute cette violence, le spectacle était magnifique. Luke se remémora alors l'explosion qui avait détruit l'Etoile Noire.

– Bon sang, souffla Lando. Ils ont dû vraiment être poussés à bout pour en venir là.

Luke secoua la tête, sans un mot.

– Allez, les gars, secouez-vous, dit Dash. Suivez-moi.

Luke cligna des yeux.

– Hein ?

– On vient juste de nous ouvrir une brèche, profitons-en pour nous tirer.

– Tu es fou ? On ne peut pas voler au milieu de tout ces débris.

– Nous n'avons pas le choix. Il y a des vaisseaux partout. Qu'est-ce qui te prend, p'tit ? T'as peur de pas y arriver ?

– Si tu y arrives, même mon droïd peut y arriver ! Allez ! fit Luke qui venait de comprendre ce que Dash voulait dire. Ce serait difficile, dangereux, mais l'espace autour de ce qui restait de la station était relativement dégagé. Les débris, eux, dérivaient en s'écartant du lieu de l'explosion. S'ils pouvaient éviter une collision, c'était leur meilleure chance de s'échapper.

– Youpiiii !!! hurla l'un des membres de l'Escadron Rogue.

Luke éclata de rire. Il savait exactement ce que devait ressentir le pilote.

La formation se dirigea vers les débris. Tout semblait aller pour le mieux. Les gentils avaient gagné !

– Dash ! Fais gaffe ! cria Lando.

Il n'était pas évident pour Luke de détacher son attention du pilotage mais il risqua un coup d'œil sur le côté.

Juste à temps pour voir une énorme portion de la résidence orbitale se diriger à vive allure vers l'*Outrider.*

– Dash ! cria Luke.

Il était trop près pour pouvoir l'éviter.

Il y eut une décharge lumineuse si violente qu'ils durent se protéger les yeux. Luke tourna la tête et Lando mit son avant-bras devant son visage pour s'abriter.

Lorsque la lumière faiblit, il ne restait plus rien de l'*Outrider.*

– Oh, bon sang, dit Lando. Il... Il a disparu.

Il s'était volatilisé, comme ça.

Le goût sucré de la victoire tourna au vinaigre dans la bouche de Luke.

Cela dit, il n'y avait plus de temps à perdre.

– Accrochez-vous ! Ça risque de secouer !

Les débris explosèrent tout autour d'eux, la collision les menaçait à chaque nouveau virage qu'entamait le vaisseau. Luke était effondré pour ce qui venait d'arriver à Dash – celui-ci s'était avéré un compagnon de grande valeur – mais il ne voulait pas être transformé en un tas de gravats fumants. Il laissa la Force envahir son corps et guider ses gestes.

La base secrète de l'Alliance se trouvait à des années-lumière de Coruscant. Ils avaient failli ne pas se tirer d'affaire mais ils y étaient tout de même parvenus.

Leia se tenait à côté de Luke, Lando et Chewie légèrement en retrait, C3 PO et D2 en arrière. Le bâtiment, comme beaucoup de structures mises en place par l'Alliance, était une unité préfabriquée de qualité moyenne. Une large et épaisse fenêtre de transparacier donnait sur l'astéroïde sur lequel on avait édifié la base. Luke laissa son regard vagabonder à travers la baie vers l'immensité des galaxies.

– Donc, si – comme nous l'ont rapporté les espions – Xizor était bien à bord de cette station orbitale, cela veut dire que les chasseurs de primes engagés par le Soleil Noir vont cesser de te courir après pour t'assassiner, dit Lando.

– Il reste toujours Vador, remarqua Leia.

Luke la regarda puis secoua la tête.

– Je ne crois pas que Vador souhaite ma mort. Pour l'instant, en tout cas. Je m'occuperai de ce problème en temps et en heure.

Ils tournèrent la tête. Wedge venait d'arriver.

– J'ai un message pour toi, Luke. Ça vient des Bothans. A l'origine c'était pour Dash mais, heu... (Il hésita.) Hum. Enfin, tu te rappelles de ce missile que Dash a raté lors de l'attaque sur Kothlis? Eh bien, il semblerait qu'il ne l'ait pas raté...

– Quoi?

Luke cilla à plusieurs reprises.

– Ce truc faisait partie des nouvelles têtes blindées au diamant de l'Empire. Dash aurait pu lancer n'importe quoi vers la fusée, rien ne l'aurait arrêtée. Les Bothans tenaient à ce qu'il le sache.

Luke sentit une boule se former au creux de son estomac. Bon sang. Dash n'avait rien manqué du tout et il n'était plus là pour s'en rendre compte. Quel malheur de disparaître avant de pouvoir apprendre que vous n'êtes pas responsable de la mort de vos camarades de combat. Ce qu'il y avait de pire, c'est que Luke avait éprouvé une certaine satisfaction à ce moment-là, pas à cause de la mort de leurs compagnons mais parce que Dash, Dash la grande gueule, s'était fait clouer le bec.

Bon sang.

– Qu'est-ce que tu vas faire, maintenant? demanda Wedge.

– On part à la recherche de Yan, répondit Luke. S'il n'est pas encore arrivé sur Tatooine, il ne devrait pas tarder.

– Tu vas aller fouiner dans le palais du Hutt, au nez et à la barbe des gardes, pour aller le secourir? Juste comme ça? dit Wedge.

– J'ai un plan, répliqua Luke.

Il se tourna et observa les étoiles. Il n'était peut-être pas encore un Maître mais il avait beaucoup appris.

Il était Chevalier Jedi et cela suffisait bien pour le moment.

Epilogue

Dark Vador se rendit dans le sanctuaire le plus protégé des quartiers privés de l'Empereur et s'agenouilla devant son Maître. Il avait de bonnes raisons de se faire du souci.

– Vous avez désobéi à mes ordres, Seigneur Vador.

– Oui, mon Maître, mais j'espère que je ne vous ai pas déçu.

– Debout.

Vador se releva.

L'Empereur lui adressa un sourire sinistre.

– Je ne suis pas sans savoir que Xizor était en train de mettre en place un certain nombre de choses qui devaient tourner à son avantage. Je sais également avec quelle finesse vous avez déjoué ses plans. Je savais tout depuis le début, de toute façon.

Vador ne répondit rien.

– Sommes-nous certains qu'il est mort?

– Je ne vois pas comment il aurait pu survivre. J'ai assisté à l'explosion de sa résidence orbitale. Elle a été réduite en pièces.

– Qu'à cela ne tienne. Le Soleil Noir a ses utilités mais il est comme le Chirru : coupez-lui la tête et une autre apparaîtra pour la remplacer.

Il éclata de rire – un rire grinçant –, amusé par la comparaison qu'il venait de faire.

– Peut-être le prochain dirigeant sera-t-il aussi dangereux, avança Vador.

– Aucun dirigeant du Soleil Noir ne peut se comparer à la puissance du Côté Obscur.

– Mais qu'en est-il du complot visant à corrompre les chefs rebelles ?

– La nouvelle Etoile Noire sera très bientôt leur nouvelle source de préoccupation. Elle va les attirer et, cette fois-ci, vous et moi serons là pour en finir une bonne fois avec cette Rébellion.

Vador voulut secouer la tête. Comme d'habitude, l'Empereur avait une longueur d'avance sur lui.

– Le jeune Skywalker sera là également, je l'ai vu.

Vador soupira.

– Tout se déroule exactement comme je l'avais prévu, Seigneur Vador.

Il sourit de nouveau. Vador sentit un vent froid le caresser. Personne, dans toute la galaxie, n'avait autant de contrôle sur le Côté Obscur de la Force que l'Empereur lui-même. C'était une faiblesse pour Vador que de ressentir cela comme une crainte. Il y avait encore quelque chose d'Anakin Skywalker au fond de lui, malgré tout ce qu'il avait fait pour se débarrasser de son passé. A terme, il lui faudrait se corriger ou cela causerait sa perte.

Dans la maison de Ben, sur Tatooine, Luke respira profondément pour essayer de se calmer. Ils ne s'attendaient pas à ce que Jabba soit favorable à leur proposition, ils savaient combien il pouvait être retors, mais là n'était pas la question. Lando avait trouvé un moyen de s'introduire dans le palais, tout comme Leia et Chewie. Ceci devrait permettre à C3 PO et à D2 d'être, eux aussi, dans la place. Si le Hutt était prêt à discuter, cela ferait gagner du temps et de l'énergie à tout le monde. Tous, cependant, savaient que le criminel n'était pas du genre à négocier. D'après ce qu'ils avaient appris, Jabba était têtu, vicieux et n'avait pas besoin d'argent. Dommage.

Il leur faudrait encore employer la manière forte. Et après ? Ça ne les changerait guère de leurs habitudes.

– O.K., D2, commence l'enregistrement.

Le droïd sifflota.

– Mes hommages, Votre Grandeur. Permettez-moi de me présenter : Luke Skywalker, Chevalier Jedi et ami du Capitaine Solo. Je sais combien vous êtes puissant et que votre colère contre Solo est à la mesure de cette puissance. Je demande audience à Votre Grandeur afin de discuter le rachat de la vie de Solo.

Voilà qui devrait être suffisamment servile. Si ce qu'on leur avait dit était vrai, Jabba éclaterait de rire à ce moment-là. Luke marqua une pause, reprit son souffle et continua :

– Je suis certain que grâce à votre sagesse, nous parviendrons à conclure un accord qui sera profitable aux deux parties et évitera ainsi toute confrontation déplaisante.

Il y avait peu de chance que cela arrive mais il reprit :

– Et comme gage de ma bonne foi, je vous prie d'accepter en présent ces deux droïds...

Luke dut se retenir de sourire : C3 PO serait, sans aucun doute, abasourdi d'entendre cette phrase lors de la diffusion de ce message. Luke avait songé, un instant, le mettre dans la confidence mais il s'était ravisé et avait jugé préférable que le droïd ne soit au courant de rien. Il pouvait s'offusquer si facilement. Sa surprise aiderait grandement à convaincre Jabba.

– ... tous deux sont hautement sophistiqués et vous seront d'une grande utilité, termina Luke.

Il regarda D2, leva les sourcils et le petit droïd coupa l'enregistrement.

Leia, qui se tenait derrière D2, secoua la tête.

– Vous pensez que cela va marcher?

Luke haussa les épaules.

– Je l'espère. Il n'y a qu'une seule façon de le vérifier.

Elle se rapprocha et lui posa la main sur le bras.

– Hé, reprit-il, après tout ce que nous venons de vivre, partir à la rescousse d'un vieux pirate moulu ne devrait pas être trop compliqué, pas vrai?

– C'est vrai, répondit-elle en souriant.

Il lui retourna son sourire. Ses émotions étaient incertaines. Luke n'arrivait pas à comprendre ce qu'elle ressentait pour lui, ce qu'elle ressentait pour ce vieux pirate moulu, mais lui, il savait exactement ce qu'il ressentait pour eux. Peu importe ce que l'avenir leur réservait, il lui fallait agir correctement, au bon moment. C'était ainsi que les choses devaient se passer. Agir correctement, à cet instant précis, c'était faire quelque chose de simple, pour ne pas dire facile.

Tiens bon, Yan.

Nous venons te chercher!

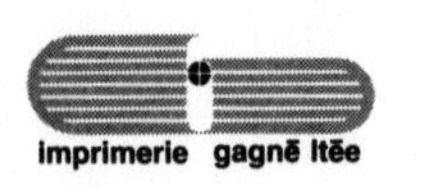
imprimerie gagné ltée

IMPRIMÉ AU CANADA